COLLECTION/SANTÉ

idées

La Collection Santé, dirigée par le docteur Serge Mongeau, réunit des titres traitant de divers aspects de la santé ou des moyens de la retrouver quand on l'a perdue. Ces livres sont destinés au grand public, car les auteurs croient qu'il faut cesser de se fier, pour sa santé, aux seuls spécialistes. En conséquence, cette collection devrait contribuer à la démédicalisation de la santé.

Dans la Collection Santé, la série **Idées** présente des réflexions sur les divers éléments qui peuvent avoir un impact sur la santé, aussi bien les habitudes de vie, les conditions sociales, l'environnement que la façon dont sont dispensés les soins.

L'ESPACE, LE TEMPS ET LA SANTÉ

Données de catalogage avant publication (Canada)

Dossey, Larry, 1940-

    L'espace, le temps et la santé

    (Collection Santé/Idées).
    Traduction de: Space, time & medicine.
    Comprend des références bibliographiques.

    ISBN 2-89037-493-9

    1. Médecine – Philosophie. 2. Santé. I. Titre.
II. Collection.

R723.D6714 1990 610'.1 C89-096475-0

Illustrations intérieures: George R. Holman, Dallas, Texas

Tous droits de traduction, de reproduction
et d'adaptation réservés
©1982 by Larry Dossey
Published by arrangement with
Shambhala Publications, Inc., Mass.
©1990 Éditions Québec/Amérique
pour l'édition française

Dépôt légal:
1er trimestre 1990
Bibliothèque nationale du Québec
Bibliothèque nationale du Canada

Montage
Andréa Joseph

LARRY DORSEY M.D.

L'ESPACE, LE TEMPS ET LA SANTÉ

PRÉFACE DE FRITJOF CAPRA
TRADUIT PAR SUZANNE BOLDUC

ÉDITIONS QUÉBEC/AMÉRIQUE

425, rue Saint-Jean-Baptiste, Montréal, Québec H2Y 2Z7 (514) 393-1450

pour Barbie,
ma femme,
qui connaît ce domaine

Table des matières

PRÉFACE

Malgré les progrès considérables accomplis jusqu'ici par
la médecine moderne, nous faisons présentement face à
une crise très importante dans le domaine de la santé,
tant en Europe qu'en Amérique du Nord. On attribue à
différents facteurs l'insatisfaction générale à l'égard des
institutions médicales – inaccessibilité des services,
manque d'humanité des soins, négligence –, mais c'est la
disproportion frappante entre les coûts et l'efficacité de la
médecine moderne qui est le thème central de toutes les
critiques. Bien que les coûts aient augmenté énormément
au cours des trente dernières années, et bien que les
médecins ne cessent de proclamer l'excellence scientifique et technologique des soins qu'ils prodiguent, la
santé de la population ne semble guère s'être améliorée.

Les causes de la crise sont diverses, et elles se trouvent
tant au sein de la médecine qu'à l'extérieur. Néanmoins,
de plus en plus de personnes, tant à l'intérieur qu'à
l'extérieur du domaine médical, se rendent compte que
les défauts du système de soins actuel sont dus au cadre
conceptuel dans lequel s'inscrivent la théorie et la pratique de la médecine, et en sont venues à croire que la
crise ne pourra se résorber que quand ce cadre sera mo-
difié.

La crise de la médecine se résume à un problème de perception; elle est donc inextricablement liée à une crise sociale et culturelle beaucoup plus grande: une crise complexe, multidimensionnelle, dont les facettes touchent tous les aspects de nos vies. Nous pouvons lire au sujet de ses nombreuses manifestations, tous les jours, dans les journaux. Nous avons des taux d'inflation et de chômage élevés, nous avons la crise de l'énergie, la pollution et toutes les catastrophes écologiques, la menace d'une guerre nucléaire, des vagues de violence, la montée du crime, etc. Tous ces événements peuvent êtres considérés comme les différents aspects d'une même crise, qui viendrait du fait que nous essayons d'appliquer les concepts qui appartiennent à une vision du monde dépassée – la vision mécanique de la science d'après Descartes et Newton – à une réalité qu'il n'est plus possible de comprendre en fonction de ces concepts. Nous vivons maintenant dans un monde de corrélation organique, où tous les phénomènes biologiques, psychologiques, sociaux et environnementaux sont dépendants les uns des autres. Pour décrire ce monde adéquatement, nous avons besoin d'une perspective écologique, que la vision cartésienne n'offre pas.

Il nous faut donc une nouvelle vision de la réalité; un changement fondamental dans nos pensées, nos perceptions et nos valeurs. On commence à voir le début de ce changement, de ce passage d'une vision mécanique à une conception holiste de la réalité. Ce mouvement est déjà perceptible dans tous les domaines et dominera vraisemblablement les années 80. Le présent ouvrage est un exemple remarquable du passage de la fragmentation à l'unité qui s'amorce en médecine. Écrit par un médecin qui illustre ses idées à partir d'exemples tirés de sa pratique personnelle, *L'Espace, le Temps et la Santé* présente des preuves convaincantes de la crise des concepts de la médecine actuelle et montre la voie des changements.

La pratique médicale actuelle est fermement ancrée dans la pensée cartésienne. Descartes basait sa vision du monde sur une division fondamentale en deux domaines séparés et indépendants: celui de l'esprit et celui de la matière. L'univers matériel était une machine et rien d'autre. La nature fonctionnait selon des lois mécaniques, et tout ce qui se passait dans le monde matériel pouvait s'expliquer par l'agencement et le mouvement de ses parties. Descartes a étendu aux organismes vivants cette vision mécanique de la matière. Les plantes et les animaux étaient ainsi considérés comme de simples machines; les êtres humains étaient habités par une âme rationnelle, mais leur corps n'était pas différent d'une machine animale.

En développant une formulation mathématique cohérente de la vision mécanique de la nature, Newton a complété avec éclat le cadre conceptuel créé par Descartes. La scène de l'univers newtonien, où se déroulaient tous les phénomènes matériels, était l'espace tridimensionnel de la géométrie euclidienne classique. C'était un espace absolu, un contenant vide indépendant des phénomènes matériels qui s'y produisaient. Tous les changements qui animaient le monde matériel étaient décrits en fonction d'une dimension séparée, le temps, qui lui aussi était absolu, n'ayant aucun lien avec le monde matériel et s'écoulant doucement depuis le passé, en passant par le présent et vers le futur. Les éléments qui se déplaçaient dans cet espace et ce temps absolus étaient des particules matérielles – des objets petits, solides et indestructibles: les matériaux de construction à partir desquels était fabriquée toute la matière.

À partir de la seconde moitié du XVIIe siècle, et jusqu'à la fin du XIXe, le modèle newtonien de l'univers domina toute la pensée scientifique. Les sciences naturelles, tout comme les humanités et les sciences sociales, ont toutes accepté la vision mécanique de la physique classique comme étant la description juste de la réalité, et modelèrent leurs théories respectives en conséquence. Quand les médecins, les psychologues ou les sociologues voulaient être scientifiques, ils s'en remettaient naturellement aux concepts élémentaires de la physique de Newton, et beaucoup d'entre eux s'accrochent encore à ces concepts, alors que la physique est rendue beaucoup plus loin.

Pour la biologie et la médecine, la vision cartésienne des organismes vivants, considérés comme des machines constituées de parties séparées, prévaut encore. Pour Descartes, une personne saine était comme une horloge bien faite, en parfaite condition mécanique; une personne malade était comme une horloge défectueuse. On retrouve encore des échos de cette imagerie cartésienne dans les principales caractéristiques de la théorie médicale moderne, tout comme dans beaucoup d'aspects de la pratique médicale actuelle. En suivant l'approche cartésienne, la médecine s'est limitée à tenter de comprendre les mécanismes biologiques impliqués dans les blessures des diverses parties du corps et, ce faisant, elle perd souvent de vue que le patient est un être vivant. Elle s'est concentrée sur des fragments de plus en plus petits, déplaçant son objectif depuis l'étude des organes et de leurs fonctions, jusqu'à celle des atomes puis, finalement, jusqu'à l'étude des molécules.

Cependant, tandis que les chercheurs en biologie et en médecine élaboraient des modèles mécaniques de la santé et de la maladie, les bases conceptuelles de leur science étaient réduites en miettes par les développements de la physique atomique et subatomique, qui révélaient clairement les limites de la vision mécanique du monde et qui suggéraient une conception de la réalité qui soit plus organique et écologique. Dans le cadre de la physique du XXe siècle, l'univers n'est plus perçu comme une machine, faite d'une multitude d'objets séparés, mais plutôt comme un tout harmonieux et indivisible; un tissu de relations dynamiques incluant l'observateur humain et donnant une place centrale à sa conscience. L'espace et le temps ne sont plus absolus, et ce ne sont plus des dimensions séparées. Les deux sont intimement liés et forment un continuum à quatre dimensions inséparables appelé l'espace-temps. Les particules subatomiques sont des nœuds dans un réseau d'événements, des paquets d'énergie ou des schèmes d'activité. Quand on les observe, on ne voit jamais de substance matérielle, mais plutôt des schèmes dynamiques qui se transforment continuellement l'un dans l'autre dans un mouvement ininterrompu – la danse de l'énergie.

La révolution des concepts de la physique moderne annonce une autre révolution imminente dans toutes les sciences, et une transformation profonde de notre vision du monde et de nos valeurs. Pour moi, le plus fascinant dans le livre de Larry Dossey, c'est le fait que l'auteur explique le renversement des bases conceptuelles de la médecine et sa relation avec les nouveaux concepts de la physique subatomique, non pas d'un point de vue abstrait et théorique, mais plutôt dans la perspective concrète de sa propre pratique de la médecine. De cette manière, le docteur Dossey met particulièrement en évidence la relation entre la santé et la perception du temps. «Beaucoup de maladies, écrit-il, peut-être toutes, sont probablement causées en tout ou en partie par notre mauvaise perception du temps.»

Comme solution de rechange au modèle médical actuel, le docteur Dossey a développé un modèle spatio-temporel de la santé qui est en accord avec la vision de la réalité suggérée par la physique moderne. Ce modèle se caractérise par la notion de la «biodanse»; par l'idée que les êtres humains sont des processus essentiellement dynamiques, indissociables de leur environnement et qu'il est impossible d'analyser en parties séparées; et par sa notion de la santé qu'il définit comme l'harmonie d'un mouvement fluide. Le docteur Dossey est tout à fait conscient que son modèle spatio-temporel de la santé exigera qu'on réoriente profondément beaucoup de nos concepts fondamentaux. En fait, il considère qu'une telle réorientation est un aspect majeur de toute thérapie:

Dans le cadre du modèle spatio-temporel de la santé et de la maladie, un objectif primordial de tout thérapeute est d'aider le malade à réorganiser sa vision du monde. Il faut l'aider à se rendre compte qu'il est un processus dans l'espace-temps – pas une entité isolée, un fragment détaché du monde des bien-portants, qui s'en va lentement à la dérive dans le cours du temps, vers son anéantissement. Dans la mesure où on accomplit cette tâche, on peut se dire guérisseur.

Le livre de Larry Dossey représente une étape importante dans la réorganisation de notre vision du monde, une étape non seulement intellectuellement stimulante, mais thérapeutique.

Berkeley, décembre 1981
Fritjof Capra

AVANT-PROPOS

De nos jours, prendre soin des malades est une occupation qui risque de nous monter à la tête. J'entends souvent dire que nous, les médecins, savons plus et pouvons faire plus que nos prédécesseurs; que nos prouesses techniques sont impressionnantes; et que les quelques lacunes qui nous restent n'ont besoin que d'un soupçon de recherche fondamentale, de subventions et de main-d'œuvre, pour être comblées. Ce n'est qu'une question de temps. Parfois, j'ai le sentiment que la suffisance s'est carrément installée dans nos rangs.

L'éminent physicien Niels Bohr a déjà dit qu'une *grande* vérité était celle dont le contraire était également vrai. Si Bohr avait raison, et si les médecins de notre époque ont aussi raison de croire que la médecine n'a jamais été si puissante, alors nous détenons une vérité monumentale, parce que, de bien des façons, la médecine n'a jamais été si faible. On est en même temps puissant et caduc, bon et mauvais, le meilleur et le pire.

Ce n'est un secret pour personne aujourd'hui: en médecine, quelque chose ne va pas. Les critiques sévères ne sont plus nouvelles, tant de l'intérieur que de l'extérieur de la profession, et nous sommes, pour la plupart, fatigués d'entendre les mêmes rengaines. Malgré nos envolées d'enthousiasme périodiques à propos de ce que nous savons et pouvons faire, la plupart des médecins sentent leurs faiblesses avant qu'on les leur rappelle. La médecine n'est pas correcte, et nous le savons.

Nous assistons à ce qui est sûrement la période la plus ironique de l'histoire de la médecine. La médecine moderne a appris à considérer les sciences pures comme un modèle, espérant incorporer la précision dont la physique classique faisait le plus grand étalage. Croyant que nous avons effectivement acquis cette précision, nous, médecins, refusons d'entendre le message que la physique émet depuis un demi-siècle: *l'exactitude n'a jamais vraiment existé*. La médecine d'aujourd'hui s'est fait faire le tour des gobelets; on a escamoté la précision. Passez muscade!

Nous avons construit un modèle de la santé et de la maladie, de la naissance et de la mort, autour d'un modèle démodé du comportement de l'univers, un modèle fondamentalement défectueux au départ. Tandis que les physiciens éliminaient péniblement les défauts de leurs propres modèles, nous ignorions totalement leurs révisions. Nous nous retrouvons donc avec un ensemble de lignes de conduite aussi démodées que le traitement des humeurs, les sangsues et la saignée.

Le présent ouvrage propose d'examiner tous ces défauts et d'explorer les nouveaux modèles. C'est une tentative pour corriger la situation ironique dans laquelle se trouve la médecine «moderne», une tentative fondée sur la conviction qu'aucune médecine ne peut se dire moderne, qui ne s'accorde pas avec le meilleur de la physique contemporaine.

Les usagers du système médical ont le sentiment très clair que les aspects froids, inhumains et impersonnels du système résultent, dans une large mesure, du fait qu'on ait mis toute sa confiance dans une science qui était elle-même froide et indifférente. C'est pourquoi on croit de plus en plus qu'il vaut mieux accepter les hésitations de l'ancienne médecine que la science de la nouvelle. Il faut choisir: allons-nous continuer sur la voie d'une médecine moderne, scientifique, mais sans cœur? ou retourner à une médecine plus ancienne et maladroite, mais combien plus humaine et satisfaisante?

Je crois que cette alternative est artificielle. Cette question ne se pose qu'à cause des défauts inhérents à nos modèles médicaux démodés, et elle s'évanouira quand on les aura mis à jour. Je suis convaincu que les seuls modèles médicaux qui seront vraiment salutaires pour l'esprit humain sont ceux qui s'accorderont avec le meilleur de la science – je dis bien *meilleur*, pas *démodé*.

La rénovation conceptuelle qui, en médecine, aurait dû être faite depuis longtemps, le remplacement du vieux par le meilleur, pourra nous donner ce dont nous avons tellement besoin: un système de haute technologie, caractérisé non pas par le désespoir et le manque d'humanité mais par la clarté, l'espoir et la vie. Oui, nous *pouvons* avoir les deux.

De formation et de tempérament, je suis médecin. Je me sens une nette affinité avec les guérisseurs de toutes les époques et de toutes les cultures – tant avec les chamans qu'avec mes collègues internistes. Ce livre n'est donc pas la confession d'un informateur, ni celle d'un déserteur désillusionné, mais il s'agit au contraire du fruit de mes méditations sur ce que signifie être né, vivre et mourir; souffrir et vieillir; être en bonne ou en mauvaise santé – le tout envisagé du point de vue du médecin praticien, qui considère sans se justifier que le rôle de guérisseur répond encore à des aspirations élevées et légitimes.

Je n'ai jamais cessé d'être émerveillé par les faits les plus ordinaires qui occupent une partie de mon quotidien de médecin. La guérison d'un cas de pneumonie, d'appendicite aiguë, d'infection de la vésicule biliaire ou de cétoacidose, me semble encore miraculeuse. Ces maladies, qu'on considère aujourd'hui guérissables, étaient

17

souvent fatales autrefois. Et quand je pense que je n'ai même jamais vu de cas aigu de variole, de peste ou de polio, je *sais* que la médecine a fait quelque chose de très puissant et de très correct. Je suis fier d'en faire partie.

Il peut donc sembler paradoxal que ce livre remette en question presque toutes les hypothèses de base de la médecine moderne, dont je suis si heureux de partager les traditions et les réalisations. En guise d'explication, j'offre à mes collègues les arguments suivants: l'histoire de notre profession est en fait l'histoire du changement; nous nous sommes toujours inspirés des progrès des autres disciplines; aussi puissants que soient nos modèles, comme tous les modèles scientifiques, ils ont toujours été imparfaits; et une attitude défensive trop sectaire n'a jamais enrichi personne. Par ailleurs, j'inviterais les non-médecins, qui risquent d'interpréter ce livre comme une condamnation criarde, et en bloc, de la médecine moderne, à l'examiner de plus près, car ce n'est vraiment pas de cela qu'il s'agit. Ce qui suit n'est pas une attaque envers une profession honorable, mais une tentative sincère de trouver de nouvelles significations et une meilleure voie.

J'ai pris grand soin de mettre à la portée des profanes beaucoup de notions scientifiques complexes. À mes collègues, qui risquent d'être épouvantés devant ma simplification intentionnelle du processus des maladies, et aux physiciens, chimistes et biologistes, qui seront consternés par mes descriptions simples, et en termes non techniques, de sujets hautement complexes, je ne peux que répondre que, pour les fins du présent ouvrage, je ne vois rien à gagner à être obscur. Mon but a toujours été d'être compris.

Au cours de la formulation et de la réalisation de ce livre, j'ai accumulé de grandes dettes. Je dirai d'abord que, de bien des façons, c'est à ses patients qu'un médecin doit tout. Je suis profondément reconnaissant à tous ceux que j'ai servis.

Il m'est impossible d'exprimer toute ma gratitude envers le plus grand médecin qui ait contribué à ma formation, Seymour Eisenberg, M.D., mon médecin-chef. Sans son influence, je ne serais vraisemblablement pas médecin aujourd'hui, même après avoir terminé mes études de médecine. Le docteur Eisenberg est doué de cet amalgame ineffable de puissance intellectuelle, d'humanité, de force personnelle, d'humour et de compassion tranquille, typique des guérisseurs dignes de ce nom. Comme médecin, il représente une certaine noblesse qu'il me semblait valoir la peine de rechercher.

Je dois aussi remercier mes collègues de la Dallas Diagnostic Association, qui forment le groupe de médecins les plus compétents et compatissants que je connaisse: Paul Anderson, Roger Camp, Don Crumbo, Joan Donley, Tom Hampton, Charles Harris, David Haymes, William Hensley, Lannie Hughes, Carlos Kier, C. Thomas Long, III, Jack Melton, J. Edward Rosenthal, Joe Sample, Jack Schwade, Charles Sledge, Rick Waldo et Charles S. White, III – ainsi que Carl Ikard, notre administrateur et conseiller. Leur soutien a été un facteur majeur dans l'exécution de ce projet.

Des remerciements authentiques sont dus à Cathie Guzzetta, qui a été la première à dire qu'il fallait écrire ce livre.

Je veux aussi remercier quelqu'un dont les mots apparaissent tout au long de ce livre, et qui, pendant que j'écrivais, n'était jamais bien loin, à m'observer: Walt Whitman. Walt comprenait les concepts dont je parle, et il les avait déjà formulés à sa manière. Lui aussi prenait soin des malades et des mourants, en tant qu'infirmier lors de la guerre de Sécession. Cette expérience a sûrement contribué à former son point de vue. Et quand lui-même fut infirme, c'est un grand guérisseur qui a pris soin de lui: Sir William Osler, le père de la médecine américaine.

J'ai une dette particulière envers Juan et Rosa Ortega, qui ont organisé les nombreux pèlerinages dans les montagnes et les déserts où une grande partie du présent ouvrage a été conçue et écrite.

Je réserve ma gratitude éternelle à ma mère et à mon père pour la constance universelle de leur amour; à ma sœur Bet, qui n'a jamais douté; et à mon frère Gary, mon jumeau identique, avec qui j'ai partagé notre première expérience de l'espace et du temps, *in utero*.

Finalement, il y a une personne pour qui tous les remerciements semblent impropres, creux, fragiles et superflus: Barbie, ma femme, avec qui je partage le lien d'unité qui est un thème central dans ce livre.

Larry Dossey, M.D.
Dallas, Texas

NOTE: Les exemples de cas rapportés dans la suite du livre sont issus de la pratique de la médecine interne de l'auteur. Les noms des patients ont été changés pour en préserver le caractère confidentiel.

20

I

Le problème

À présent je réexamine les philosophies et les religions,
Il se peut qu'elles fassent l'affaire dans les salles de con-
férences et que pourtant elles ne fassent pas du
tout l'affaire sous les vastes nuages, en face du
paysage et des eaux qui s'écoulent.

Walt Whitman
Feuilles d'herbe

•   Walt Whitman, «Chant de la grand-route», *Feuilles d'herbe* (choix), intro. et trad. de Roger Asselineau, Paris: «Les belles lettres», 1956, p. 158.

CHAPITRE PREMIER

Les mauvais sorts et les molécules

Mais les démons sont immortels – heureusement pour les sorciers qui en dépendent pour gagner leur vie. L'an prochain, on pourra accomplir les mêmes rites à nouveau.

Alexandra David-Neel[1]

Nos ombres dansaient sur les murs de la pièce, une petite salle d'examen située tout près du poste de garde et qu'on pouvait verrouiller de l'intérieur. Sur le bureau, le comprimé blanc brûlait dans un cendrier de métal en émettant une étrange flamme bleue. C'était un comprimé de méthénamine, un antibiotique faible utilisé pour traiter les infections des voies urinaires. Il y a longtemps, j'avais appris que c'était inflammable. Il y en avait toujours dans le poste de garde; c'était facile d'en emprunter pour notre «cérémonie».

Le vieil homme était assis impassible, les yeux grands ouverts. Il était entré à l'hôpital deux semaines auparavant et avait été placé sous les soins de Jim, mon collègue et ami. Cet homme se mourait. Il était émacié et avait cet air de mort que six mois d'internat nous avaient appris à reconnaître. Je regardais la méthénamine brûler, incapable de croire à ce qu'on était en train de faire.

Depuis deux semaines ce vieux, sec et ridé, s'était soumis à des examens: la batterie de radiographies et les prises de sang habituelles. Tous les tests, sans exception, avaient donné des résultats négatifs. À l'admission, on avait supposé qu'il avait le cancer; c'était raisonnable pour un homme âgé et qui avait perdu 20 kilos en six mois. Malgré la série de résultats normaux, Jim poursuivait patiemment ses investigations, convaincu qu'il trouverait, tôt ou tard, la «vraie maladie». Mais plus les examens avançaient, plus le vieil homme était mal en point. Il était maintenant extrêmement faible, presque cloué au lit.

Il y a deux jours, on a mis un terme aux examens. Jim n'avait tout simplement plus de tests à tenter. Il était désormais fort embarrassé avec un patient mourant et pas d'explication à sa maladie. À l'occasion d'une tournée matinale, il a exposé à son patient la difficile situation: «Vous êtes mourant et je ne sais pas pourquoi.» Et le vieil homme de répondre: «Ça va, docteur. Je le sais que je vais mourir. Et je sais pourquoi, aussi.» Jim le regarda fixement, n'en croyant pas ses oreilles. Et le vieux de poursuivre: «Docteur, on m'a jeté un sort.»

Il raconta ensuite comment sa santé s'était mise à décliner. Trois mois auparavant, un ennemi avait eu recours à une sorcière de la région qui lui avait jeté un sort. (Les raisons de ce sort ne nous ont jamais été révélées.) La sorcière a réussi à obtenir de l'épouse du vieil homme qu'elle lui coupe une mèche de cheveux et la lui remette. Elle put ainsi élaborer un sort. Et, au moment opportun, elle fit savoir au vieillard, et à son ennemi, qu'il était ensorcelé et qu'il allait mourir.

Fait étonnant pour nous, le vieil homme ne s'est jamais opposé à ce verdict. Il n'a jamais pensé que le sort pourrait ne pas faire effet. Il était comme déjà mort, coupé de toute volonté de vivre. Il cessa de manger dès qu'il apprit qu'on lui avait jeté un sort. Il perdait du poids inexorablement et il était venu à l'hôpital pour y mourir.

Jim me prit à part pour me relater l'étrange histoire. Il en était tout remué. Par contre, ma propre réaction à cette histoire d'ensorcellement a dû être décevante: désespéré, je ne pouvais que ressentir de la sympathie pour le triste état du patient; je n'avais aucune idée de ce qu'on pouvait faire de plus. J'avais le sentiment qu'il avait raison, qu'il allait vraiment mourir. Jim avait une tout autre attitude: «Nous devons le guérir.» C'est sur ces paroles qu'il me laissa après qu'on se fut entendu pour se rencontrer à nouveau et discuter d'une «thérapie» pour son patient.

Jim passa les vingt-quatre heures suivantes à élaborer, sans tellement d'aide de ma part, une stratégie de traitement. Il s'y acharnait avec une énergie incroyable. Je me rends compte maintenant d'un fait dont je n'étais pas conscient alors: j'étais témoin d'une lutte sur le plan des archétypes – sorcellerie contre sorcellerie – une lutte pour la vie. Sans l'admettre comme tel, Jim mettait aux prises sa médecine et le sort jeté par son adversaire. L'enjeu était la vie ou la mort du vieil homme aux cheveux gris.

Pour la «cérémonie», Jim avait décidé d'attendre jusqu'au samedi soir. Il y a moins d'activité dans l'hôpital la fin de semaine; on aurait donc moins de chances d'être découverts. À minuit, il se rendit dans la chambre du vieillard et l'aida à s'asseoir dans un fauteuil roulant (le malade était alors trop faible pour marcher). Il vérifia ensuite que le corridor était désert et se précipita dans la salle d'examen. Ayant déjà allumé le comprimé de méthénamine, je les attendais en face. Je les suivis dans la pièce et verrouillai nerveusement la porte derrière nous, me sentant ridicule et plein d'appréhension à l'idée qu'on pourrait nous découvrir.

Nous étions seuls, silencieux dans la pénombre. Jim s'assit près de la flamme. Après un moment qui sembla une éternité, il se leva, tout à fait à l'aise et maître de la situation. Le vieil homme et moi suivions chacun de ses mouvements. Il paraissait plus grand sous cet étrange éclairage; il avait l'air d'un vrai sorcier. Il accomplissait sa tâche avec un sérieux absolu, conscient que la vie de son patient dépendait de sa façon de montrer sa puissance.

Jim tira de sa poche des ciseaux de chirurgien qu'il avait «empruntés» pour l'occasion. Ils luisaient dans la faible lumière bleue alors que Jim s'approchait du vieil homme qui, pétrifié dans son fauteuil, suivait chacun de ses mouvements lents et délibérés. Arrivé au fauteuil roulant, Jim leva les ciseaux, d'une main et, de l'autre, saisissant une mèche de cheveux, la coupa lentement.

Le vieil homme semblait avoir cessé de respirer. La mèche de cheveux dans la main gauche, Jim revint lentement vers le bureau, telle une statue massive au-dessus de la flamme agitée. Il regarda alors carrément son patient raide et décharné et dit lentement d'une voix calme et profonde: «À mesure que le feu consume vos cheveux, le sort qui habite votre corps est détruit.» Il baissa ensuite la main, laissant les cheveux tomber dans la flamme. Puis il ajouta cette étrange recommandation: «Mais si vous révélez à quiconque que vous avez participé à une telle cérémonie, le sort reviendra aussitôt, plus fort que jamais!» (Heureusement que Jim est un sorcier conscient du risque d'humiliation professionnelle!)

La cérémonie terminée, j'ouvris la porte aussi silencieusement que possible et Jim ramena le vieil homme à sa chambre et le mit au lit. De retour, il ne dit presque rien. Pour quelque étrange raison, une atmosphère de sérieux avait imprégné cet événement cocasse. Nous nous séparâmes, épuisés, après nous être juré le silence éternel sur cette fantaisie nocturne.

Le «désensorcellement» eut un effet presque immédiat. Le patient de Jim se réveilla avec un appétit vorace! Il demanda un triple petit déjeuner (ce qui, à l'hôpital, est pourtant le repas le moins appétissant de la journée). Il continua à demander des portions doubles pour tous les repas suivants, peu importe ce qui était servi. Son poids augmenta d'une façon presque incroyable.

Fidèle à la mise en garde, il ne mentionna jamais la

cérémonie dont il avait été l'objet, pas même à Jim. À partir de ce moment, il s'est mis à être de bonne humeur, presque exubérant. Il n'a jamais abandonné la conviction qu'il avait réellement été sauvé par le sorcier Jim.

Ce dernier le garda à l'hôpital encore plusieurs jours pour être certain que son «désensorcellement» était vraiment durable. Il ne lui donna congé que quand il fut certain que son patient était guéri. Le vieil homme rentra chez lui en pleine forme, laissant derrière lui un épais dossier plein de résultats normaux – et une salle d'examen où flotta pendant plusieurs jours une odeur exaspérante de cheveux brûlés…

Le modèle moléculaire

Jim et moi ne nous sommes plus jamais reparlé de l'incident. Il s'agissait d'abord de survivre à une année d'internat – dur travail, peu de sommeil, salaire minimal – et, avec le temps, j'avais fini par oublier l'événement.

Il est intéressant pour moi de jeter un coup d'œil rétrospectif sur mes réactions conscientes au cours de l'épisode du patient ensorcelé de Jim. Du début à la fin, ce cas était bizarre et troublant. La maladie et la guérison de l'homme à cheveux gris ne cadraient aucunement avec ce que j'avais appris à l'école de médecine où la maladie était considérée comme le résultat du dérangement des processus cellulaires. On nous y disait que la maladie était causée par le dérèglement de la machine – le corps. Et le rôle du médecin était de localiser la maladie et de l'exterminer, si possible.

Mais que dire du patient de Jim? Il semble clair que la défaillance initiale n'avait pas eu lieu dans la «machine». En fait, par ses tests, Jim n'avait pas réussi à isoler quoi que ce soit d'anormal. D'après les tests de laboratoire et les radiographies, la machine fonctionnait parfaitement. Mais le vieillard se mourait.

La raison pour laquelle j'avais relégué cette expérience au rang d'incident curieux et aberrant m'apparaît maintenant clairement. Faire autrement aurait été remettre en question toutes mes convictions sur la genèse des maladies. Maintenant, des années après cet événement, l'efficacité répressive de ma conscience n'est plus aussi forte, et cette expérience, comme la centaine d'expériences semblables dont j'ai été témoin depuis, a transformé ma compréhension de la façon dont les humains deviennent malades.

Comme interne, et plus tard comme médecin résident, j'étais fier de ma maîtrise du «modèle médical», cet ensemble de règles de conduite traditionnel qui explique comment les personnes tombent malades. Du début à la fin, l'accent est mis sur le corps. Et les efforts des chercheurs tendent irrésistiblement vers la compréhension des processus morbides en fonction des molécules. La molécule est pour le biologiste ce que le quark est au spécialiste de la physique quantique: une unité fondamentale dans laquelle toute perturbation met en branle une cascade de dérèglements que l'on reconnaît cliniquement comme une maladie. C'est pour cela que l'on désigne le modèle le plus récent de la médecine moderne par l'expression «théorie moléculaire de la genèse des maladies».

La précision de l'exploration dans le domaine moléculaire qu'on peut maintenant obtenir par l'analyse biochimique est la source d'une forme d'enchantement qui fait de tout doute une hérésie. On croit que quelle que soit la maladie, si notre connaissance est complète, on devrait être en mesure d'identifier la molécule dont le comportement fait défaut. On n'envisage simplement pas que d'autres explications puissent exister.

Jusqu'à tout récemment, les faits témoignant de la précision du modèle moléculaire n'avaient jamais vraiment été remis en question. Des maladies classiques servaient de preuve à sa puissance explicative. Par exemple, certaines maladies du sang peuvent être attribuées à une défaillance dans le processus de synthèse de l'hémoglobine, si l'on considère que la moindre déviation par rapport à la configuration normale des atomes au sein d'une molécule donnée a des conséquences dévastatrices.

Et c'est ainsi qu'on analyse les principales maladies. Le grand défi par rapport aux maladies mortelles les plus communes dans notre société – l'athérosclérose, par exemple – est de comprendre pourquoi la molécule de cholestérol est emprisonnée dans la paroi des vaisseaux sanguins, formant ainsi des obstructions nommées athéromes. Du point de vue de la médecine moléculaire, toutes les autres approches – diététique, régimes amaigrissants, programmes d'exercice – manquent de profondeur parce qu'elles ne font que contourner la *cause* du problème que, par définition, on ne peut comprendre qu'en pénétrant jusqu'aux molécules.

On utilise la même approche pour toutes les maladies importantes de notre époque. Quelle aberration biochimique cause la haute pression? Sont-ce des *molécules* anormales élaborées par l'organisme qui font monter la pression? Est-ce plutôt dû à la réabsorption par les reins d'un trop grand nombre de *molécules* de sodium? Quelle sorte de *molécules* peuvent constituer le médicament contre la haute pression? Les dérangements moléculaires suggèrent ainsi des stratégies d'intervention – molécules contre molécules – pour tenter de résoudre le problème fondamental.

Dans le cas du cancer, on pense à une anomalie dans le processus de duplication des molécules. Pour le diabète, on dit que les molécules d'insuline sont en manque absolu, ou relatif, ou défectueuses. La dépression peut être attribuée à un déséquilibre biochimique, à la carence de certaines molécules essentielles au fonctionnement émotif normal.

Au «panthéon moléculaire» figure ainsi une représentation pour toute maladie. S'il semble y avoir une exception, on l'attribuera à un défaut des données, pas à la théorie elle-même. Et, pour toute maladie, on devrait finalement obtenir une analyse moléculaire en fonction de laquelle on concevra une intervention moléculaire. C'est du moins ce que stipule la théorie.

Mais que dire du patient de Jim? Cet homme et son sortilège ont tourmenté mon esprit pendant des années. Ce genre de «donnée» n'avait tout simplement pas de sens. Ironiquement, c'était comme si le vieil homme avait lui-même jeté un sort à mon modèle moléculaire et l'avait rendu malade.

NOTE:

1. Alexandra David-Neel, *Magic and Mysticism in Tibet*, New York, Dover, 1971, p. 51.

CHAPITRE 2

Les scientifiques et
les autochtones de Patagonie

[...] puisque nous avons compris que la science n'est pas qu'une description de la «réalité» mais plutôt une façon métaphorique d'ordonner l'expérience, la nouvelle science n'infirme pas l'ancienne. Il ne s'agit pas de déterminer quel point de vue est le «vrai», mais de voir quel modèle est le plus utile à la conduite des affaires des hommes.

Willis Harman[1]

La science: qu'est-ce que c'est?

Comment la science fonctionne-t-elle au juste? Comment les scientifiques «font-ils» de la science? D'habitude, on pense que la science procède d'une façon simple et directe. Idéalement, le scientifique fait des observations, formule des hypothèses et les confronte à des observations plus poussées. Si les nouvelles données ne cadrent pas avec ce qui est prévu par une hypothèse, on doit alors réviser l'hypothèse en question. La méthode consiste à trouver, par approximations successives, le modèle le plus adéquat. C'est cependant une façon idéalisée et naïve de voir comment on «fait» de la science.

En effet, bien que la méthode scientifique exige qu'on prouve que les données recueillies par un observateur puissent aussi bien l'être par tout autre observateur qui emploie les mêmes méthodes, il n'est pas évident que, face à un même phénomène, des observateurs différents relèveront les mêmes données. On peut même affirmer que des données identiques donnent souvent lieu à des interprétations différentes. Les études sur la conscience humaine dont nous ferons état ci-après sont fondées sur cette notion de variation du résultat et de l'interprétation des observations.

C'est un fait que personne d'entre nous, scientifiques inclus, ne voit de la même façon. Les variations de la perception chez l'homme sont bien connues et ont fait l'objet d'études approfondies[2]. Il n'est pas rare de constater de la distorsion dans la perception d'un même phénomène par différents observateurs placés dans des conditions identiques.

Les récits de Darwin nous livrent un témoignage historique en la matière. Le *Beagle* était ancré au large des côtes de la Patagonie et l'équipage procédait au débarquement dans des petits canots à rames. Contre toute attente, les autochtones qui, du rivage, étaient témoins de l'opération ne voyaient pas le *Beagle* mais n'avaient aucune difficulté à voir les minuscules embarcations! Ils n'avaient jamais vu de ces navires imposants, mais les canots faisaient partie de leur vie quotidienne. Les embarcations à rames se conformaient à leur vision du monde, mais pas les brigantins. Leur modèle déterminait leur perception.

L'idée que la science procède de façon tout à fait directe et objective ne tient pas compte des distorsions de la réalité qui nous sont imposées par les sens. Dans bien des cas, nous ne voyons que ce que nous avons été entraînés à voir, ce que nous sommes habitués à voir. C'est du moins ce qui ressort des études portant sur la perception visuelle chez l'homme. Si l'on fait porter à un sujet des verres spéciaux qui inversent le champ visuel, tout ce qu'il verra, au début, sera sens dessus dessous. Mais, après un certain temps, s'il continue à porter les verres, son système de perception apporte les corrections nécessaires pour redresser l'image renversée[3]. Cette observation suggère que c'est notre modèle de l'univers qui détermine, dans une certaine mesure, ce que nous voyons. L'objectivité scientifique à laquelle on prétend serait donc bien illusoire. Comme le fait remarquer Kuhn:

Un langage d'observation pur reste encore à définir. Mais, trois cents ans après Descartes, notre espoir d'y parvenir repose toujours exclusivement sur une théorie de la perception et de la pensée. Et les expériences récentes en psychologie multiplient les données avec lesquelles la théorie a de plus en plus de difficulté à composer. L'exemple des verres qui renversent l'image montre que deux personnes peuvent avoir une image différente sur la rétine mais quand même percevoir exactement la même chose[4].

La médecine est maintenant aux prises avec un problème de taille: son modèle est tellement en désaccord avec l'observation qu'il est pratiquement irrécupérable. Nous examinerons plus loin ce problème et chercherons des voies pour améliorer le modèle. Nous essayerons de percevoir non seulement les minuscules embarcations à rames, mais également les monstrueux vaisseaux.

Un modèle n'est qu'un ensemble de croyances ayant pour but de donner un sens à ce que nous percevons du monde. C'est ainsi que les modèles, bien qu'ils puissent influencer notre observation, sont fortement *déterminés* par ce que nous voyons. Avant 1492, par exemple, on pouvait aisément s'estimer cultivé et croire que la terre était plate. Cette croyance était un modèle tout à fait cohérent pour organiser l'expérience personnelle de chacun. Rien dans l'expérience quotidienne de quiconque ne contredisait cette hypothèse, et elle était tout à fait conforme aux données objectives de l'époque. Mais quand les voyages au long cours devinrent une réalité, comme avec Colomb et Magellan, les données changèrent. Et il fallut donc réviser en conséquence le modèle de la configuration de la terre.

La médecine d'aujourd'hui est en quelque sorte rendue au stade des voyages de Magellan. Les données ont changé. Nous ne vivons plus sur la terre plate du modèle moléculaire, qui jusqu'ici rendait bien compte d'une base de données plus limitée. À l'instar des navigateurs et des cartographes du XVᵉ siècle, qui trouvèrent que la terre était ronde et donc d'une structure plus complexe que le plan, nous sommes forcés de reconnaître que la santé humaine est plus complexe que ce dont le modèle moléculaire peut rendre compte.

Les Magellans de la biologie sont de retour; ils annoncent la découverte d'étranges contrées, et les données qu'ils rapportent ne sont pas moins révolutionnaires que celles des premiers grands explorateurs. Elles nous disent que nous nous étions un peu trompés. Nos modèles étaient fondés sur des informations limitées; ils étaient donc limités en conséquence.

Et la nouveauté, quelle est-elle? C'est que *la conscience joue un rôle clef.*

La conscience: dimension négligée

Les processus conscients ont un rôle clef dans la santé et la maladie chez l'homme. Contre toute attente, les faits probants qui en suggèrent l'importance sont issus de la biologie moderne qui se faisait pourtant une tradition de défendre une vision strictement mécanique de l'homme.

Le terme *conscience,* longtemps employé abusivement par la science moderne, a repris du crédit. Des philosophes du corps et de l'esprit en avaient fait leur gagne-pain; c'est maintenant devenu le terme favori des psychosomaticiens, qui tentent à leur façon d'affirmer l'importance du rôle de l'esprit dans la santé. Les théories psychosomatiques n'ont cependant jamais bien fonctionné parce que leur modèle de l'humain n'accorde pas la prédominance à la conscience. Le physicisme n'a jamais perdu de son importance dans la définition des concepts psychosomatiques de sorte qu'ils demeurent indissociables d'une théorie moléculaire de la genèse des maladies.

C'est parce qu'elles ont accepté a priori une vision réductionniste de l'esprit que les théories psychosomatiques n'ont jamais expliqué de façon satisfaisante l'influence de l'esprit sur le corps. Elles continuent en effet à considérer l'homme comme une machine, fût-elle complexe, et sont donc foncièrement réductionnistes. Le réductionnisme – l'idée que tout ce qui se passe dans le corps humain, y compris les processus mentaux complexes, peut s'expliquer par des processus chimiques fondamentaux – a dominé la pensée de la plupart des médecins modernes qui disent adhérer à l'école psychosomatique. Cette école de pensée considère surtout que l'esprit est influencé par les fonctions du corps, et bien que la médecine psychosomatique ait tenté de dépasser un réductionnisme trop rigoureux, elle demeure visiblement teintée de physicisme. C'est ainsi que, loin de démontrer l'interaction esprit-corps, elle ne fait que montrer encore plus de cas d'interaction corps-corps. En effet, si l'on considère, comme le font les réductionnistes, que l'esprit n'est qu'une partie du corps, les prétendues théories sur l'interaction esprit-corps ne sont en fait que des théories sur l'interaction corps-corps et elles n'expliquent rien de plus que le modèle moléculaire lui-même.

Le corps humain vu comme une machine: origine de l'idée

La médecine moderne considère que les processus du corps sont intrinsèquement calculables, qu'on peut les aborder avec la même logique que celle qu'on met en œuvre lorsqu'on tente de comprendre n'importe quel phénomène naturel. Rien de particulier ne permet de séparer les processus physiologiques des processus physiques qu'on observe dans la nature. Parlant de données physiologiques, on emploiera les termes «données brutes», «faits irréfutables», aussi naturellement que si on parlait de la dérive des continents ou de la croissance des cristaux.

D'où vient cette conception analytique, cette idée que le corps humain peut être disséqué selon la même approche que celle qu'on emploie pour les autres processus naturels? Cette idée a certainement des racines profondes, mais c'est à Descartes qu'on doit d'en avoir fait un trait majeur de la pensée occidentale. D'après Bronowski[5], l'idée d'une relation intrinsèque entre les processus naturels en général et les nombres, les mathématiques, n'avait guère cours dans le monde occidental avant Descartes. En fait, les nombres et le raisonnement mathématique sont utilisés depuis des siècles pour décrire certains phénomènes, comme le mouvement des corps célestes. La tradition grecque se résume bien dans une phrase de Pythagore, qui disait que Dieu ne faisait que de la géométrie. Cependant, l'idée d'un lien intime entre les nombres et la nature ne faisait pas partie jusquelà de la conscience de la personne moyenne.

Si l'on veut – comme Bronowski – fixer des dates, considérons la nuit du 10 novembre 1619 comme le moment de la naissance de cette tradition. C'est pendant cette nuit-là que le jeune Descartes, encore au début de la vingtaine, vécut une expérience mystique, une révélation de la plus haute importance qui devait l'affecter pour le restant de ses jours. Il lui fut alors révélé que la clef de l'univers tenait à la logique qui l'ordonnait. Il se rendit compte que, pour comprendre l'ordre de l'univers, l'homme devait perfectionner son esprit logique, et que le mieux serait d'adopter une logique de type mathématique. C'est sur ces considérations qu'il se mit à inventer de nouvelles formules mathématiques pour exprimer l'ordre de l'univers, ce qui eut une grande influence pour rapprocher les nombres et la nature.

Quelle sorte d'univers ressort de cette vision de la nature? L'ordre est sa principale caractéristique. C'est comme un univers parfaitement ajusté, une machine qui tourne avec une précision absolue, comme une horloge.

La génération d'après Descartes a été marquée par le génie impressionnant d'Isaac Newton qui décrivit formellement le mécanisme de cet univers en forme de mouvement d'horloge. Newton découvrit des lois d'une élégante simplicité, dotées d'un grand pouvoir de prévision des phénomènes naturels.

On reconnaît bien l'intelligence remarquable de Descartes à ce qu'il élabora non seulement un modèle de l'univers, logique et ordonné, mais également un modèle de l'être humain. On ne s'étonne pas qu'il ait attribué aux humains les mêmes caractéristiques qu'il observait dans la nature en général: la précision et le fonctionnement ordonné accessibles au raisonnement. Ce point de vue a donné naissance à une vision de l'homme qui tient du physicisme et qui *implique* une définition dualiste de l'homme. Descartes considère que l'homme est constitué de deux parties: le corps et l'esprit – *res extensa* et *res cogitans*. Selon lui, le corps peut affecter l'esprit mais aucune interaction n'est possible dans le sens inverse. Cette conception convient tout à fait à un intellect qui voit un ordre dans la nature, un ordre qu'il faut préserver en rayant de la nature tout élément désordonné, tel l'esprit. (On peut se demander si Descartes n'avait pas été tenté d'imposer un ordre à la nature. A-t-il adopté une vision de l'homme conçue pour se conformer à son modèle de l'univers, ordonné et d'inspiration mystique? Cela semble plausible[6].)

Comme le dit Frank[7], cette vision dualiste et réductionniste de l'architecture humaine a eu une influence considérable sur la science, alors à l'état embryonnaire. La science naissante était à la recherche de modèles et de principes directeurs. L'approche cartésienne lui fournit à point nommé le mandat d'examiner les corps, de les envahir, en fait, par la dissection anatomique. Même l'Église, remarque Rasmussen[8], approuvait la dissection des corps humains. Sa mission était alors, comme elle l'est toujours, de veiller au côté spirituel de l'homme. Si, comme Descartes l'affirmait, le corps était séparé de l'esprit, il allait de soi qu'il ne serait fait aucun mal aux âmes si on se contentait de disséquer les corps. Et on en disséqua, tant et plus. Engel[9] soutient que la position de l'Église est largement responsable du fait que la médecine occidentale ait mis autant d'accent sur les aspects anatomique et structural.

Cette situation s'est avérée l'arrangement le plus commode tant pour la biologie naissante que pour l'Église. Les scientifiques avaient le feu vert pour se mettre sérieusement à explorer le corps humain, à la recherche de mécanismes causant la maladie, et l'Église se rassurait à l'idée que leur façon de procéder n'aurait aucune conséquence néfaste sur les âmes. Ce modèle de l'être humain est maintenant difficile à soutenir[10]. Par le passé, il a certes apporté une contribution importante à la science, mais aujourd'hui, seuls les esprits les plus inflexibles et dogmatiques peuvent encore s'y attacher.

Au cours des chapitres suivants, nous examinerons les raisons qui motivent de nouvelles façons de voir l'homme. En fait, une redéfinition radicale des concepts de santé, de maladie, de naissance et de mort s'annonce. Une grande partie des observations récentes ne peuvent s'expliquer en fonction des anciens modèles; elles ne prennent tout leur sens que dans le cadre de nouveaux modèles, non seulement de l'homme lui-même, mais aussi de l'univers qu'il habite.

Les nouvelles définitions de la réalité, de la façon dont sont les choses, sont certes angoissantes. Mais il ne s'est jamais passé une époque qui ne se soit en fait retrouvée en plein changement, ou en voie de l'être. Héraclite avait raison: rien n'est permanent, sauf le changement. Les faits troublants ont toujours fait pencher la balance du côté du familier, du statu quo. Mais la résistance au changement est une attitude déplacée, chez un vrai scientifique: l'histoire de la science est en fait la chronique du changement.

Quand il disait que «la science vient de l'observation, pas de l'autorité», Léonard de Vinci anticipait les problèmes déconcertants que nous réservait le changement.

Et on ne doit rien espérer à faire intervenir dans ce dilemme l'autorité d'une science dépassée. En effet, Léonard de Vinci nous a prévenus: «Dans une discussion, quiconque invoque l'autorité n'emploie pas son intelligence mais plutôt sa mémoire.»

Les nouveaux modèles que nous verrons ci-après sont fondés sur l'observation. Ils constituent une tentative d'expliquer les problèmes auxquels tout médecin doit faire face dans le cadre de ses soins aux malades. L'auteur prie donc le lecteur de se convaincre que ces modèles sont adéquats, non pas en invoquant leur autorité – à laquelle ils ne prétendent aucunement –, mais en les soumettant à ses propres observations.

NOTES:

1. Willis Harman, *Symposium on Consciousness*, New York, Penguin, 1977, p. 3.
2. Larry Watson, «Delusion: Collective Unconscious», *Lifetide*, New York: Simon and Schuster, 1979, p. 206.
3. Thomas S. Kuhn, *The Structure of Scientific Revolutions*, Chicago: University of Chicago Press, 1962, p. 112.
4. *Ibid.*, p. 126-127.
5. Jacob Bronowski, *A Sense of the Future*, Cambridge: MIT Press, 1977, p. 42.
6. La relation entre l'observation scientifique et la vision du monde a été le sujet d'un dialogue entre deux éminents hommes de science contemporains, Albert Einstein et Werner Heisenberg. Heisenberg relate sa première rencontre avec Einstein, quand il était encore un jeune scientifique. Lors d'une discussion sur la façon dont procèdent tous les efforts scientifiques et sur la manière dont les scientifiques font leur travail, Einstein faisait peu de cas de l'opinion de Heisenberg qui se rattachait à la croyance traditionnelle que les scientifiques observent, mesurent et tirent des conclusions objectives des données ainsi recueillies. Einstein soutenait que l'*inverse* était vrai, que les scientifiques partent d'une croyance ou d'un modèle, et que cette idée préconçue détermine en grande partie ce qui est observé par la suite. – Werner Heisenberg, «Quantum Mechanics and a Talk with Einstein (1925-1926)», *Physics and Beyond*, New York: Harper and Row, 1971, p. 59-69.
7. Jerome D. Franck, «Mind-Body Relationships in Illness and Healing», in *Journal of the International Academy of Preventive Medicine*, vol. 2, n° 3, 1975, p. 46-59.
8. H. Rasmussen, *Pharos 38*, 1975, p. 53.
9. George L. Engel, «The Need for a New Medical Model: A Challenge For Biomedicine», in *Science* 196, 1977, p. 129-136.
10. *Ibid.*

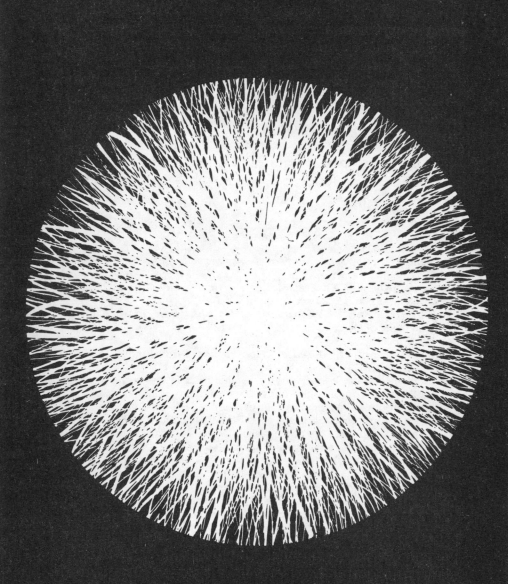

Linéaire devenant sphérique

II

Le temps

Je ne crois pas que soixante-dix ans représentent la vie
d'un homme ou d'une femme,
Ni que soixante millions d'années représentent la vie
d'un homme ou d'une femme,
Ni que le cours des ans puisse jamais mettre un terme à
mon existence ou à celle de n'importe qui.

Walt Whitman
*Feuilles d'herbe**

---

* Walt Whitman, «Qui veut apprendre en entier ma leçon?» *Feuilles d'herbe*, p. 283.

CHAPITRE PREMIER

Le lac du Temps

Un médecin de trente-cinq ans est déjà venu me voir pour recevoir un traitement par rétroaction biologique. Il souffrait de sérieuses migraines depuis l'âge de treize ans. Pendant ses études de médecine, ses maux de tête avaient empiré au point de l'empêcher de travailler. Mon patient voyait dans sa vie une nette relation entre les maux de tête et les périodes de grand stress. C'est entre autre pourquoi il avait entrepris de pratiquer régulièrement la méditation, dès son internat, à l'âge de vingt-huit ans. Avec le temps, ses migraines ont commencé à diminuer. C'est par curiosité qu'il venait finalement au traitement par rétroaction biologique, parce qu'il en avait entendu vanter l'efficacité pour traiter les migraines et parce qu'il sentait l'intérêt d'ajouter une autre dimension à sa pratique de la méditation.

Il se révéla un patient idéal pour ce genre de traitement. En effet, dès le début, il montra une extraordinaire habileté à amener volontairement l'activité électrique de ses muscles à un niveau extrêmement bas; il arrivait même à l'occasion à réduire sa tension musculaire aux niveaux qu'on observe pendant le sommeil. Et bien que son habileté initiale à augmenter l'afflux sanguin vers les

43

extrémités fût moins impressionnante, il apprit également à maîtriser cette technique.

Je suis toujours curieux de connaître la stratégie mentale qu'emploient les sujets pour réaliser des changements physiologiques volontaires, surtout quand ils sont particulièrement habiles, comme c'était le cas avec le médecin en question. Quand je lui demandai comment il procédait, il me raconta ce qui suit.

«Je me détends profondément, comme pour méditer. Après quelque temps, je me mets à penser au temps, je me le figure comme une rivière. Je vois la rivière de très haut, comme si j'étais en avion. La rivière décrit un parcours sinueux, et je peux la voir couler. Il y a un grand T orange qui flotte sur la rivière et se laisse porter lentement par le courant. Ce T, c'est le Temps – qui s'écoule dans une direction, justement comme on sent d'habitude le temps passer: passé, présent, futur. Je reste un moment à observer la rivière du Temps couler doucement; je ne pense à rien de particulier, je me contente de voir le T se laisser emporter. Puis, soudainement, il se passe quelque chose. Le parcours de la rivière s'incurve tellement qu'elle en vient à couler droit sur elle-même, formant graduellement un cercle complet. Elle s'est transformée en une rivière circulaire comme je n'en ai jamais vu, et continue de porter le T géant.

«Et voilà que la rivière circulaire du Temps se remet à changer. Elle commence à déborder vers l'intérieur. L'eau semble devoir monter sans fin, et un grand lac se forme finalement. Comme l'eau cesse de monter, sa couleur passe au bleu foncé. La surface devient calme, lisse comme un miroir. Au milieu du lac bleu foncé, je vois à nouveau le T orange qui flotte, immobile. Le T, le temps, s'est arrêté. Il n'y a plus de passé, de présent ni de futur. Le temps est maintenant sans limites.

«Ce lac du Temps, intemporel, est d'une sérénité indescriptible, comme un lac de haute montagne que vous trouvez par hasard et voudriez ne jamais quitter. Cela m'emplit d'une sensation de paix, et je reste là, dans l'immobilité du lac du Temps, aussi longtemps que je le désire.»

Le traitement par rétroaction biologique produisit chez mon patient une nette régression des maux de tête. Il avait finalement appris à manipuler lui-même sa notion du temps à son propre avantage. Il savait empiriquement ralentir le temps, l'arrêter, l'exprimer par une image extrêmement belle. Et ses maux de tête continuaient à diminuer. J'étais tout transporté de joie tellement cette expérience me semblait constituer le plus haut accomplissement en matière de soins médicaux: une méthode d'une grande efficacité, dépourvue d'effet néfaste pour le patient et que celui-ci pouvait lui-même mettre en œuvre. C'était en outre une source d'inspiration esthétique et spirituelle.

J'ai été frappé par la grande différence entre la façon dont mon patient conceptualisait le temps pendant le traitement, et la manière ordinaire, quotidienne, de le percevoir. Ce médecin-patient avait tout simplement «arrêté» le temps. Il pouvait voir les événements depuis une position avantageuse dans un espace intemporel. Certes, les événements parvenaient séquentiellement à sa conscience, mais ce processus était entièrement dissocié de toute sensation de passage linéaire du temps. Il avait supprimé empiriquement le passé, le présent et le futur.

Dans ma pratique, les premières fois que j'ai remarqué que des sujets adoptaient une telle «stratégie temporelle», je ne considérais cela que comme une curiosité. Cependant, comme cette observation devenait courante, elle m'intriguait de plus en plus. Je commençais à me rendre compte que j'étais devant des patients qui recouvraient la santé grâce à une nouvelle conception empirique du temps.

Mes patients apprenaient une stratégie riche de conséquences pour l'amélioration de leur santé. Ma curiosité pour ce phénomène se changea rapidement en une sérieuse préoccupation. Si des malades peuvent *déraciner* certaines maladies en adoptant une conception non linéaire du temps, où le passé, le présent et le futur fusionnent en une immobilité intemporelle, sommes-nous en train de nous rendre malades en nous conformant à l'idée d'un temps strictement linéaire, composé de la succession rigide du passé, du présent et du futur?

J'en suis venu à croire que c'est vraiment le cas. Beaucoup de maladies, peut-être toutes, sont probablement causées en tout ou en partie par notre mauvaise perception du temps. Tout comme le patient cité plus tôt arrivait à recréer sa santé par une perception imagée d'un temps qui ne s'écoule pas, nous pouvons nous détruire en créant la maladie à cause d'une perception d'un temps qui s'écoule linéairement, à sens unique. Un des objectifs du présent ouvrage sera d'examiner les faits qui corroborent cette assertion. Nous verrons que la santé et la maladie sont liées à notre perception du temps.

Sans une idée claire du concept de temps, il est impossible de comprendre l'effet de la notion du temps sur notre santé, ni d'apprécier comment elle peut être manipulée au profit de notre santé. Dans les prochains chapitres, nous établirons les bases nécessaires à la compréhension de la suite de l'ouvrage. Nous examinerons une des questions les plus épineuses parmi celles qui alimentent les débats des philosophes et des scientifiques: la question du temps.

Depuis des années, je suis fasciné par les diverses façons de percevoir le comportement du temps chez différentes personnes. La façon courante est, bien sûr, que le temps s'écoule, comme un fluide. Mais les personnes qui sont d'accord avec cette idée ne s'entendent pas sur la rapidité de cet écoulement. Pour certains, le temps est un liquide visqueux qui s'écoule paresseusement; pour d'autres, il passe à toute vitesse, comme l'eau d'un torrent. De plus, cette perception peut varier chez une même personne. L'écoulement du temps n'est jamais le même; c'est une sensation changeante, qui tantôt ralentit, tantôt accélère.

Il nous arrive tous de nous enfoncer profondément

dans la conception linéaire du temps. Comme remède, j'ai pour ma part dans mon bureau deux vieilles pendules dont le tic-tac n'est jamais en phase. De plus, elles ne sont jamais à l'heure: l'une est toujours en avance, l'autre toujours en retard. Quand je me mets à songer au temps linéaire, je m'amuse à me demander laquelle est la plus précise. Il y en a certainement une qui est meilleure que l'autre. Ou peut-être existe-t-il deux temps distincts dans mon bureau? Est-ce que je peux choisir celui qui me convient le mieux pour le moment? Il m'arrive parfois, au milieu d'une journée débordante d'activité, de m'asseoir à mon bureau pour écouter ces tic-tac asynchrones et de laisser aller mon imagination à penser à deux rivières du Temps, qui coulent parallèles mais pas à la même vitesse. Cet exercice semble alléger la ruée inexorable du temps qui, au cours d'une journée trépidante, finit par être accablante et frustrante. Quand je sens que je m'affaire mécaniquement comme un maniaque, comme si le temps allait bientôt manquer, je m'assois et j'écoute le son déphasé de mes vieilles horloges. Je me dis que notre façon de permettre au temps de dominer nos vies est non seulement arbitraire, mais carrément absurde. Cet exercice mental m'apporte un certain réconfort.

CHAPITRE 2

Qu'est-ce que le temps?

Le temps est le moyen qu'a pris la nature pour empêcher que tout ne se produise au même moment.

J.C.
[graffiti dans les toilettes des hommes au *Strictly Tabu Club*, Dallas, Texas]

Qu'entend-on, au juste, par «temps»? «Il y a bien des années, un des célèbres Pères de l'Église était troublé par cette même question et dut avouer que si on ne la lui posait pas, alors il connaissait la réponse, mais que quand il cherchait à l'expliquer à quelqu'un, il était forcé d'admettre qu'il ne savait pas[1].»

Le temps n'est pas un concept unique. Le temps du physicien n'est pas celui du poète. Le temps du calendrier n'aide pas à décider quand cuire les pommes de terre, bien qu'il puisse nous indiquer quand les planter. Une heure de bon temps n'a rien à voir avec l'heure du train. La mi-temps au football n'a rien des trois temps d'une valse. Le temps du mystique n'est pas celui du chercheur scientifique.

Tous les jours, nous passons sans y penser d'une sorte

de temps à l'autre, selon la situation. Mais nous nous obstinons à garder l'illusion que le temps est une seule notion, une entité qui ne demande pas d'explication.

Nous nous attarderons ici à la question de l'*expérience* du temps, aux sortes de temps que l'on peut *sentir*. D'où nous vient cette expérience du temps? Comme Nichols[2] le laissait entendre en 1891, il s'agit d'une question difficile à résoudre: «On l'a déclaré [le temps] a priori, naturel, intuitif, empirique, mécanique. On l'a déduit de l'intérieur et de l'extérieur, du ciel et de la terre et de plusieurs autres choses dont on ne sait dire si elles appartiennent à l'un ou à l'autre.»

Comme l'explique Ornstein[3], nous percevons au moins quatre types de temps. Cependant, les théories qui prétendent rendre compte de l'origine de la notion du temps ne précisent pas toujours à quel mode d'expérience du temps elles se réfèrent et sont ainsi source de confusion. Les quatre dimensions de l'expérience du temps sont les suivantes:

1. Le temps présent, à court terme:
   (a) la «perception» d'intervalles courts,
   (b) le sens du rythme;
2. la durée, le passé; la mémoire à long terme;
3. la perspective temporelle – les constructions du monde, philosophiques, sociales, culturelles, et leur effet sur l'interprétation de l'expérience du temps. Le devenir, le futur;
4. la simultanéité et la succession[4].

Toutes les façons d'employer notre notion du temps s'expriment en fonction d'au moins une des catégories d'Ornstein. Il y a donc plusieurs sortes d'expériences du temps. Cela est évident, non seulement par la multiplicité des façons de percevoir le temps, mais aussi par les divers moyens employés pour le mesurer. Les anciens Égyptiens avaient conçu un calendrier qu'Otto Neuge-bauer[5] décrit comme «le seul calendrier intelligent qui ait jamais existé dans toute l'histoire de l'humanité». Pour eux, l'année était composée de 12 mois de 30 jours chacun, plus 5 jours ajoutés à la fin. On croit que cette façon de marquer le temps tire son origine de l'observation continue de l'intervalle entre l'arrivée au Caire des crues successives du Nil. C'est l'observation de telles successions dans la nature qui donna jour à l'antique vision du temps comme phénomène cyclique. Les planètes reviennent toujours à périodes fixes. Le soleil et la lune, comme les saisons, ont un comportement d'une périodicité infaillible. L'homme primitif était entouré d'événements cycliques, et sa notion du temps reflétait donc cet aspect du monde.

Les communautés primitives adhèrent encore de nos jours à une notion cyclique du temps. Comme c'était le cas jusqu'à il y a deux ou trois cents ans pour la plupart des sociétés civilisées, elles n'ont qu'une idée extrêmement vague de ce qu'est une horloge. La langue des Indiens Hopi ne contient aucun mot qui fait référence d'une façon linéaire au temps. Leurs verbes n'ont pas de temps. Ils vivent dans une sorte de présent perpétuel qui englobe tout ce qui s'est jamais produit[6]. Bien qu'ils ne fassent aucune référence explicite au passé, au présent ou au futur, ils savent fonctionner dans leur propre cadre temporel, au grand étonnement du monde civilisé qui ne saurait se passer d'horloge.

Au cours des âges, on a employé pour mesurer le temps cyclique différents outils ingénieux, tels les cadrans solaires. Ces inventions avaient un point commun: leur fonctionnement reposait sur des phénomènes naturels et reflétait donc l'idée que le temps cyclique est inhérent à la nature. Même le temps du calendrier, longtemps fondé sur la date moyenne de l'arrivée des crues ou des moussons, se conformait à cette idée. L'homme primitif en vint cependant à utiliser des moyens de marquer le temps qui mesuraient des périodes artificielles telles que le temps de combustion d'une bougie ou d'une certaine longueur de câble noué, ou le temps nécessaire pour faire cuire une certaine quantité de riz. «Ce n'est que depuis le milieu du XVIIᵉ siècle, avec l'invention de l'horloge à balancier par le physicien hollandais Christiaan Huygens, que l'on dispose d'un moyen précis de marquer le temps. Cette invention a eu une influence considérable sur les concepts modernes d'homogénéité et de continuité du temps[7].»

Avec le développement d'outils de mesure précis, l'homme devint de moins en moins conscient des processus cycliques naturels comme moyens de marquer le temps. Dans un monde d'horloges, il avait moins besoin de la nature. Bien que Newton s'en soit tenu à l'idée d'un temps cyclique inhérent à la nature, la vision linéaire du temps a été graduellement popularisée par des personnages tels Leibniz, Barrow et Locke. Cette vision du temps s'est tellement répandue pendant les trois siècles suivant l'invention de l'horloge à balancier de Huygens, que l'on tient maintenant pour évident que le temps coule, qu'il se divise en présent, passé et futur, et qu'une fois qu'un événement s'est produit, il ne va jamais se produire à nouveau. Nos vies sont tellement dominées par le chronomètre que nous sommes devenus non seulement inconscients des cycles de la nature, mais ignorants des cycles de notre propre corps. En effet, on ne mange plus quand on a faim, on ne dort plus quand on a sommeil; on suit plutôt les commandements de l'horloge.

Certains considèrent avec perplexité cette suprématie de l'horloge qu'il jugent absurde, artificielle et inutile. Une anecdote raconte qu'un danseur indigène américain faisait, dans ses plus beaux atours, une démonstration de danses tribales pour les touristes qui visitaient son village. Il s'était attaché à une jambe un réveil réglé pour sonner à intervalles réguliers. Chaque fois que le réveil sonnait, le danseur s'interrompait en disant «Maintenant, je dors!», ou «Maintenant, je mange!» C'était sa parodie personnelle de cette foule, caractérisée par sa conscience du temps, qui s'était assemblée pour voir la danse costumée et qui ne comprenait sans doute pas grand-chose à sa signification.

Devrait-on croire que la raison pour laquelle l'homme primitif s'en tenait à une vision cyclique du temps était

51

qu'il ne disposait d'aucun outil de mesure sophistiqué? Aurait-il adopté une vision linéaire du temps s'il avait eu un moyen fiable de le fractionner – s'il avait eu, par exemple, une horloge à balancier qui lui aurait fourni les notions d'heures, de minutes et de secondes? Aurait-il alors été frappé par la sensation de l'irréversibilité de l'écoulement du temps? Il est certainement naïf de faire de telles suppositions. En fait, l'homme primitif disposait *vraiment* de moyens étonnamment précis pour mesurer le temps. Certains calendriers primitifs sont d'une précision qui vaut bien celle du nôtre. Or, bien qu'ils fussent précis, ils n'ont jamais impliqué l'idée moderne que le temps *mesuré* est du temps *linéaire*. En somme, l'outil employé pour mesurer le temps a en lui-même relativement peu d'importance. Il n'y a rien d'inhérent à l'horloge atomique moderne qui en fasse un meilleur avocat du temps linéaire qu'une bougie qui se consume, ou qu'un cadran solaire, ou que l'arrivée des crues du Nil au Caire.

Quand on y pense, il semble plutôt étrange de considérer les horloges et les montres comme des indicateurs de temps strictement linéaire. En effet, les aiguilles de l'horloge ne répètent-elles pas toujours le même mouvement, tournant toujours autour de la même piste, repassant toujours au même point sur la surface de l'instrument? Et on peut en dire autant des montres à affichage numérique – les mêmes chiffres reviennent toujours; la montre numérique fait des cercles monotones avec des chiffres. Comment se fait-il que ces répétitions, ces cycles mécaniques, aient pu conduire à l'idée d'un temps linéaire plutôt que cyclique? Il semble bien que le moyen employé pour mesurer le temps n'a pas d'effet sur la façon de le percevoir. Muni d'une montre sophistiquée, l'homme primitif n'aurait pas abandonné sa vision cyclique du temps. On sait que des sociétés pré-modernes, comme les Hopi, conservent leur expérience cyclique du temps, même quand on leur donne des montres et des horloges.

Une expérience inattendue m'a déjà donné un aperçu de la façon dont les moyens sophistiqués de mesurer le temps dominaient mes activités de médecin. Il y a plusieurs années, quand ma montre a cessé de fonctionner, je l'ai automatiquement fait réparer pour la voir s'arrêter à nouveau peu de temps après. Je pensais que je ne pourrais pas travailler convenablement sans ma montre. De tous les outils que je jugeais essentiels à la pratique de la médecine – tels le stéthoscope, l'appareil à pression et le téléphone – je considérais qu'une montre était peut-être le plus indispensable. Sans montre, j'étais certain que je serais perdu – incapable, même, de prendre le pouls d'un patient. Mais agacé de devoir faire réparer ma montre une deuxième fois, j'en ai retardé le moment. À ma grande surprise, elle me manquait à peine. La différence la plus perceptible était l'agréable sensation de légèreté à mon poignet. De plus, j'ai trouvé que je ne pouvais pas vraiment échapper aux indicateurs du temps. J'ai découvert qu'il y en avait partout autour de moi, ce dont je ne m'étais jamais rendu compte. Les murs de tous les étages de l'hôpital étaient garnis d'horloges – le poste de garde principal, les salles d'attente, les corridors n'y échappaient pas. Il y avait un cadran dans ma voiture, dans mon bureau, et au chevet de presque tous mes malades. J'ai découvert que mes patients hospitalisés, non contents de porter une montre en tout temps, avaient même leurs propres réveils! Or il est aussi facile de prendre le pouls d'un patient avec sa montre qu'avec la mienne.

Depuis ce jour, ma montre est restée morte au fond d'un tiroir; elle attend toujours de se faire réparer. Je n'en ai plus jamais porté et il m'arrive de me faire rappeler l'étrangeté de ne pas avoir de montre quand je remarque l'air étonné de quelqu'un qui vient de me demander l'heure, me forçant à admettre que je n'ai aucun moyen de le savoir tout de suite. Toute l'expérience a été révélatrice. J'ai pris conscience du degré auquel, année après année, j'en étais venu à considérer combien mes activités médicales dépendaient strictement d'un sens précis du temps linéaire. Je m'attendais presque à voir mes compétences disparaître avec ma montre. Je suis maintenant convaincu que nous avons tous développé inconsciemment une dépendance envers le temps.

Notes:

1. G.J. Whitrow, *The Nature of Time*, Londres: Thames and Hudson, 1972, p. 11.
2. H. Nichols, cité par Robert E. Ornstein, *On the Experience of Time*, New York: Penguin, 1969, p. 101.
3. Robert E. Ornstein, *On the Experience of Time*, p. 101.
4. *Ibid.*, p. 23.
5. Whitrow, *The Nature of Time*, p. 15.
6. B.L. Whorf, *The Technology Review*, 42:229, 1940.
7. Whitrow, *The Nature of Time*, p. 22.

CHAPITRE 3

Le temps primitif

Dans un ouvrage remarquable, *Le Mythe de l'éternel retour,* Mircea Eliade nous apprend que les membres des communautés primitives croient qu'un objet ou un acte ne devient réel que dans la mesure où il *imite* ou *répète* un archétype[1]. Répétition et participation constituent les uniques bases de la réalité. L'homme primitif n'accède donc à la réalité que dans la mesure où il devient un autre, qu'il cesse d'être lui-même. Inhérente à l'imitation d'archétypes et à la répétition de gestes paradigmatiques, on constate l'*abolition du temps.*

Un sacrifice, par exemple, non seulement reproduit exactement le sacrifice initial révélé par un dieu *ab origine,* au commencement des temps, mais encore il *a lieu* en ce même moment mythique primordial; en d'autres termes, tout sacrifice *répète* le sacrifice initial et *coïncide* avec lui. Tous les sacrifices sont accomplis au même instant mythique du Commencement; par le paradoxe du rite, le temps profane et la durée sont suspendus. [...] dans la mesure où un acte (ou un objet) acquiert une certaine *réalité* par la répétition de gestes paradigmatiques et par cela seulement, il y a abolition implicite du temps profane, de la durée, de l'«histoire» [...][2]

L'homme primitif ne se livre évidemment pas à de continuelles offrandes de sacrifices, non plus qu'à une éternelle répétition de comportements archétypaux. Ces activités spéciales sont réservées aux intervalles essentiels «c'est-à-dire ceux où l'homme est *véritablement lui-même*: au moment des rituels ou des actes importants (alimentation, génération, cérémonies, chasse, pêche, guerre, travail, etc.). Le reste de sa vie se passe dans le temps profane et dénué de signification [...][3].

L'étude approfondie des rites primitifs révèle une tendance à accorder peu ou pas de valeur au temps. L'homme n'est plus à la merci du temps «réel» extérieur: ce n'est plus le temps «réel» extérieur qui gouverne l'homme – c'est plutôt l'homme qui le modèle à sa guise. Eliade décrit cette attitude: «Poussés à leurs limites extrêmes, tous les rites et toutes les attitudes [...] tiendraient dans l'énoncé suivant: si on ne lui accorde aucune attention, le temps n'existe pas; de plus, là où il devient perceptible (du fait des "péchés" de l'homme, c'est-à-dire lorsque celui-ci s'éloigne de l'archétype et tombe dans la durée), le temps peut être annulé[4].»

Contrairement à l'homme moderne, l'homme primitif n'est pas accablé par l'irréversibilité du temps: il n'accorde aucune signification au temps irréversible dit *profane* ou *linéaire*. L'homme primitif ne se réalise dans toute sa plénitude que par l'observation d'un comportement archétypal. Or cet accomplissement ne peut survenir qu'à l'intérieur du temps mythique – un état où la durée est abolie, annulée.

L'état de conscience permettant de reconnaître un temps sans durée n'est pas exclusif aux communautés primitives. Ce serait une grossière erreur de n'attribuer ce trait qu'aux ignorants et aux barbares. Un tel état de conscience se retrouve chez les mystiques et les religieux de tous les temps. Eliade croit même qu'on puisse qualifier l'homme religieux de «primitif», en ceci qu'il vit dans un continuel présent[5]: «[...] il *répète* les gestes de *quelqu'un d'autre,* et par cette répétition vit sans cesse dans le présent.» Quel contraste pathétique avec l'homme moderne! Coincés entre la naissance et la mort, la plupart d'entre nous ressentent le désespoir engendré par l'écoulement du temps. L'homme moderne s'agite dans des tentatives dérisoires d'abolir le temps, consomme des vitamines, se soumet à des examens médicaux, s'abandonne entre les mains de la chirurgie esthétique, dans la recherche frénétique d'une assurance temporaire qu'il ne mourra pas – du moins, pas cette année.

Si l'on en croit Gottlieb[6], l'horloge est le symbole de la mort. Nous arborons tous au poignet un constant petit «rappel de mort»: notre montre. Nous portons une montre sans être conscients du nom que nous lui donnons. Cependant, elle porte bien son nom, et c'est regrettable. En l'utilisant, nous subissons qu'elle nous *montre* constamment que l'heure de notre mort approche. Elle nous montre le temps qui passe, obstinément. On peut même dire que la plupart d'entre nous lui sont soumis. Elle nous accapare, son insistance monopolise nos énergies. À bien y penser, c'est vraiment sinistre. À constamment nous faire montrer comme le temps file, c'est nous qui devenons les serviteurs du temps – nous-mêmes, horloges biologiques avec nos propres cycles internes, constamment témoins de notre mort, de la fuite du temps qu'on nous montre, montre, montre.

Nous nous retrouvons en bien mauvaise posture: plus nous essayons d'être attentifs à notre santé, plus notre conscience que la vie – que *toute* vie – est uniformément fatale devient aiguë. On ne peut pas le nier, les rides, les chairs flasques, les douleurs et les frais de médicaments – toutes choses que notre jeunesse ignorait – en sont les rappels quotidiens. Ainsi, on se tourne vers le passé, essayant de se refaire une jeunesse, lui attribuant parfois un caractère magique ou merveilleux qu'on n'avait pas perçu, même quand on était jeune.

Nous nous méprenons sur la raison de notre nostalgie des jours passés. En effet, ce n'est pas un visage adorable ni un corps souple qui nous attache à notre jeunesse, mais une faculté dont nous ignorions l'existence à l'époque et dont nous avons maintenant oublié le mode d'emploi: la faculté d'abolir le temps.

C'est en partie dans ce sens qu'on peut comparer l'homme primitif avec l'enfant. Notre connaissance des races primitives survivantes nous permet de croire que l'homme a dû fournir un effort considérable pour renverser sa tendance à vivre dans un temps sans durée[7]. Par exemple, bien que les enfants des aborigènes d'Australie soient d'une intelligence comparable à celle des enfants blancs, ce n'est qu'au prix d'une grande difficulté qu'ils apprennent à lire l'heure. «Ce n'est sans doute pas une coïncidence si Rousseau, qui a chanté la noblesse du sauvage, détestait le temps et s'est débarrassé de sa montre[8].» Et l'on ne peut qu'être frappé par les toiles de Gauguin, qui peignait ses indigènes avec une sincérité et une innocence manifestes qu'on ne retrouve que chez l'enfant.

L'enfant, abolisseur du temps, a été loué dans la plupart des traditions mystiques et religieuses qui nous ont laissé des textes. Les paroles de Jésus en sont un exemple typique:

> Laissez faire ces enfants, ne les empêchez pas de venir à moi, car le royaume des cieux est à ceux qui sont comme eux. (Matthieu 19:14)

> Appelant un enfant, il le plaça au milieu d'eux et dit: «En vérité, je vous le déclare, si vous [...] ne devenez comme les enfants, non, vous n'entrerez pas dans le royaume des cieux.» (Matthieu 18:2-3)

Nous nous représentons le paradis comme un état éternel et intemporel, et nos traditions religieuses affirment que c'est l'enfant qui en est le citoyen naturel. C'est l'enfant qui est à l'aise dans le temps non linéaire et qui est conforme aux visions béatifiques de l'antiquité. Sans nous en rendre compte, nous joignons la conscience spirituelle à la notion du temps. Ce n'est peut-être pas étonnant que la plupart des grandes religions aient toujours prescrit des techniques, comme la prière et la méditation, par lesquelles on peut devenir comme un enfant. Par la pratique d'une telle discipline, on découvre rapidement que la notion du temps change. Le temps cesse de s'écouler; on se sent enveloppé dans la paix dont tous les grands mystiques ont parlé.

NOTES:

1. Mircea Eliade, *Le Mythe de l'éternel retour*, Paris: Gallimard, 1949, p. 63.
2. *Ibid.*, p. 64-65.
3. *Ibid.*, p. 65.
4. *Ibid.*, p. 128.
5. *Ibid.*, p. 129.
6. C. Gottlieb, *The Meaning of Death*, H. Feifel, réd., New York: McGraw-Hill, 1969, p. 157-188.
7. Whitrow, *The Nature of Time*, p. 14.
8. *Ibid.*

CHAPITRE 4

Le temps moderne

Le concept de passage *du temps ne convient visiblement pas pour décrire l'univers physique, qui n'a ni passé, ni présent, ni futur, et qui ne fait qu'être.*

Thomas Gold[1]

Une discussion de la perception du temps ne saurait être complète si elle ne reconnaît pas l'influence des théories de la physique moderne sur l'idée que l'on se fait maintenant du temps. Au cœur de la théorie de la relativité restreinte, on trouve la notion que ce ne sont pas les événements extérieurs eux-mêmes, mais les impressions qu'en retirent nos sens, qui nous donnent conscience de leur agencement dans le temps. Il faut du temps pour que la lumière se propage depuis un événement extérieur jusqu'à nos yeux, de sorte qu'il nous est impossible de percevoir l'instant précis où quelque chose se produit dans l'univers. La relativité nous rappelle que nous ne connaissons pas les choses comme elles sont; c'est sur nos impressions sensorielles que nous devons accepter de fonder notre construction de la réalité.

Cependant, on ignore allègrement cette caractéristique de la réalité. On oublie que «notre propre façon d'ordonner dans le temps les événements qui se produisent dans l'univers est très rudimentaire. C'est à cause de cette confusion qu'on croit que les instants dont on a conscience peuvent prendre assez d'étendue pour inclure les événements extérieurs, qu'ils sont universels et que l'univers permanent est constitué d'une succession d'états instantanés[2].»

À cause d'une vision du temps pleine de distorsion, on s'est confectionné une représentation dénaturée de l'univers. On ne se rend pas compte qu'un élément de la réalité extérieure n'existe pas comme tel, n'est pas simplement là, dehors, à attendre qu'on se donne la peine de le percevoir. L'image moderne de la réalité est plutôt comme une tapisserie dans laquelle les sensations, la conscience, le temps, l'espace et la lumière sont les fils qui se nouent délicatement pour former ce qu'on perçoit comme un «événement».

Les moyens modernes de marquer le temps – les montres numériques, les horloges atomiques, etc. – nous ont conduit à l'idée que notre notion du temps est non seulement très précise, mais unique. La technique, la modernité et la précision avec laquelle on mesure le temps semblent synonymes. Mais, d'un certain point de vue, ce n'est guère le cas. En effet, si l'on compare les concepts du temps qui prévalaient anciennement et la vision du temps issue de la physique moderne, on trouve des ressemblances frappantes.

Eliade décrit ainsi la conception du temps chez les communautés primitives:

Cet «éternel retour» trahit une ontologie non contaminée par le temps et le devenir. [...]
Dans un certain sens, on peut même dire qu'il ne se produit rien de neuf dans le monde, [...] cette répétition [...] maintient sans cesse le monde dans le même instant auroral des commencements. Le temps ne fait que rendre possible l'apparition et l'existence

des choses. Il n'a aucune influence décisive sur cette existence – puisque lui-même se régénère sans cesse[3].

La description du temps qui nous est proposée par la physique moderne est étonnamment similaire. D'après Louis de Broglie,

L'espace et le temps cessent d'avoir une nature absolue [...].

Dans l'espace-temps, tout ce qui pour chacun de nous constitue le passé, le présent et l'avenir, est donné en bloc, et toute la collection d'événements – successifs pour nous – qui constitue l'existence d'une particule matérielle est représentée par une ligne, la ligne cosmique de la particule. [...]

À mesure que son temps passe, chaque observateur découvre, pour ainsi dire, de nouvelles tranches d'espace-temps qui lui apparaissent comme des aspects successifs du monde matériel, bien qu'en réalité, l'ensemble des événements qui constituent l'espace-temps existe avant qu'il en ait connaissance[4].

L'idée du temps linéaire dans lequel les événements se produisent en succession infinie est donc rejetée tant par une ontologie primitive que par la physique moderne. Laquelle des deux visions du temps est primitive, laquelle est moderne? La différence entre les deux est pour le moins floue.

La notion d'acte de recréation dans le temps n'est pas exclusive à la pensée primitive. En effet, T.S. Eliot soutient qu'elle accompagne toute entreprise artistique: «[...] nul poète, nul artiste de quelque art que ce soit, ne constitue à lui seul toute sa signification [...]; ce qui survient avec la création d'une nouvelle œuvre d'art est quelque chose qui arrive simultanément à toutes les œuvres qui l'ont précédée[5].»

Cependant, l'acte de recréation dans le temps défie le sens commun. On sait que Eliot *doit* avoir tort; les choses ne font pas que se reproduire encore et encore. On ne peut pas retourner dans le temps. Les événements passés ne se répètent pas, et c'est tout! Pourtant, nos vies sont remplies d'événements qui suggèrent que nous pouvons en fait recréer le monde. Il y a un sens d'éternel retour dans toute expérience de «déjà vu». Ce phénomène est sans doute universel. Il constitue la récapitulation des événements passés dans une annulation empirique du temps.

Quand on regarde des photos, on se laisse facilement aller au fantasme et à la rêverie. On se laisse transporter vers les moments et les lieux qui ont été fixés sur la pellicule. Les souvenirs sont parfois très vifs, suggérant le rire ou les larmes, et sont dans un certain sens une reconstitution des événements passés.

Ce même émerveillement que Eliot attribue aux efforts de l'artiste existe aussi pour le scientifique. Je me rappelle le respect mêlé de crainte que j'éprouvais lors de ma première expérience maladroite avec un microscope du laboratoire de biologie; je pensais participer dans une certaine mesure à l'expérience initiale de Van Leeuwenhoek. Est-ce que je recréais un événement? Pour moi, le principe de l'éternel retour avait envahi empiriquement le laboratoire de biologie. Je me rappelle également combien j'étais ébahi devant la beauté indescriptible des tissus humains vus au microscope du laboratoire d'histologie, à l'école de médecine. Grâce à l'application de produits chimiques, l'architecture complexe des tissus était rendue visible sous forme de magnifiques motifs colorés. Je sentais que je participais alors aux travaux du grand histologiste Ramon y Cajal, et à ceux de Virchow, le plus grand pathologiste de tous les temps.

Plus tard, dans *Classic Descriptions of Disease* de Major[6], j'ai été captivé par la lecture de l'exposé original de Richard Bright sur la maladie du rein qui allait porter son nom. La première fois que j'ai diagnostiqué cette maladie chez un garçon de dix ans, je me rappelais la description que Bright en avait donnée l'époque où il travaillait au *Guy's Hospital* de Londres. Si Eliot réveillait tous les artistes du passé chaque fois qu'il créait une nouvelle œuvre, peut-être avais-je réveillé Richard Bright avec mon diagnostic.

J'ai longtemps été fasciné – ou peut-être est-il plus approprié de dire que j'éprouvais un grand respect – devant les manifestations classiques de la maladie chez l'homme. Ce n'est que tout récemment que j'ai commencé à percevoir la source de ce respect: c'est peut-être le rappel d'un archétype, la répétition de certains gestes, qui amène l'annulation du temps. Pour moi, ce respect n'est pas limité à la maladie. Je me rappelle nettement un examen médical que je faisais subir à un patient en très bonne santé. Comme j'écoutais ses poumons, quelque chose d'extraordinaire se produisit. J'étais captivé par le son de l'air qui s'écoulait – un bruit que j'avais pourtant déjà entendu des centaines de fois. Mais pour une raison que j'ignore, cet acte s'était soudainement paré de qualités magiques. Je pouvais me représenter les voies respiratoires – la trachée, les bronches et les bronchioles, et même les plus petites parties, les alvéoles elles-mêmes. Cette sensation éait tellement aiguë que je ne peux que dire que j'*étais* le poumon, l'air, les tissus eux-mêmes. Je crois maintenant que j'avais recréé avec mon stéthoscope la même expérience qui avait dû enchanter les premiers diagnosticiens qui écoutaient aux poitrines humaines en pressant l'oreille contre un grossier bloc de bois.

Je suis persuadé que ce genre d'événement n'est pas rare chez les médecins et les scientifiques en général. Quand on est profondément absorbé dans une tâche, que ce soit d'écouter un poumon ou d'arracher les mauvaises herbes du jardin, le temps est aboli. Il reste immobile. La visualisation d'images mentales est une caractéristique majeure du processus; c'est peut-être la marque de la participation à un événement intemporel.

L'abolition du temps peut survenir sans qu'on s'en aperçoive. Elle peut se produire dans nos moments de plus grande créativité. Les formes, les images et les idées qui surgissent dans cet état intemporel nous rappellent qu'aucune idée ne peut être vraiment «nouvelle», car la nouveauté relève nécessairement du temps linéaire. Quand on se «perd» dans le temps, on échappe à la succession linéaire des événements, du passé, du présent et du futur. Le temps est; il n'arrive pas. Un passage de Russell, bien qu'il traite en fait de la vision du temps par la physique moderne, décrit bien cette situation: «Plutôt que de considérer le temps comme un tyran dévorant tout ce qui est, on obtient une meilleure image de l'univers en voyant les choses entrer dans le cours du temps depuis un monde extérieur éternel[7].»

L'idée de considérer que la créativité fait partie d'un monde intemporel et éternel est certes difficile à avaler, surtout si l'artiste veut considérer son acte créateur comme la production de quelque chose de proprement nouveau. Mais, comme le dit de Broglie, dans le contexte moderne du temps non linéaire, les événements existent avant nous dans le temps. On ne crée rien, puisque tout existe déjà. On ne fait que découvrir ce qui n'a pas encore été découvert jusqu'à maintenant. Ce processus rappelle le point de vue de Hegel selon qui il n'y a rien de neuf sous le soleil.

La science reconnaît merveilleusement ce concept dans une acception du mot *découverte* qui peut résumer à elle seule le but de toute entreprise scientifique. Le dictionnaire nous en donne la définition suivante: «Action de faire connaître un objet, un phénomène caché ou ignoré (*mais préexistant*) [...][8].»

Les scientifiques sont donc les découvreurs de modèles et de processus naturels qui existaient déjà avant eux. La découverte est un processus dans le cadre duquel certaines manifestations de la nature «entrent dans le cours du temps [du scientifique] depuis un monde extérieur éternel[9]».

Certes, il est vrai qu'on fixe les découvertes dans le temps – par exemple, quand on dit que Roger Sperry a reçu en 1981 le prix Nobel pour ses travaux sur le fonctionnement différentiel des hémisphères cérébraux. Mais c'est pour construire l'histoire qu'on attribue des dates aux découvertes scientifiques, qu'on associe certaines découvertes à certains scientifiques. La découverte de Sperry s'ajoute à la longue liste de prix Nobel qui, l'un après l'autre, ont été décernés un jour donné à une personne donnée. Ce sont les pièces avec lesquelles on monte l'histoire en les assemblant d'une façon qui confère une grande linéarité au temps de la découverte scientifique. On *peut*, bien sûr, assembler de cette manière une histoire de la science, mais la science est plus qu'un processus historique. En outre, les scientifiques eux-mêmes mettent l'accent sur l'aspect historique de leurs travaux quand ils affirment – dans leurs moments d'humilité – que leur œuvre est fondée sur les contributions d'innombrables prédécesseurs. Mais cette vision est arbitraire: en faisant ressortir la qualité historique de la recherche scientifique, elle invoque le temps linéaire et ne tient pas compte de ce que la physique moderne désigne par le «monde extérieur éternel» – ce grand réservoir de modèles et de processus naturels d'où les choses s'infiltrent dans le cours du temps de chaque scientifique.

On ne peut dissocier du temps la découverte et la créativité – quelle que soit la qualité que l'on préfère donner à ces processus: une saveur linéaire, historique, ou bien une qualité intemporelle, en dehors de l'histoire. Mais peu importe jusqu'où il est raisonnable de parler de la découverte scientifique comme processus historique, cette façon d'insister sur l'importance du temps linéaire pour la science commence à sembler n'être qu'une façade car non seulement elle ignore le «monde extérieur éternel» (un terme descriptif qui est en lui-même une découverte scientifique!), mais elle oublie également le caractère intemporel – dont parlait Eliot – inhérent à toute expérience créatrice.

Dans nos allées et venues quotidiennes, nous avons toutes sortes de façons d'abolir le temps, souvent sans y penser. Il est naturel de dénigrer plusieurs de ces manières d'annuler le temps – par exemple, la songerie, la rêverie, les fantasmes – et de qualifier de «temps perdu» les moments auxquels on s'y livre. Ce qui compte, c'est le temps linéaire – le temps de l'histoire, le temps des

66

réalisations, le temps des buts, des accomplissements et des récompenses. C'est dans le temps linéaire qu'on *produit,* prisonnier qu'on est d'une culture dans laquelle le seul péché qui soit plus grave que de laisser dormir des capitaux est celui de gaspiller du temps.

Il est encore temps, cependant, de réévaluer notre faculté d'abolir le temps. Nous avons cette capacité et nous l'employons tous les jours sans y penser. C'est une faculté naturelle chez l'homme primitif, et qui survit en nous. Elle permet en outre d'accéder à la connaissance empirique de la description moderne du temps et du «monde extérieur éternel» de la physique moderne.

NOTES:

1. Thomas Gold, «Relativity and Time», *The Encyclopedia of Ignorance*, R. Duncan et M. Weston-Smith, réd., New York: Pergamon, 1977, p. 100.
2. A.S. Eddington, *The Mathematical Theory of Relativity*, Cambridge: Cambridge University Press, 1957, p. 23-25.
3. Mircea Eliade, *Le Mythe de l'éternel retour*, Paris: Gallimard, 1949, p. 133-134.
4. Louis de Broglie, *Albert Einstein: Philosopher-Scientist*, P.A. Schilpp, réd., La Salle, Ill.: The Open Court Publishing Co., 1949, p. 113.
5. T.S. Eliot, «Tradition and the Individual Talent», *The silent Zero, in search of Sound...*, trad. de E. Sackheim, New York: Grossman, 1968, p. xiii.
6. R.H. Major, *Classic Descriptions of Disease*, Springfield: Charles C. Thomas, 1932, p. 534.
7. Bertrand Russell, *Mysticism and Logic and Other Essays*, Londres: Longmans Green, 1925, p. 21.
8. Paul Robert, *Le petit Robert 1*, Paris: Le Robert, 1987.
9. Russell, *Mysticism and Logic and Other Essays*, p. 21.

CHAPITRE 5

L'expérience du temps

Comment perçoit-on le temps? On dit souvent qu'on «sent» le temps passer, comme si on avait un sens du temps, un organe spécial par lequel on percevrait le temps de la même façon que l'œil perçoit la lumière. Or un tel organe n'a encore jamais été identifié. Malgré cela, la biologie et la physiologie ont proposé de nombreuses théories pour expliquer notre notion du temps. Ces théories sont généralement fondées sur l'existence des rythmes circadiens: processus cycliques du corps qui montrent une périodicité prévisible – par exemple, le taux d'éosinophiles dans le sang, le pouls, le taux d'hydrocortisone sanguin, la température du corps, la production d'urine, l'excrétion de potassium et de phosphates dans l'urine, et nombre d'autres phénomènes physiologiques[1]. (Pour un exposé complet des cycles du corps, se reporter à l'ouvrage de Gay Luce: *Biological Rhythms in Human and Animal Physiology*[2].) Les théoriciens ont tenté de démontrer que ces cycles, qu'on peut représenter graphiquement en fonction du temps, sont responsables de notre notion du temps. Mais il a été jusqu'ici impossible d'attribuer la perception du temps à un processus physiologique donné. Il y a peut-être une

68

infinité de processus cycliques dans le corps mais, comme dit Ornstein: «Si l'on qualifie de "chronomètre" n'importe quel processus physiologique, alors quelle est l'utilité du terme[3]?» Fischer[4] fait en outre remarquer que ces horloges biologiques ne vont pas toutes à la même vitesse. Laquelle choisir? La notion du temps est-elle la résultante du fonctionnement de toutes ces «horloges» ou bien d'une seule en particulier? Et, dans ce cas, comment l'identifier?

Si on possédait effectivement un organe pour percevoir le temps, cela voudrait dire qu'il existe un temps extérieur, ou «réel». On est presque naturellement porté à prendre une expression du temps d'horloge – heure, minute ou seconde – pour du temps «réel». D'après Astin[5], notre unité de base est la seconde, qu'on définit comme la durée de 9 192 631 770 périodes de la radiation correspondant à la transition entre deux niveaux d'énergie de l'atome de césium 133. Cependant, note Nakamura[6], les différentes cultures ne sont pas toutes aussi techniciennes que la nôtre; elles ont donc diverses conceptions de ce que peut être l'unité de base du temps «réel» – par exemple, on connaît une communauté indienne chez qui l'unité de base est le temps nécessaire pour faire cuire le riz. En effet, le temps de nos horloges n'est pas plus «réel» que le temps que prend une bougie pour se consumer. Comme dit Ornstein:

> C'est une pure commodité, une norme arbitraire, pratique pour organiser des réunions. Mais il ne s'agit pas plus de «temps réel» que le temps pour faire cuire le riz n'est réel, ou que le temps de l'horloge atomique n'est réel. On peut mesurer sa vie tant en cuillers à café qu'à l'aide d'un calendrier, ou d'un sablier, ou en bols de riz. L'intervalle auquel le temps empirique et le temps d'horloge coïncident parfois ne constitue en rien une «base temporelle» réelle de l'expérience de la durée[7].

Pour comprendre les relations entre la santé, la maladie et les modes d'expérience du temps, ainsi que la façon dont on peut modifier sa notion du temps au profit de sa santé, il est important de garder à l'esprit les deux points suivants:

1. Il n'existe pas de fondement rationnel à l'idée de «temps réel»; une unité temporelle de base est purement arbitraire.

2. Étant donné qu'on n'a pas réussi à identifier de récepteur sensoriel pour le temps, ni d'horloge biologique, il n'est pas raisonnable de croire que le passage du temps physique constitue le stimulus menant à la perception du temps. En effet, pour autant qu'on sache, rien n'est stimulé.

La notion du temps change avec l'âge. Avant l'âge d'un an, les bébés n'ont aucune notion du temps; ils vivent dans un éternel présent[8]. À deux ans, l'enfant commence à utiliser le terme «aujourd'hui», et à deux ans et demi, la plupart se mettent à parler de «demain». «Hier» ne fait son apparition qu'à trois ans; «matin» et «après-midi», à quatre ans; et «jour», à cinq ans. Avec l'âge, la notion du temps devient de plus en plus sophistiquée, et on remarque une amélioration importante vers onze ou douze ans. Enfin, c'est vers l'âge de seize ans qu'on devient adulte quant à sa compréhension du temps[9].

L'âge n'est pas le seul facteur qui affecte la notion du temps. Les caractéristiques de la personnalité ont un effet important. D'après la typologie de Jaensch[10], les personnes très intégrées ont plus tendance à éprouver des distorsions dans leur expérience du temps. En fonction du contenu d'un intervalle de temps donné, la conscience du temps peut varier pour une personne extravertie, mais pas pour une introvertie[11]. Le parent en situation d'autorité a tendance à surévaluer la durée[12]. Les enfants de la classe moyenne montrent une notion du temps plus relâchée (tendance à sous-évaluer la durée) que ceux des autres classes[13]. La notion du temps est également très affectée par l'attitude qu'on a envers les tâches qu'on accomplit. La conscience aiguë du but à atteindre est associée à la surévaluation de la durée[14].

La température du corps a aussi un effet sur la perception du temps. En 1935, Hoagland[15] a étudié l'effet de la température chez sa femme, qui avait de la fièvre. Il en conclut que la notion du temps varie avec la température. François[16] a également observé cet effet et a trouvé que pour toute élévation de dix degrés* de la température ambiante, la durée de l'intervalle qu'on estime être une seconde raccourcit de 2,8 fois. Même l'intensité de l'éclairage peut modifier notre expérience du temps[17]. Plus elle est faible, plus un intervalle de temps donné paraît court.

On observe des variations marquées dans la façon dont différentes personnes appréhendent le temps. D'après Fenichel: «Certains névrosés éprouvent une forme de claustrophobie dans le temps. Le malade se sent prisonnier de ses devoirs et oppressé dans des intervalles de temps trop étroits, tout comme un claustrophobe se sent enfermé dans des limites spatiales[18].» Il ajoute: «D'autres malades craignent la "longueur du temps". Ils se pressent d'une activité à l'autre; pour eux, le temps inoccupé a le même effet que l'espace vide pour un agoraphobe[19].»

Les drogues ont également des effets variés sur la notion du temps. Certaines raccourcissent l'évaluation subjective de la durée – par exemple, la cocaïne, la thyroxine et la caféine. L'amphétamine, l'opium, la mescaline, le haschisch, la marijuana, le chanvre indien et la psilocybine ont l'effet contraire[20].

Il y a encore beaucoup d'autres facteurs qui affectent la perception du temps, et il en reste sans doute à découvrir. Comment peut-on identifier les influences qui jouent à un moment donné? Par exemple, on ne sait même pas estimer d'un instant à l'autre son degré de concentration dans une tâche donnée: on ne peut donc pas déterminer la correction à appliquer à sa notion du temps. Quelle distorsion dans la perception du temps peut être attribuée à la caféine du café du matin, ou du thé de midi, ou à

---

* N.D.T.: Il s'agit vraisemblablement de degrés centigrades.

l'alcool du vin du soir? En admettant l'existence du temps réel, comment identifier qui en a la perception la plus précise? Vais-je me fier à l'évaluation d'un intervalle de temps «réel» par une personne dont la température corporelle moyenne est légèrement supérieure ou inférieure à la mienne?

La recherche du stimulus extérieur de la notion du temps – stimulus qu'on appelle le temps réel – est restée vaine, non seulement parce qu'il ne semble pas y avoir d'organe sensoriel destiné à le percevoir, mais aussi à cause de la myriade d'influences sur la perception du temps, qui semblent le rendre insaisissable. On n'arrive pas à savoir ce qui influence notre connaissance.

Alors, qu'est-ce que le temps? L'approche la plus fructueuse, d'après Ornstein, est d'abandonner les notions d'«horloge interne» et de «temps réel» pour adopter une définition purement cognitive du temps. Avec une telle approche, «on découvre la relation particulière suivante: si on essaye d'augmenter la quantité d'information traitée dans une période donnée, on aura tendance à surévaluer la durée de l'intervalle[21]». D'ailleurs, si on examine l'effet de la marijuana, par exemple, on peut dire qu'elle augmente notre évaluation subjective du temps d'horloge parce qu'elle augmente également la quantité d'information traitée pendant une période donnée. C'est ainsi que l'adepte de la marijuana peut dire qu'une heure de temps d'horloge lui semble comme trois heures, ou qu'une minute semble durer trois minutes.

Supposons qu'on peut renverser le raisonnement: si l'on observe une surévaluation du temps, c'est donc que plus d'information a été traitée. Un adepte du zen pour qui une heure de méditation profonde semble ne durer que cinq minutes a ainsi traité moins d'information qu'une personne qui peut évaluer plus précisément le temps écoulé. En fait, un but de la méditation n'est-il pas de se concentrer pour «bien faire une seule chose[22]»?

Une énorme confusion sémantique entre en jeu dès qu'on se met à parler d'expérience subjective du temps. Il faut en effet prendre soin de préciser si l'on parle de la sensation qu'on a du passage du temps, ou bien de l'évaluation de la durée. Quand on est complètement absorbé dans son travail, on peut s'étonner de constater qu'autant de temps a passé. On s'exclame: «Comme le temps fuit!» Trois heures ont passé comme en une heure. On sent que sa notion du temps s'est relâchée, qu'on s'est «perdu» dans le temps, qu'on a oublié l'heure. En même temps que notre sensation subjective du passage du temps devient moins fine, nous laissant l'impression d'oublier le temps, notre évaluation de la durée diminue. Il est important de ne pas confondre les deux notions. Si je suis en train de faire un travail que je méprise, ma notion du temps devient plus fine. Je jette fréquemment un coup d'œil à ma montre. Le temps se traîne, il ralentit. Ma notion du temps s'est contractée; je me sens enfermé par le temps; je peux *sentir* combien il est proche; je me sens oppressé. Cinq minutes me semblent une heure. Je *surévalue* la durée – de sorte que, bien que ma notion du *temps* se rétrécisse, ma perception de la *durée* se relâche: j'ai tendance à surévaluer la durée. Le tableau ci-dessous illustre les notions que nous venons d'exposer.

Sensation du passage du temps	Évaluation de la durée
1. contraction, rétrécissement	1. relâchement, expansion
2. expansion, relâchement	2. diminution, raccourcissement, contraction
3. conscience aiguë, ou inconfortable, du passage du temps	3. relâchement, expansion
4. inconscience du passage du temps	4. contraction, raccourcissement, diminution

Enfin, la relation entre l'évaluation de la durée et la quantité d'information traitée dans une période donnée peut être représentée comme suit:

Quantitté d'information traitée	Évaluation de la durée
1. plus	1. augmentation
2. moins	2. diminution

NOTES:

1. K. Hamner, «Experimental Evidence for the Biological Clock», *The Voices of Time*, J.T. Fraser, réd., New York: Braziller, 1966.
2. Gay G. Luce, *Biological Rhythms in Human and Animal Physiology*, New York: Dover, 1971.
3. Robert E. Ornstein, *On the Experience of Time*, New York: Penguin, 1969, p. 31.
4. *Ibid.*
5. *Ibid.*, p. 22.
6. *Ibid.*
7. *Ibid.*, p. 34.
8. R.G.H. Siu, *Chi, a Neo-Taoist Approach to Life*, Cambridge: MIT Press, 1974, p. 154.
9. *Ibid.*
10. *Ibid.*, p. 155.
11. *Ibid.*
12. *Ibid.*
13. *Ibid.*
14. *Ibid.*
15. Ornstein, *On the Experience of Time*, p. 32.
16. Siu, *Chi*, p. 156.
17. *Ibid.*
18. *Ibid.*, p. 159.
19. *Ibid.*
20. *Ibid.*, p. 160.
21. Ornstein, *On the Experience of Time*, p. 103.
22. Lawrence LeShan, *How to Meditate*, Boston: Little, Brown, 1974.

CHAPITRE 6

Le temps: que se passe-t-il en réalité?

Un jour de grand vent, deux moines discutaient à propos d'une bannière. Le premier dit: «C'est la bannière qui bouge, pas le vent.» Le deuxième dit: «C'est le vent qui bouge, pas la bannière.» Un troisième moine vint à passer et dit: «Le vent ne bouge pas. La bannière ne bouge pas. Ce sont vos esprits qui bougent.»

Parabole zen[1]

La physique moderne propose une vision du temps qui infirme toutes les idées ordinaires sur le sujet. Mais la possibilité que le concept de temps avec lequel on est si familier puisse être incorrect est un de ces murs de brique psychologiques sur lequel on fonce dans la nuit, et qui nous arrête douloureusement, nous emplissant d'une confusion momentanée, à la frontière de la terreur. Comment peut-on se tromper autant sur quelque chose de si fondamental?

On jette souvent le discrédit sur la description du temps de la physique moderne, que nous avons examinée plus tôt, en disant qu'elle n'est qu'un sous-produit d'expériences de laboratoire complexes qui n'ont tout simplement rien à voir avec la vie quotidienne. Quant à la vision du temps chez les primitifs – semblable à celle de la physique moderne, comme nous l'avons vu –, elle jouit d'encore moins de considération. On présume en effet, bien qu'à tort, que l'homme pré-moderne est généralement dépourvu d'intelligence, que sa pensée est archaïque, ainsi que sa culture. Comment pourrait-il donc avoir une idée correcte du temps? Cependant, ces descriptions du temps ont assez d'effet chez certaines personnes pour les pousser à approfondir la question, à tenter de découvrir *quel* temps, le temps *de qui,* est le «vrai». Que se passe-t-il *en réalité*? Il existe sûrement une vision correcte du temps – si seulement on pouvait appréhender de quoi il s'agit. Quelqu'un *doit* avoir tort: le profane, le primitif et le physicien ne peuvent pas *tous* avoir raison.

C'est ainsi que se déroulent les spéculations logiques de presque tous ceux qui se butent à ces bizarres descriptions de la réalité, qui nous viennent de sources aussi diverses que l'anthropologie et la physique moderne. On a beau exiger la vérité sur le *réel* comportement du temps, on ne rencontre que des mises en garde, comme celle du grand astronome et physicien anglais Eddington:

Je crains le mot «réalité», qui ne constitue pas une caractéristique définissable des choses auxquelles on l'applique, mais qu'on utilise comme si c'était une sorte de halo céleste. Je doute fort qu'aucun d'entre nous ait la moindre idée de ce que signifie la réalité ou l'existence de quoi que ce soit, à part son propre ego[2].

C'est une erreur très courante, presque universelle, que de croire que la science peut trouver pour nous ce que signifie le mot «réel». Il est troublant de découvrir que les scientifiques ne prétendent plus à la réalité, cherchant plutôt à décrire le monde du mieux qu'ils peuvent, en se fondant uniquement sur le témoignage des sens. La recherche de la vérité n'est plus une préoccupation de la science moderne, elle est le propre d'une époque qui a pris fin avec le début du siècle.

Qu'on se rassure, la confusion qui entoure les tentatives de résoudre les questions fondamentales sur le comportement du monde, et sur le temps en particulier, n'est pas nouvelle. Les artisans des nouveaux concepts de la physique l'ont éprouvée. Décrivant l'agonie des physiciens du début du siècle, alors que le monde de la physique était en convulsions, le physicien allemand Pascual Jordan dit que c'était comme si la terre elle-même s'était mise à trembler: on ne savait pas à quel moment elle allait complètement se dérober sous les pieds. Quelle vision de la réalité cela nous a-t-il laissée?

Pendant la période suivant la publication de la théorie de la relativité restreinte par Einstein en 1905, jusqu'à la fin des années vingt (époque à laquelle la théorie des quanta a été formulée), les physiciens ont transformé le concept de ce qui est réel, partant de celui d'un monde statique, extérieur, existant en dehors de nous, pour en venir à une vision du monde dont on ne peut parler qu'en témoignant du plus grand respect pour les sens. Nos sens en sont venus à occuper une position prééminente en physique. La physicienne Ilse Rosenthal-Schneider rapporte qu'Einstein affirmait que «notre concept ordinaire de "monde réel extérieur" repose uniquement sur le témoignage des sens[3]». Planck, qui a découvert le quantum, le «paquet» d'énergie fondamental, ajoute qu'«il n'y a rien d'observable dans l'univers. L'observable appartient au monde des expériences sensorielles[4].» Einstein croyait en outre que «toute connaissance de la réalité commence par l'expérience et finit dans l'expérience[5]».

Cependant, on continue à s'accrocher à l'idée d'un temps réel – un temps qui s'écoule et qu'on peut partager en passé, présent et avenir. Cette croyance en un temps réel linéaire est à la base de nos hypothèses fondamentales sur la santé et la maladie, sur la vie et la mort. Mais cette façon de penser est indissociable d'une science plus ancienne, qui était fondée sur l'idée d'une réalité extérieure, indépendante de nos sens. La physique moderne a rejeté cette vision du monde. Si nous décidons de réviser notre idée du temps pour être cohérents avec le point de vue de la physique moderne, nous sommes forcés d'en dire ce que nous avons déjà dû dire pour le monde extérieur: *le temps est indissociable de nos sens* – il fait partie de nous, il n'est pas «là, dehors». Et notre conception de la santé et de la maladie doit être révisée en conséquence, tellement elle dépend de notre vision du temps.

La mortalité, la naissance, la mort, la longévité, la maladie et la santé – ce sont là des idées qu'on construit inconsciemment, les incorporant dans un *temps absolu,* dont on présume qu'il fait partie d'une réalité *extérieure.* Mais si l'on en croit Einstein quant au fait que toute connaissance de la réalité commence par l'expérience et finit dans l'expérience, il n'y aurait pas de réalité extérieure qui puisse conférer du sens à ces événements. Notre connaissance de la santé commence et se termine par la perception – c'est-à-dire que les questions de santé sont de nature essentiellement empirique; on ne peut se reporter à rien d'autre qu'à nos sens pour trouver une signification à la santé, à la maladie, à la vie et à la mort. Il ne s'agit donc pas d'événements absolus.

Les anciennes idées sur la santé, la maladie, la vie et la mort laissent place à un sentiment d'incertitude, dès qu'on se rend compte qu'on s'est peut-être trompé de façon fondamentale sur le comportement du monde en général, et sur la signification du temps en particulier. Comme Jordan, on est rendu à un point où la terre commence à trembler.

Quand on pense à la santé, l'esprit doit se tourner vers l'intérieur, sur lui-même. On commence à voir qu'on n'a jamais fait autrement que de penser à *soi-même.* Dans nos ruminations sur le sujet, nous ne nous serions jamais confrontés à un monde extérieur, puisqu'il n'existe pas de monde extérieur absolu séparé de nous. Tout ce qu'on a pu voir, c'est un miroir réfléchissant l'image de nos impressions sensorielles.

En fait, de quelle façon une vision moderne du temps change-t-elle notre conception de la santé, de la maladie, de la vie et de la mort? Les changements en question sont de grande envergure. Nous construirons plus loin de nouvelles notions de santé qui seront cohérentes avec la vision moderne du monde. Nous verrons que ces idées révisées constituent une force libératrice, capable de lever le joug du «tyran dévorant tout» qu'est le temps linéaire. Elles diminuent l'oppression de la maladie et de la mort, tout comme l'idée moderne selon laquelle l'esprit et la nature coexistent de façon plus «humaine» pour déterminer ce qui pour chacun de nous est «réel» a fait céder le pas aux strictes lois de la nature qu'avait énoncées Newton.

NOTES:

1. *Zen Buddhism*, Mount Vernon, N.Y.: The Peter Pauper Press, 1959, p. 53-54.
2. Arthur Eddington, *The Nature of the Physical World*, New York: MacMillan, 1931, p. 419.
3. Ilse Rosenthal-Schneider, *Albert Einstein: Philosopher-Scientist*, LaSalle, Ill.: The Open Court Publishing Co., 1949, p. 132.
4. *Ibid.*, p. 136.
5. *Ibid.*, p. 137.

CHAPITRE 7

Le temps et la douleur

Avant d'examiner comment l'idée qu'on se fait du temps entre en jeu dans le processus de certaines maladies, considérons le rôle de la notion du temps par rapport au symptôme peut-être le plus répandu de tous: la douleur. Il convient de remarquer que même les maux les plus communs, comme la douleur, recèlent des aspects temporels et spatiaux. La simple formule ci-dessous donne une vue d'ensemble des principaux déterminants de la douleur:

$$D = k \frac{S}{T}$$

Elle peut se lire comme suit: la quantité de douleur (D) ressentie est égale au produit d'une certaine constante (k) par la quantité de stimulus (S) qui cause la douleur et qui est perçu pendant une période de temps donnée (T). Certes, on ne se représente jamais la douleur de cette façon, mais c'est en gros ce qu'on entend quand on dit, par exemple, «Cela fait donc mal.» ou «Cela fait longtemps que ce bouton de fièvre me fait vraiment mal.» Il est évident que la douleur causée par une brûlure dépend de la chaleur du stimulus (S: la flamme) et du temps pendant lequel on y a été soumis. (Notons qu'on parle ici de la douleur, en tant que sensation humaine, et non de la brûlure réelle causée par la flamme, qui peut être l'objet d'une mesure objective.) Une quantité de chaleur donnée (S) appliquée pendant une longue période de temps (T) sera à peine perçue (le résultat D est petit). Par contre, si on applique la même quantité d'énergie pendant une période très courte, la sensation sera plus intense, donc plus douloureuse (le résultat D est plus grand). La brûlure réelle (B) pourrait s'exprimer par la formule suivante:

$$B = k\,(S\,T)$$

où l'on voit que plus la période T pendant laquelle on applique le stimulus S (la chaleur) est longue, plus la brûlure B résultante est grande.

On admettra également d'emblée que la perception de la douleur dépend non seulement de la notion du temps, mais aussi de la notion de l'espace. La *surface* qui reçoit le stimulus doit entrer dans les calculs. Reprenons l'exemple de la brûlure: si la chaleur d'une petite flamme est diffusée pendant un certain temps sur toute la surface de notre corps, nous en aurons à peine conscience. Mais si on la concentre sur une toute petite surface, cela pourrait bien causer une brûlure du troisième degré.

La première formule montre comment la perception des signes relatifs à notre santé – la douleur, par exemple – est liée à notre notion du temps, et comment celle-ci influence l'opinion qu'on a de sa propre santé. Si notre perception du temps (T) est relâchée (c'est-à-dire si on a tendance à sous-évaluer la durée), la douleur (D) ressentie est faible (puisque D et T varient inversement l'un de l'autre). Par contre, avec une perception du temps contractée (tendance à surévaluer la durée), on ressentira une plus forte douleur (D).

Qu'entend-on par une notion du temps relâchée? Nous sommes en fait tous familiers avec cette notion. Elle correspond à un état dans lequel on «perd» la notion du temps. Le passage du temps échappe à notre conscience. Le temps reste immobile. Il prend de l'expansion.

Souvent, de tels moments surviennent sans qu'on s'en rende compte – par exemple, quand on s'absorbe dans une tâche, ou quand on participe à un divertissement agréable. Par ailleurs, la pratique de la méditation permet de passer à volonté dans cet état. D'autre part, quand notre notion du temps est contractée, notre conscience du passage du temps se fait plus aiguë. Quand on fait quelque travail déplaisant, un moment peut sembler une heure. Le temps se traîne. La peur de se faire arracher une dent ou l'appréhension face à la réussite ou à l'échec d'un examen sont autant de facteurs qui ont pour effet de contracter la notion du temps.

Einstein exprimait bien la relativité de la notion du temps quand il remarquait: «Assis avec une jolie fille, deux heures passent comme deux minutes; assis sur un poêle chaud, deux minutes semblent deux heures. C'est relatif.»

D'habitude, une personne qui ressent de la douleur vit avec une notion du temps contractée. Quand on a mal, les minutes semblent des heures. À cause de la contraction de la notion du temps, la douleur est augmentée – parfois à un point extrême. Existe-t-il une façon d'intervenir face à la douleur, une façon de manipuler la notion du temps, de la décontracter? Peut-on diminuer la douleur en «étirant» la notion du temps? Sans le savoir, les médecins passent leur temps à agir ainsi. Presque toutes les substances que nous employons pour traiter les douleurs importantes modifient la notion du temps des patients. Certes, les malades qui reçoivent ces médicaments ne diront pas que leur notion du temps a été affectée, mais ils auront des commentaires comme «Ce médicament me fait planer!», «J'étais vraiment parti!» ou «J'ai oublié où j'étais.» On n'a simplement pas de vocabulaire approprié pour décrire ces événements qui se produisent pourtant à toute heure dans tous les grands hôpitaux. Qu'est-ce que le patient qui vient de recevoir un médicament contre la douleur veut dire par: «Pendant un moment, j'ai vraiment perdu tout contact avec la réalité.», «Ce remède m'a vraiment envoyé dans les nuages!» ou «Ça m'a mis dans les vapes.»? Un des sens que cachent de tels commentaires est sans doute la modification de la notion du temps.

À part les drogues, il existe également des techniques très efficaces pour modifier la notion du temps, et ces techniques sont devenues des outils valables pour soulager la douleur. Certains patients bénéficient grandement d'un traitement par hypnose. Les techniques de rétroaction biologique, fondées sur la visualisation d'images mentales visant à la maîtrise de certains processus physiologiques, ont un effet marqué sur la perception du temps. La méditation, l'autorelaxation et la relaxation progressive ont un effet similaire. En fait, n'importe quel produit ou technique propre à décontracter la notion du temps peut servir d'analgésique!

Il est important de se rendre compte que lorsqu'on a recours à une technique qui diminue la douleur grâce au relâchement de la notion du temps, on n'essaye pas en fait de se mentir à soi-même. On n'essaye pas de se faire croire que la douleur n'existe pas. On a en effet des preuves solides qu'un changement d'état de conscience entraîne des changements physiologiques qui affectent la perception de la douleur. On sait maintenant qu'au moins un tiers des sujets à qui on administre un placebo, dont on leur affirme qu'il va soulager leur douleur, seront effectivement soulagés. On peut cependant inhiber l'effet placebo en administrant d'abord de la naloxone – substance ayant une action antagoniste de celle des endorphines produites dans le cerveau. On a également réussi à produire des endorphines de synthèse qu'on emploie comme la morphine pour leurs propriétés analgésiques, et qui sont par surcroît extrêmement plus puissantes que les narcotiques.

Qu'est-ce qu'on fait quand on emploie des techniques qui décontractent la notion du temps afin de soulager la douleur? Met-on en branle des processus biochimiques complexes qu'on ressent subjectivement à la fois par l'analgésie et par l'expansion du temps? C'est sans doute ce qui se passe. On sait qu'il y a des phénomènes biochimiques liés aux activités de visualisation, d'hypnose, de rétroaction biologique et de méditation. Ce n'est qu'en examinant systématiquement le mode d'action de ces techniques qu'on pourra obtenir les connaissances nécessaires pour maximiser leur efficacité. Mais il faut aussi faire attention de ne pas se laisser prendre au piège du réductionnisme en croyant que nos facultés intrinsèques de soulager nos douleurs et de relaxer notre notion du temps ne sont qu'une simple question de processus chimiques.

Plus que la connaissance des processus physiologiques qui entrent en jeu, il est important d'apprécier d'abord la relativité de l'expérience ressentie. La douleur, comme indice de santé, est liée dans notre conscience à la notion du temps. Et le temps, comme la science moderne nous l'apprend, est une chimère. La théorie de la relativité nous montre que le passé d'un homme donné est le présent d'un autre, et le futur d'un autre encore. De la même façon, la santé et la maladie, comme l'espace et le temps, sont des notions relatives constitutives des facultés perceptuelles de notre conscience. La santé et la maladie, comme l'espace et le temps, n'appartiennent pas à une réalité fixe et extérieure. Comme telles, il ne s'agit pas tant de les acquérir que de les ressentir.

CHAPITRE 8

Le temps et la maladie

Personal Electronics Inc., de New York, offre pour la somme de 100 $ une montre munie d'un bouton «réveil». On peut la régler pour qu'elle joue un menuet à une heure donnée. Cinq minutes plus tard, si on ne l'a pas arrêtée, elle fait entendre une pièce plus courte, puis une voix de synthèse annonce l'heure et dit: «Vite, c'est l'heure!»

Wall Street Journal, le 15 mai 1981

Le physiologiste russe Pavlov avait conditionné des chiens à saliver quand on faisait sonner une cloche en même temps qu'on leur présentait de la nourriture. Plus tard, on pouvait les faire saliver seulement en sonnant la cloche, même si on ne présentait pas de nourriture. Tout comme les chiens de Pavlov avaient appris à saliver sans raison valable, nous avons appris à nous *hâter* inconsidérément. Notre sens de l'urgence est déclenché non plus par un besoin réel d'agir rapidement, mais par des signaux acquis. Nos «cloches» sont la montre, le réveil, le café du matin et les centaines de choses dont nous avons fait notre routine quotidienne. La montre et l'horloge nous transmettent un message subliminal: «Le temps s'écoule, la vie passe, hâtez-vous.»

Fait intéressant, ce que nos horloges externes nous laissent percevoir du passage du temps fait accélérer nos horloges *internes*. (On peut considérer comme une horloge tout phénomène périodique – certaines fonctions physiologiques, par exemple.) L'éveil de notre sens de l'urgence a pour conséquence l'accélération de certaines fonctions rythmiques du corps, comme les rythmes cardiaque et respiratoire. Il peut s'ensuivre une élévation exagérée de la pression sanguine, accompagnée d'une augmentation de la concentration sanguine de certaines hormones spécifiques qui caractérisent la réaction au stress. L'impression que les horloges tournent à toute vitesse et que le temps fuit fait accélérer nos propres horloges biologiques. Comme nous l'avons déjà observé, le résultat final est souvent une forme de «maladie des gens pressés», le «mal du temps», qui peut s'exprimer par une maladie du cœur, par de la haute pression ou par la dépression du système immunitaire, conduisant à une sensibilité accrue aux infections et au cancer.

Dans les chapitres suivants, nous exposerons une idée révolutionnaire de la physique moderne selon laquelle les perceptions humaines conscientes sont liées d'une certaine façon à la compréhension de ce qu'on appelle la réalité. On a des raisons de croire qu'on vit présentement dans ce que le physicien John A. Wheeler appelait un «univers de participation». La physique moderne nous montre qu'on ne peut plus concevoir la réalité comme une entité séparée de nos fonctions sensorielles.

C'est en reflétant dans nos fonctions physiologiques notre perception du temps qui fuit que nous définissons notre propre réalité. Cette transposition illustre bien le principe de participation. Une fois convaincus de la fuite du temps linéaire, à l'aide des horloges, des montres, des bip-bip, des tic-tac et d'une myriade d'autres béquilles culturelles, nous suscitons dans notre corps des maux qui nous confirment la même chose. En effet, les maladies cardiaques, les ulcères ou la haute pression qui en résultent renforcent le message de l'horloge: *nous* passons pour être finalement emportés par le courant linéaire de la rivière du temps. De nos perceptions, nous avons fait notre réalité.

Les maladies cardio-vasculaires

La notion du temps non seulement est un facteur déterminant de notre conscience de la douleur, mais elle influence également le cours de certaines maladies. On peut en observer le meilleur exemple chez les personnes dites de type A, d'après Friedman et Rosenman[1]. Ces personnes souffrent du «mal du temps». Leur vie est orientée en fonction de buts, de dates limites et d'objectifs auxquels elles semblent réagir malgré elles. Elles sont incapables d'aborder une tâche de façon saine et équilibrée. Au contraire, dans les cas extrêmes, elles semblent brûler d'un besoin d'accomplissement.

Les personnes de type A n'ont pas qu'un sentiment d'urgence *intérieur*; leur comportement *extérieur* exprime aussi cet état d'esprit. Quand elles sont assises, elles restent agitées d'un mouvement incessant, non seulement de l'esprit, mais également des parties du corps – mains, doigts, jambes, pieds. Elles parlent beaucoup, exprimant verbalement le produit d'un esprit qui ne connaît pas de repos. Leur comportement est souvent cause d'inconfort et de tension pour leur entourage.

Les personnes de type A semblent donc souffrir du «mal du temps». Comme les malades affligés de douleurs chroniques, elles ont un sens aigu du temps. Sauf que dans leur cas, le temps a beau passer lentement, il n'y en a jamais assez.

D'habitude, les personnes de type A sont ambitieuses et ont souvent beaucoup de succès parce qu'elles réussissent à canaliser leur motivation. Cependant, malgré toutes les qualités qui font qu'on les admire – leur imagination, leur énergie et leur dévouement – elles ont aussi, comme groupe, une caractéristique que personne ne leur envie: un haut taux de mortalité par maladie cardiaque.

Le mal du temps n'est pas qu'un terme coloré, c'est une maladie réelle dont tout le groupe des personnes de type A est affligé. Il ne s'agit pas que d'une indisposition qui rend ces personnes exagérément angoissées, plus nerveuses et plus facilement contrariées que leurs homologues du type B. Le problème est plus sérieux: les personnes de type A, comme groupe, *meurent plus tôt*. Leur comportement est un facteur de risque relativement à la cause de décès la plus importante dans notre société: les maladies des artères coronaires.

C'est le fait que la réaction exagérée au temps – le sentiment d'urgence – manifestée par les personnes de type A se traduit par des effets physiologiques qui est important. Ces effets ont tendance à se répandre partout et s'installent bien avant que la maladie cardiaque ne survienne. Ils sont tellement caractéristiques des personnes qui ont le mal du temps qu'on pourrait les désigner par le terme «syndrome du temps». Parmi ces phénomènes, citons l'accélération du pouls, la hausse de la pression sanguine au repos, l'élévation de la concentration sanguine de certaines hormones comme l'adrénaline, la noradrénaline, l'insuline, les hormones de croissance et l'hydrocortisone, qui sont toutes sécrétées d'une façon excessive durant les moments d'urgence ou de stress, l'augmentation de la sécrétion d'acide dans l'estomac, la hausse du taux de cholestérol sanguin, l'accélération du rythme respiratoire, l'augmentation de l'activité des glandes sudoripares et l'augmentation de la tension musculaire dans tout le corps. En somme, le syndrome du temps est un processus psychosomatique qui affecte les principaux systèmes. Il ne s'agit pas simplement de l'expérience consciente de sensations déplaisantes.

Dans le cas de certains troubles, la conscience du fait que la notion du temps est détraquée est d'une énorme importance parce qu'elle peut nous indiquer comment les traiter. On a observé, par exemple, que le taux de cholestérol est souvent élevé chez les personnes de type A. On peut donc se demander si la manipulation de la notion du temps pourrait avoir des effets sur le taux de cholestérol sanguin chez les humains. Fait intéressant, la réponse est oui. En effet, Cooper et Aygen ont montré que les sujets à qui on enseigne la méditation – une méthode facile pour «ajuster» la notion du temps vers l'autre extrémité du spectre par rapport à ce que ressentent les personnes de type A – le taux de cholestérol baisse de 20 p. 100[2]. On observe en outre un effet sur d'autres aspects du syndrome: la pression sanguine, les rythmes cardiaque et respiratoire ainsi que la concentration sanguine en insuline, hydrocortisone, adrénaline et noradrénaline sont ramenés à des niveaux plus convenables. Ces observations sont riches d'enseignements: en se mettant à penser de façon à allonger la notion du temps, les personnes qui souffrent du mal du temps peuvent prévenir bon nombre des effets dévastateurs du syndrome du temps. Le choix de la méthode employée n'est pas très important: en effet – nous l'avons vu – il y a beaucoup de techniques efficaces, comme les différentes formes de méditation, la rétroaction biologique, la relaxation progressive et l'autorelaxation.

Pourquoi insister sur l'aspect temporel de la maladie? Pourquoi ne pas choisir quelque autre qualité présente dans la plupart des maladies – la tension musculaire ou l'angoisse, par exemple – et se concentrer sur un moyen de l'influencer? Il y a certainement d'autres caractéristiques qui soient généralisées à l'échelle de toutes les maladies humaines. Pourquoi choisir le temps? Pourquoi ne pas dire qu'on a le mal de la tension musculaire ou le mal de l'angoisse au lieu du mal du temps? La principale raison est la suivante: à mesure que la maladie devient plus sérieuse, les aspects temporels liés à cette condition se mettent à avoir une influence de plus en plus profonde sur nos perceptions. Plus la maladie est grave, plus il y a de chance qu'on se rappelle sa condition mortelle, qu'on se mette à songer à la mort. Comme la mort, les maladies graves sont lourdes de considérations temporelles. Elles nous obligent à faire face à la fin, à l'état final, à l'éternité.

Quels sont les mots qu'on associe à la mort? Ceux qui nous remuent le plus profondément ont rapport au temps: «final», «pour toujours», «à jamais». En fait, ces mots lourds de temps sont pratiquement l'équivalent de la mort: si on croyait que la mort n'est que temporaire, on ne l'appellerait certainement pas la «mort».

Est-il possible de tourner à notre avantage les aspects temporels de la maladie grave – par exemple, de la façon qui s'est avérée fructueuse dans le cas des personnes affligées d'une conscience aiguë du temps et d'un haut taux de cholestérol? Cette question est importante, non pas parce qu'on voudrait que la mort disparaisse, non plus parce qu'on souhaiterait éliminer tout le cholestérol du sang, mais parce que notre notion du temps est *tellement* malléable. Qu'arrivera-t-il de notre appréhension de la mort si nous avons recours à des techniques d'extension de la notion du temps, comme nous l'avons vu pour les cas d'hypercholestérolémie?

À mesure qu'on apprend à méditer, ou qu'on devient plus familier avec les états de conscience particuliers aux techniques de la rétroaction biologique, de l'autorelaxation ou des autres formes de relaxation profonde, on développe une familiarité avec une nouvelle notion du temps. On commence à avoir de nouvelles expériences du temps. On devient à l'aise dans le temps qui prend de l'expansion. Des expressions telles que «ici et maintenant» ou «instant d'éternité» revêtent toute leur signification. Par-dessus tout, on se découvre une amitié avec le temps. Puis, comme on approfondit ce nouveau point de vue, on accède peu à peu à une nouvelle forme de compréhension. On se met à voir que l'une des forces qui motivaient la façon dont on réagissait au passage du temps était la peur – une sensation qui s'exprimait par une agitation inutile. Ce comportement frénétique s'avère une défense *contre* le temps, une résistance qui prend sa forme définitive dans notre propre protestation silencieuse contre la mort elle-même.

Tous les événements chargés d'aspect temporel

comme la maladie et la mort se font moins menaçants. Des événements quotidiens, des tragédies, qui nous laissaient en proie aux remords, entraînent désormais des réactions moins pénibles. Le temps nouveau nous fait voir un monde différent. Et comme nous apprenons à donner un visage plus amical au temps, le masque de la mort elle-même se transforme – s'il n'arbore pas encore un sourire, il n'a plus l'air aussi menaçant.

Dans certaines situations, une conscience aiguë du temps peut être fatale. En 1968, Cassem et Hackett[3] publiaient leurs observations concernant des patients admis à l'unité de soins coronariens d'un grand hôpital, à la suite d'un infarctus du myocarde. Un groupe de patients était généralement plus calme que les autres. Les sujets qui semblaient intensément angoissés, bien qu'à tort, ont survécu en moins grand nombre. La conscience du temps – exprimée par la peur de mourir, la peur que le temps ne s'écoule complètement – semble accroître le risque de décès dans la phase aiguë suivant une crise cardiaque. Pourquoi? Qu'est-ce qui fait qu'une personne qui possède une notion du temps exagérée risque plus qu'une autre de mourir des suites d'un infarctus du myocarde?

Certaines des raisons sont connues. Dans une telle situation, une attitude réaliste envers le temps serait d'admettre que son propre temps est compté. Pour la plupart d'entre nous, la confrontation avec la mort suscite une crainte, momentanée ou prolongée, qui entraîne des réactions physiologiques typiques et prévisibles. Quand on a peur ou qu'on est très angoissé, le rythme cardiaque augmente, ainsi que la pression sanguine. Ces phénomènes sont liés à l'augmentation de la sécrétion d'adrénaline, dont l'effet est justement de faire monter la pression et accélérer le pouls. De plus, étant directement relié au cœur, l'hypothalamus peut y provoquer une forme d'instabilité électrique. Il est possible d'abaisser le seuil de fibrillation du muscle cardiaque de sorte qu'il lui soit plus facile d'entrer en fibrillation – c'est-à-dire de se mettre à battre à toute vitesse, d'une façon désordonnée et inefficace menant à la mort subite. L'augmentation du rythme cardiaque et de la pression sanguine impose un surcroît de travail au cœur qui, par conséquent, a besoin de plus d'oxygène. Mais cette exigence ne peut être satisfaite parce que c'est justement un manque d'oxygène qui est à l'origine de la crise cardiaque, provoquée par l'obstruction d'une des artères coronaires, ces vaisseaux qui amènent le sang au cœur.

L'angoisse liée au temps tue. Le haut taux de mortalité chez les personnes douées d'une conscience aiguë du temps et sujettes à l'infarctus du myocarde nous le rappelle: le mal du temps peut être fatal.

Le cancer

Un de mes collègues, spécialiste du traitement du cancer, m'a un jour désarmé par la remarque suivante: «Je viens juste de comprendre pourquoi autant de mes patients se mettent à s'adonner à la pêche à partir du moment où on leur diagnostique un cancer.» La lumière lui était venue alors qu'il était lui-même à la pêche. «Quand on est assis à ne rien faire en attendant qu'un poisson morde, le temps se traîne. Je ne vois pas de meilleure façon d'étirer la journée. C'est la récréation parfaite pour quelqu'un qui croit qu'il va mourir et que son temps est compté.» Je n'ai pu réprimer un sourire. Que de façons diverses de donner de l'expansion à sa notion du temps: méditation, rétroaction biologique, techniques de relaxation, et maintenant, la pêche!

Mon collègue oncologiste venait de soulever une question importante. *Étant donné* un cas de cancer, y a-t-il une relation entre la façon de percevoir le temps et la durée de survie? La question est loin d'être résolue, mais on commence à avoir de bons éléments de réponse. De toutes les réactions typiques d'une personne qui découvre qu'elle souffre d'une maladie incurable, la panique est l'une des plus répandues. La panique – une peur soudaine, extrême, qui finit par prendre toute la place. «Combien est-ce que j'ai de temps?» «Combien me reste-t-il de temps?» Dans un cas de panique, l'aspect temporel est capital. Le temps s'écoule, il faut le faire durer. La notion du temps se fait plus aiguë. On savoure maintenant des moments qui jusqu'ici passaient inaperçus – mais avec une crainte: ils seront bientôt passés, et moi avec. «Combien de temps encore?» La conscience exagérée du présent est mêlée à l'anticipation de l'avenir, avec l'attente de la mort. Dans cet état, le patient peut se replier sur lui-même et se mettre à ne plus vouloir, ou à ne plus pouvoir, extérioriser sa colère. La fixation sur un temps en contraction caractérise les personnes qu'un cancer emportera rapidement. On peut presque les voir disparaître à force de croire que «Puisque mon temps achève, aussi bien m'éteindre tout de suite.» Comme le remarquait West[4], il ne s'agit pas de résignation calme, mais de soumission souvent douloureuse.

Chez les malades en phase terminale, la contraction de la notion du temps semble faire partie d'un dynamisme psychologique menant à une mort hâtive[5]. Elle est associée au désespoir, à la panique et à l'abandon. Pour le malade en phase terminale, cette attitude est destructrice. Il faut lui porter autant d'attention qu'on en met à traiter le cancer sous-jacent, par exemple, avec des médicaments, de la chirurgie et des radiations. Pourtant, on persiste à ne considérer que les troubles physiologiques. Le patient respecte-t-il son régime? Le taux de globules blancs est-il descendu trop bas pour poursuivre le traitement? Le mécanisme de la coagulation est-il intact, ou faut-il suspendre momentanément la chimiothérapie? Les troubles physiologiques sont certes réels et doivent être traités, mais ils ne constituent qu'un aspect d'une vision plus globale de la maladie en phase terminale – vision qui doit comprendre la «stratégie temporelle» à laquelle le malade a recours.

Peut-on intervenir par rapport à la stratégie temporelle des personnes gravement malades? À cet effet, on dispose de toute une réserve de techniques thérapeutiques, dont la plupart mettent en jeu les images mentales et la relaxation. En outre, les vingt dernières années ont vu naître de toutes nouvelles disciplines – comme la rétroaction biologique –, qui s'avèrent très efficaces pour modifier la notion du temps chez les malades. Il ne faut pas sous-estimer l'importance de ces techniques, car les faits semblent indiquer qu'elles ont le pouvoir de prolonger la vie des personnes gravement malades[6, 7].

Notes:

1. M. Friedman et R.H. Rosenman, *Type A Behavior and Your Heart*, New York: Alfred A. Knopf, 1974.
2. M. Cooper et M. Aygen, «Effect of Meditation on Blood Cholesterol and Blood Pressure», *Journal of the Israel Medical Association* 95:1, 2 juillet 1978.
3. N.H. Cassem, T.P. Hackett et H.A. Wishnie, «The Coronary Care Unit: An Appraisal of its Psychological Hazards», *New England Journal of Medicine* 279:1365, 1968.
4. P.M. West, E.M. Blumberg et F.W. Ellis, «An Observed Correlation Between Psychological Factors and Growth Rate of Cancer in Man», *Cancer Research* 12:306, 1952.
5. Cooper et Aygen, «Effect of Meditation on Blood Cholesterol and Blood Pressure».
6. O. Carl Simonton, Stephanie Matthews-Simonton et James Creighton, *Getting Well Again*, Los Angeles: J.P. Tarcher, 1978.
7. Jeanne Achterberg et G. Frank Lawlis, *Imagery of Cancer*, Champaign, Illinois: Institute for Personality and Ability Testing, 1978.

La forêt et les arbres

III

L'unité

Une vaste similitude enclenche entre elles toutes les choses,
Toutes les sphères, formées, non formées, petites, grandes,
*   soleils, lunes, planètes,*
Toutes les distances spatiales, si grandes qu'elles soient,
Toutes les distances temporelles, toutes les formes inanimées,
Toutes les âmes, tous les corps vivants, quelque différents
*   qu'ils puissent être, ou en des mondes différents,*
Tous les processus gazeux, aqueux, végétaux, minéraux,
*   les poissons, les bêtes,*
Toutes les nations, couleurs, barbaries, civilisations, langues,
Toutes les identités qui ont existé ou existeront sur ce
*   globe ou n'importe quel globe,*
Toutes les vies et toutes les morts, toutes celles du passé,
*   du présent, de l'avenir,*
Cette vaste similitude les relie et les a toujours reliés,
Et à jamais les reliera, les maintiendra solidement en-
*   semble et les englobera.*

Walt Whitman
Feuilles d'herbe[*]

---

[*]   Walt Whitman, «Seul sur la plage le soir», *Feuilles d'herbe*, p. 230-
231.

CHAPITRE PREMIER

Le facteur humain

Tout être réel est rencontre. Il ne s'agit pas d'une rencontre dans le temps et l'espace, mais c'est plutôt l'espace et le temps qui sont dans la rencontre.

Martin Buber[1]

Les facteurs psychologiques et les comportements chargés d'émotion, comme aimer, toucher, partager, prendre soin de quelqu'un et prendre part à des activités sociales, ont des répercussions énormes sur la santé. Cela laisse soupçonner l'existence d'une unité corps-esprit intrinsèque, qui ne cadre pas avec les notions actuelles de la biomédecine. En effet, ne dit-on pas que toutes les questions de santé et de maladie reflètent l'ordre ou le désordre des molécules du corps?

Le présent chapitre nous donnera l'occasion d'approfondir notre vision du monde biologique afin de montrer que l'unité est de maintes façons un facteur qui a rapport avec la vie. Nous verrons que le principe d'unité s'exprime parfois de manière surprenante – la disparition des présumées frontières entre un organisme et le monde extérieur, par exemple. Nous examinerons des exemples qui couvrent tant le domaine des gènes que celui de l'individu. Le principe d'unité sera illustré non seulement par l'identité intrinsèque du corps et de l'esprit, mais aussi sous une forme plus puissante et plus générale: l'identité de la conscience et de tout l'univers.

Cela fait un demi-siècle qu'on accepte, presque sans se poser de questions, l'idée que les menaces fondamentales à la santé sont «là, dehors». C'est probablement surtout en raison du succès qu'ont eu les antibiotiques pour éliminer certaines bactéries pathogènes et de l'efficacité des vaccins pour prévenir la maladie qu'on en est venu au concept de la maladie qui prend son origine à l'extérieur du corps. C'est ainsi que pendant des générations, les stratégies de santé ont été conçues pour nous protéger de facteurs nocifs extérieurs.

De plus, on a appris à mettre l'accent sur une cause unique pour chaque maladie. On a un penchant pour les relations de causalité les plus directes. Mais la quête de mécanismes uniques qui entraîneraient la maladie s'est avérée un rêve chimérique. Comme le note Vaisrub,

À mesure que les divers concepts de causalité étaient soumis à la lentille des philosophes de la médecine, ils durent tous subir des modifications pour répondre au besoin de comprendre et soigner la maladie. De tels compromis ont donné lieu à l'ajout de causes dites macrocosme-microcosme, intrinsèque, contribuante, prédisposante et nécessaire. La découverte de nouveaux mécanismes cybernétiques a encore compliqué la notion de causalité dans la physiologie humaine. Il n'y a plus de relation directe entre la cause et l'effet. On parle maintenant de mécanismes de rétroaction circulaire positifs et négatifs. L'image d'un enchaînement tend à disparaître rapidement pour laisser place à une forme d'association invariable qui ne se prête pas facilement à une représentation graphique, mathématique ou autre[2].

100

À l'heure actuelle, il est devenu pratiquement impossible de songer à une seule maladie dont la cause serait aussi simple qu'on l'avait tout d'abord cru. Même les maladies infectieuses, qui avaient été interprétées comme étant la résultante de l'agressivité des micro-organismes et de la capacité qu'a l'hôte de se défendre sont maintenant du domaine des «profondeurs fonctionnelles de l'homéostasie», comme le dit Vaisrub. On n'est pas sûr de comprendre pourquoi certaines victimes d'une infection due aux streptocoques vont développer un rhumatisme articulaire aigu, alors que d'autres manifesteront de l'angine; ni pourquoi certains resteront tout simplement porteurs de la bactérie sans manifester de symptômes, ni pourquoi d'autres repoussent tout à fait ces agresseurs. On avait supposé que les raisons à de tels phénomènes se cachaient dans les rouages des cellules. On présumait qu'on pourrait en venir à déchiffrer tous les facteurs en cause – et même si on ne savait pas encore *comment* les chercher, on savait au moins *où* chercher: soit dans le corps lui-même, soit dans les bactéries. Mais hélas, même cette présupposition s'est avérée illusoire, depuis qu'on s'est rendu compte qu'on ne savait pas vraiment ce qu'on entendait par «corps». La recherche sur la résistance aux infections nous a appris que même l'esprit avait sa place sur les planches d'anatomie.

En somme, on cherchait les causes des maladies dans des endroits où on savait *comment* chercher: dans le domaine physiologique, dans le domaine de la chair. Les techniques d'investigation des fonctions physiologiques dépassent de loin notre capacité à décrire les phénomènes psychologiques, que la médecine tend d'ailleurs à ignorer. Une anecdote du maître soufi Mulla Nasrudin, bien connu pour sa sagesse légendaire, illustre bien la stratégie qu'on met en œuvre. Un jour, il était à quatre pattes dans la rue, en train de chercher une clef perdue. Un ami vient à passer et demande: «Mulla, c'est bien par ici que tu as perdu ta clef?» Mulla répond: «Non, je l'ai perdue dans la maison.» «Mais alors, pourquoi la cherches-tu ici?» «Parce qu'il fait plus clair, ici[3].»

Les efforts d'exploration de la maladie chez l'homme se sont jusqu'ici limités à chercher là où il fait clair. Dans certains cas, la chance a fait découvrir quelque précieuse clef perdue. En effet, qui peut nier le succès avec lequel on sait maintenant guérir certaines formes d'anémie pernicieuse ou de maladie de Hodgkin? Mais le problème est que, pour la plupart des maladies, la clef semble avoir été perdue à plusieurs endroits en même temps, et la recherche ne fait que nous enfoncer plus encore dans l'obscurité, là où les lois de la causalité perdent de leurs forces et ne sont plus respectées.

De toutes les frustrations issues de la recherche des causes de la maladie, il n'en est pas de plus grande que ce qu'on peut appeler le «facteur humain». Pourquoi les étudiants en médecine dont les relations avec leurs parents étaient froides et qui avaient de la difficulté à extérioriser leurs émotions développent-ils un cancer fatal plus souvent que les autres[4]? Pourquoi, parmi les malades atteintes d'un cancer du sein à dissémination métastatique, sont-ce les plus autoritaires, agressives et irascibles qui survivent le plus longtemps[5]? Pourquoi le degré de satisfaction vis-à-vis du travail est-il un facteur important dans le développement de maladies coronariennes[6]? Pourquoi l'attitude qu'on démontre face à une crise cardiaque influence-t-elle les chances de guérison à l'unité de soins coronariens[7]? Ces données constituent une véritable pierre d'achoppement pour les chercheurs du domaine biomédical, qui n'ont jamais été vraiment motivés à répondre à ce genre de questions. On trouve toujours qu'il fait plus clair ailleurs: dans le monde de la biologie moléculaire, où on espérait voir émerger des thérapies dont l'efficacité serait telle qu'on ne se soucierait plus de chercher une réponse à la question du facteur humain.

Mais on s'était trompé. Même si on garde l'espoir de trouver un traitement pharmacologique contre le cancer, les maladies cardiaques, l'hypertension et les maladies infectieuses, il est clair qu'on ne peut plus écarter le facteur humain des causes de ces maux. D'ailleurs, ce facteur s'avère d'une importance capitale pour leur *prévention*.

Dans le domaine de la genèse des maladies, qu'entend-on par «facteurs humains»? En général, il s'agit simplement des émotions et des sentiments, qu'ils soient positifs ou négatifs. La joie et la tristesse, tout comme l'exaltation et la dépression, sont des facteurs humains. La peine, la crainte, l'anxiété, la frustration, le bonheur, l'impuissance, l'espérance et la satisfaction en sont également. Comment ces divers traits psychologiques influencent-ils les processus morbides? Examinons quelques exemples, en commençant par le résultat frappant d'une expérience qui a été conduite à l'université d'État de l'Ohio[8].

Un groupe de chercheurs étudiait les effets d'un régime contenant un fort taux de graisses et de cholestérol chez les lapins. Au bout d'un certain temps, on sacrifia les lapins et on examina certaines de leurs artères pour y trouver des symptômes d'athérosclérose. Ce processus de dépôt de cholestérol crée des obstructions et des lésions dans les artères, et entraîne chez l'homme diverses maladies vasculaires, comme les crises cardiaques et l'apoplexie.

Les résultats de l'étude auraient dû être plutôt prévisibles, puisqu'on savait déjà à l'époque, par suite des études antérieures, qu'un régime riche en gras et en cholestérol entraîne immanquablement des symptômes d'athérosclérose dans les artères des lapins. Mais quel ne fut pas l'étonnement des chercheurs quand ils constatèrent qu'un des groupes soumis à l'expérience avait 60 p. 100 moins de signes d'athérosclérose que l'ensemble des lapins! L'explication de ce résultat pour le moins étonnant était loin d'être évidente. On a finalement découvert une variable imprévue: les lapins qui montraient le moins de signes étaient ceux qui avaient été nourris par un des chercheurs qui les sortait régulièrement de leurs cages pour les caresser et leur parler.

S'agit-il d'une simple coïncidence*? Bien des biologistes auraient trouvé risible la possibilité que de tels échanges entre homme et lapin puissent jouer un rôle dans le processus de l'athérosclérose, et l'auraient écartée d'emblée. Après tout, l'athérosclérose n'est-elle pas une affaire *objective* enracinée dans des processus moléculaires, et la guerre ne doit-elle pas lui être livrée sur le champ de bataille de la cellule et non sur celui du psychisme? C'est ainsi, du moins, que la théorie moléculaire de la médecine voit les choses.

Pour vérifier ou infirmer cette «coïncidence», on fit donc une étude systématique: deux groupes de lapins recevaient la même sorte de nourriture que dans l'étude précédente et un traitement identique, sauf que pour un des deux groupes, une même personne sortait les lapins de leurs cages plusieurs fois par jour, les caressait et leur parlait. Le résultat? Les lapins qu'on avait caressés et à qui on avait parlé montrèrent de nouveau un taux d'athérosclérose de 60 p. 100 moindre.

Puis, non satisfait de la possibilité de deux coïncidences, on répéta l'expérience. Le résultat fut le même. Le «facteur humain» s'imposait, inexplicablement. Toucher, caresser, prendre dans ses bras et parler avec douceur, se sont avérés des déterminants cruciaux par rapport au processus morbide auquel sont promis la plupart d'entre nous: l'athérosclérose.

Certes, selon l'espèce de mammifère, il y a parfois des différences marquées dans la façon de tomber malade. Certaines de ces différences sont connues, mais d'autres restent obscures; il serait donc imprudent de généraliser aux humains les résultats précédents. Peut-être que l'athérosclérose chez les lapins est plus différente de la forme que prend cette maladie chez les humains qu'on

---

*   N'eut été la perspicacité des chercheurs, ceci aurait été un exemple parfait de la sagesse du commentaire suivant de Philip Slater: «Une coïncidence est une tendance qu'on a choisi de ne pas prendre au sérieux.» (Philip Slater, *The Wayward Gate*, Boston: Beacon Press, 1977, p. 106.)

pourrait le croire. Quelles raisons peut-on avancer pour prétendre que, chez l'homme, des facteurs psychologiques similaires sont en jeu?

On pourrait aborder la question en notant simplement que les explications *physiologiques* actuelles à l'athérosclérose chez l'homme semblent inadéquates. Pour les maladies cardiaques, on reconnaît certains facteurs de risque: haut taux de cholestérol sanguin, diabète sucré, haute pression sanguine, habitude de fumer la cigarette. Tous ces facteurs tendent à augmenter les chances de développer une maladie de cœur. Pourtant, dans plus de la moitié des nouveaux cas d'athérosclérose, *aucun* de ces facteurs de risque n'est présent[9]. Qu'est-ce qui se passe? Peut-on faire entrer en cause des «facteurs humains»?

En 1973, le ministère de la santé du Massachusetts constitua un groupe de recherche pour étudier les chances de guérison des cas d'athérosclérose. Ces chercheurs découvrirent que le facteur le plus déterminant n'était pas le fait de fumer, ni la haute pression, ni le diabète sucré, ni un taux élevé de cholestérol sanguin, mais plutôt le degré de *satisfaction au travail*. Et le deuxième facteur de prédiction était ce qu'ils ont appelé le «bonheur total[10]».

En 1980, on enseigna la méditation transcendantale à un groupe de personnes dont le taux de cholestérol sanguin était élevé. Des mesures successives montrèrent que chez les sujets qui pratiquaient la méditation, le taux de cholestérol avait baissé de 20 p. 100, en moyenne. Ce résultat peut sembler modeste, mais il n'existe en fait aucun médicament qui montre une efficacité aussi constante, une telle sûreté, et qui soit aussi peu coûteux que cette méthode de relaxation volontaire et d'apaisement de l'esprit[11].

Ces découvertes soulèvent des questions très complexes. Comment des expériences humaines comme la satisfaction au travail, le bonheur et la méditation peuvent-elles bien avoir un effet sur les cellules? Comment les effets du psychisme se traduisent-ils par des changements physiologiques tangibles, se soldant par une hausse du taux de guérison de l'athérosclérose ou une baisse du taux de cholestérol sanguin?

À l'heure actuelle, certains points se sont éclaircis; on n'est plus dans la noirceur totale quand on cherche à comprendre de telles interactions entre l'esprit et le corps. Par exemple, on sait que l'anxiété, le stress et la tension entraînent une hausse du taux de catécholamines dans le sang. Ces substances – par exemple, l'adrénaline et la noradrénaline –, qui sont produites essentiellement par les glandes surrénales, causent des changements profonds dans la régulation du taux de gras et de cholestérol dans le sang. Quand on est soumis à un stress, on peut s'attendre à voir le taux de cholestérol monter; ceci est dû en partie, semble-t-il, à l'augmentation du taux de catécholamines dans le sang[12]. On sait aussi qu'une façon de faire baisser le taux de catécholamines est d'enseigner la méditation aux sujets[13]. Or il n'y a pas que le taux d'adrénaline qui est affecté, mais de profonds changements surviennent également dans la concentration sanguine d'autres hormones, comme le cortisol[14]. Les processus physiologiques régis par ces substances sont affectés en conséquence – par exemple, le pouls, la pression sanguine, la circulation sanguine locale et la concentration sanguine de diverses autres substances comme le glucose, l'insuline et le glucagon. (Nous avons déjà décrit les mécanismes qui font que des événements psychologiques se traduisent par des changements physiologiques, au chapitre 8 de la deuxième partie.)

Le facteur humain n'intervient pas seulement quand on a recours à des techniques spéciales comme la méditation transcendantale, il a souvent une grande influence même dans des situations qui n'ont rien d'exceptionnel. Considérons par exemple le cas de l'angine de poitrine, cette douleur que ressentent les malades victimes d'athérosclérose. Elle peut être faible ou forte, et même assez importante pour empêcher la victime de travailler.

106

Medalie et Goldbourt ont fait le suivi de 10 000 Israéliens mâles, âgés de quarante ans et plus, pour déterminer l'effet de certains facteurs de risque sur la fréquence de l'angine. Non seulement la plupart des facteurs de risque courants mais encore l'anxiété et les problèmes psychologiques graves avaient un rapport avec l'angine:

Le résultat le plus surprenant est peut-être que, parmi les hommes affligés d'une grande anxiété, ceux qui trouvaient amour et soutien auprès de leur épouse souffraient deux fois moins d'angine que ceux qui se sentaient mal aimés et ne recevaient pas d'encouragement de la part de leur épouse[15].

Après tout, caresser un lapin ou offrir à son mari tout le soutien dont il a besoin ne sont peut-être pas des actes si étrangers l'un à l'autre.

Au Royaume-Uni, Brown et ses collègues ont effectué une série d'études sur la fréquence des troubles psychiatriques. Dans les divers milieux (urbains et ruraux) et parmi les différentes classes sociales (classe ouvrière et classe moyenne),

[...] le facteur de prévention le plus efficace contre les maladies psychiatriques était l'existence d'une relation où règnent l'intimité et la confiance entre amis ou conjoints, c'est-à-dire d'une relation dans le cadre de laquelle on puisse partager ses sentiments, peu importe si on se livre à des relations sexuelles ou pas[16].

Schleifer a récemment établi que la perte d'un conjoint affecte le système immunitaire[17]. Nous en reparlerons plus loin. Mais il y a déjà vingt ans, Kraus et Lilienfeld[18] avaient trouvé que les taux de mortalité spécifiques à l'âge étaient quatre fois plus élevés pour les veufs et les veuves que pour les personnes mariées. Et en 1963, Young[19] rapportait son observation d'un groupe de 5 000 veufs britanniques: dans les six mois suivant le décès de l'épouse, le taux de mortalité dépassait de 40 p. 100 le taux prévu.

Les résultats d'un suivi effectué pendant neuf ans sur 4 700 habitants du comté d'Alameda, en Californie, démontrent également le rapport entre la vie sociale, ou les facteurs humains, et la santé[20]. Les taux de mortalité pour les hommes célibataires étaient nettement plus élevés. De même pour ceux qui avaient choisi d'avoir peu de relations avec leurs parents et amis, ainsi que pour ceux qui n'appartenaient pas à une Église. Par contre, pour les femmes, il n'y avait pas de différence liée à l'état civil, mais l'existence d'amis proches, l'appartenance à une Église ou à tout autre mouvement étaient associées à un taux de mortalité plus bas.

Comment le soutien qu'on va chercher au sein de relations sociales constitue-t-il une protection contre la mort? Quels sont les mécanismes spécifiques qui interviennent entre l'esprit et le corps? L'effet de la perte d'un conjoint sur le système immunitaire et les effets neuro-endocriniens auxquels nous avons déjà fait allusion sont sans doute des mécanismes importants. Comme l'affirme Eisenberg: «Il reste encore à identifier les mécanismes psycho-physiologiques qui traduisent l'effet des facteurs sociaux sur la résistance des individus touchés. Parmi les trajets physiologiques qu'on peut explorer, citons les systèmes de contrôle nerveux, hormonal et immunitaire [...][21].

Quel adolescent ne connaît pas la physiologie de l'amour et de l'affection, qui va de la rougeur embarrassante du visage aux palpitations, à la transpiration et au bégaiement? Les sentiments amoureux engendrent des événements physiques. Les amours adolescentes peuvent sembler loin de la vie avec un conjoint à qui on peut se confier et auprès de qui on trouve le soutien, mais des changements physiologiques propres à ce type de relation interviennent aux deux extrémités du spectre. Ces changements ne sont pas sans importance. Ils peuvent faire la différence entre la vie et la mort. On affecte la santé de nos proches. Des événements humains comme le toucher et la confiance ont une influence profonde sur la santé.

Mais comment la santé d'une personne peut-elle affecter celle d'une autre? Steven J. Schleifer et ses collègues du Mt. Sinai School of Medicine ont élucidé un des mécanismes qui interviennent dans ce genre de phénomène. Depuis longtemps, on sentait que certains événements particulièrement stressants de la vie – comme le deuil – pouvaient contribuer au développement de diverses maladies. En 1967, Holmes et Rahe[22], ont évalué la quantité de stress imposé par divers événements: d'après eux, la perte d'un conjoint est le facteur qui impose le plus de stress. Schleifer observa le fonctionnement du système immunitaire d'un groupe d'hommes avant et après la mort de leurs épouses respectives, qui souffraient toutes d'un cancer avancé du sein.

Les cellules qui servent à maintenir l'immunité du corps sont les lymphocytes. Il y en a deux types qu'on désigne par B et T, selon l'origine. Les lymphocytes B ont rapport à la production d'anticorps qui survient, par exemple, quand des bactéries ou des virus envahissent le corps. D'autre part, les lymphocytes T jouent un rôle dans l'immunité cellulaire, qui, semble-t-il, est particulièrement importante pour retarder le développement de cellules cancéreuses dans le corps. D'après les observations de Schleifer, le nombre total de lymphocytes B et T ne change pas à la suite de la perte d'un conjoint. Cependant, ces cellules ne se comportent plus comme avant. Il est devenu impossible de leur faire remplir leurs fonctions normales. Tant les lymphocytes T que les lymphocytes B refusent de répondre au stimulus de certains produits chimiques qui, d'ordinaire, les font réagir. C'est comme si ces cellules étaient elles-mêmes malades.

Qu'est-ce qui se passe, alors? Comment la perte du conjoint, événement profondément stressant, peut-elle être la cause de changements du système immunitaire au point de compromettre la défense contre les infections et le cancer? On l'ignore encore, mais Schleifer suppose que les causes sont multiples et impliquent au moins la chimie complexe du cerveau.

Les travaux de Schleifer montrent que la maladie est un phénomène partagé, qui entraîne des changements dans la santé des personnes de notre entourage. Même notre propre mort, que les poètes ont longtemps considérée comme une affaire solitaire, n'est pas privée. Elle met en branle une cascade de répercussions sur les personnes qui nous aiment, chez celles qui pleurent notre disparition.

Le point de vue que l'on vient d'exposer ne cadre pas avec l'idée communément admise que la santé est une affaire toute personnelle. Comble d'ironie, la science vient renforcer le parti non conformiste, confirmant la vision de John Donne, qui connaissait bien la richesse des liens qui nous attachent les uns aux autres: «Aucun homme n'est une île [...]».

Un de mes patients, John C., était âgé de 65 ans quand il fut hospitalisé à l'unité de soins coronariens. Il souffrait d'une maladie diffuse des vaisseaux sanguins, et on avait déjà décelé des obstructions dans les artères qui irriguent les jambes, la tête et le cœur. Deux jours auparavant, il avait ressenti une grande douleur à la poitrine. D'après les résultats des analyses de laboratoire et de l'électrocardiogramme, il avait un infarctus du myocarde très étendu. Il était gravement malade; c'était d'ailleurs évident pour son épouse – elle-même en bonne santé – qui venait le voir aux heures de visite. Trois jours plus tard, voilà qu'on m'appelle d'urgence à la salle d'attente de l'unité de soins coronariens pour secourir quelqu'un qui avait soudainement manqué de souffle. Quel ne fut pas mon étonnement de voir *Madame* John C., étendue sur un divan, extrêmement pâle et le souffle court, pressant les bras sur sa poitrine tellement elle souffrait. On l'amena immédiatement dans la même unité de soins où était son mari. Son état se stabilisa, mais on diagnostiqua qu'elle aussi avait développé un infarctus aigu du myocarde.

Il n'est pas rare du tout de voir deux conjoints développer la même maladie, l'un après l'autre. La plupart des médecins ont sans doute déjà observé ce phénomène. La crise cardiaque de Monsieur John C. s'était étendue à l'extérieur de son corps. Un tel événement défie les concepts classiques de la médecine moléculaire, qui confinerait à un seul cœur les effets d'une crise cardiaque donnée.

Le facteur humain et la biologie
Comme on l'a vu, la sociabilité est un facteur de survie important. L'amour, la considération, la confiance, sont des questions cruciales, des questions de vie ou de mort. L'introduction de telles qualités humaines dans une théorie de la maladie scandalisera peut-être les «biologistes des molécules», qui souhaitent en construire un modèle absolument objectif, mais nous voyons bien que, pour être complète, notre théorie doit nécessairement les inclure.

Cette attitude de la recherche médicale envers l'importance accordée à ces facteurs dans la genèse de la maladie dénote un certain aveuglement à l'égard des caractéristiques fondamentales non seulement de la vie humaine mais de la vie primitive en général, de la vie aux niveaux d'organisation les plus bas. Par contre, les biologistes et les généticiens trouvent cette idée tout à fait naturelle – ces scientifiques sont, en règle générale, plus familiers avec tout le panorama de la vie biologique que les chercheurs en médecine. Dobzhansky disait, par exemple: «La notion d'individu isolé, absolument indépendant des autres, relève de la fiction. En réalité, la plupart des êtres vivants – sinon tous – existent au sein de communautés plus ou moins intégrées, et le maintien de ces associations ne va pas sans une forme de coopération ou – au moins – de "proto-coopération[23]".» (Gardons-nous, cependant, d'attribuer plus de signification qu'il est justifié à des mots comme «coopération», «isolement» et «association». Nous n'entendons rien de plus que ceci: ces qualités sont des valeurs de survie pour les organismes qui les possèdent. Comme tels, ceux-ci seront favorisés en ce qu'ils auront une meilleure aptitude à se reproduire. On ne peut pas dire que les organismes primitifs «veulent» coopérer ou s'associer, mais seulement que, de cette façon, ils assurent à leurs gènes de meilleures chances de survie.)

Nous avons des raisons de croire que le besoin de s'associer aux individus de son espèce prend son origine aux plus reculés des commencements. Montague croit que «la dépendance et l'indépendance sont les conditions indispensables de la vie[24]». Il construit son argument autour de plusieurs exemples issus de la biologie – par exemple, l'expérience suivante, effectuée en 1894 par Wilhelm Roux. Celui-ci dispersa les cellules d'un œuf de grenouille en début de développement. Les cellules se mirent à se rapprocher lentement les unes des autres pour finalement se toucher à nouveau[25]. De tels exemples ne manquent pas. Séparée de ses compagnes, une amibe isolée cherche immédiatement à rejoindre le groupe[26]. Les myxobactéries font preuve d'une certaine sociabilité par la nette division du travail qui caractérise leur cycle de reproduction: des bactéries isolées sécrètent une substance visqueuse qui leur permet de former une tige au sommet de laquelle plusieurs autres bactéries constituent une sorte de kyste et se reproduisent[27].

Les règnes animal et végétal fournissent d'innombrables exemples du fait que la sociabilité joue un rôle pour la reproduction et la survie des organismes vivants. Pourquoi retrouve-t-on telle structure? On ne sait pas. On ne peut que spéculer sur les raisons qui font que tel arrangement a été choisi plutôt que tel autre. Mais il en reste que le phénomène est répandu et les exceptions – comme les araignées et certains poissons – sont rares.

Les exemples ci-dessus suggèrent que l'association à d'autres membres de son espèce donne plus de chance à un individu donné de voir ses gènes passer à la postérité. Cette stratégie a donc un avantage «biologique»: c'est pourquoi elle est si courante dans le monde des organismes vivants.

Le fait qu'une stratégie de survie, comme l'association avec les membres de son espèce, soit reliée à la santé n'est pas étonnant. En effet – par définition, presque – la santé est en soi une stratégie de survie. Les individus maladifs ont de toute évidence relativement moins de chances de perpétuer leur structure génétique. Tout comme la solitude, la maladie est une bien pauvre stratégie de survie. Si la santé et la sociabilité confèrent un avantage, on peut s'attendre à voir ces deux qualités réunies chez les individus.

L'évolution des formes de vie primitives laissait-elle prévoir l'émergence de l'individu sociable et en santé? Doit-on s'étonner du fait que l'existence d'une relation conjugale intime et où règne la confiance soit un facteur significatif dans les statistiques des tables de mortalité modernes? Est-il si surprenant que l'appartenance à un groupe soit en corrélation avec le fait d'échapper à la mort, quelle qu'en soit la cause? Finalement, ces faits semblent bien découler des structures qu'on observe dans la nature.

On manquerait notre point en se bornant à dire que nous sommes des organismes sociaux, ou que ce ne sont que des questions de personnalité qui nous poussent à entrer en relation avec d'autres. Répétons-le: nos premiers géniteurs ne «voulaient» pas s'associer, pas plus que se dissocier. Il s'agit simplement du fait qu'au fil de l'évolution, certaines qualités sont retenues *seulement* pour la raison qu'elles ont une valeur de survie pour le bagage génétique des organismes concernés. On peut – en tant qu'être humain – accorder une valeur à ces qualités (ça peut être tentant, surtout pour celles qu'on possède), mais c'est là une tout autre affaire, qui n'a aucune importance sur le plan de l'évolution.

On commence donc à voir la santé dans une perspective évolutionniste. La plus ancienne signification du terme était sûrement le simple succès à perpétuer ses propres gènes. La santé était la survie de son propre matériel génétique. Encore aujourd'hui, on considère que les individus qui meurent avant d'avoir atteint l'âge de se reproduire n'étaient certainement pas en santé. C'est ainsi qu'on a incorporé cette ancienne (et minimale) définition de la santé aux concepts complexes qui la définissent maintenant.

À nouveau, notre santé est associée non seulement à la perpétuation de nos gènes, mais aussi à notre aptitude à nous associer aux membres de notre espèce. Comme Simpson disait:

Il n'existe pas d'animal ou de plante qui vive seul, ou qui soit autonome. Tous vivent dans des communautés qui incluent d'autres membres de la même espèce ainsi qu'un certain nombre de plantes et d'animaux d'espèces variées. La recherche de la solitude est bien futile; elle n'a jamais été une réussite, dans toute l'histoire de la vie[28].

On n'a pas besoin de chercher des explications psychologiques élaborées pour comprendre pourquoi les personnes saines semblent choisir les situations où elles peuvent trouver une forme de solidarité. Il existe une explication bien plus simple que celle que pourraient fournir les théories sur le développement de la personnalité. La voici: la santé et l'aptitude à s'associer aux membres de son espèce sont profondément enracinées dans les gènes. Il s'agit d'associations très anciennes, aussi anciennes que la vie elle-même, et qui se retrouvent chez les formes de vie tant simples que complexes.

Donc, le principe de l'association se trouve dans les gènes. Peut-on descendre encore d'un niveau? Peut-être. Il est tout de même bizarre que l'ADN dont sont constitués nos gènes ait la forme d'une hélice *double* – deux brins de composés chimiques complexes entrelacés. Est-ce là la marque d'un principe de combinaison, d'association, au sein du gène lui-même? Je soulève ces questions mi-sérieux, mi-amusé du divertissement anthropocentrique qu'elles procurent. Après tout, on n'a jamais rencontré de brin d'ADN qui ait survécu tout seul dans la nature; on ne connaît que la variété en forme d'hélice double. Cependant, que les sceptiques s'arment pour la prochaine question: les propriétés combinatoires des atomes qui composent l'ADN sont-elles une indication de la tendance naturelle à la sociabilité qu'on a observée jusqu'ici?

Je ne cherche pas à donner du sens à des aspects de la nature qui n'en ont pas. Je suis évidemment d'accord avec Dawkins[29] pour dire que la nature ne «veut» pas, ne «souhaite» pas avoir quelque qualité spécifique que ce soit. Mon intention est en fait de renchérir sur ce point de vue en montrant les tendances – comme le besoin de s'associer aux membres de sa propre espèce – auxquelles on accorde d'emblée une valeur subjective, et qui pourtant sont fondées sur une réalité absolument objective, le monde de notre propre chimie, le monde des gènes. Je désire également chercher avec objectivité d'autres indices d'une telle tendance dans le monde objectif au-delà des gènes, le royaume de l'atome et des molécules.

Comble d'ironie, en explorant le monde *objectif* des gènes, on découvre un mécanisme de protection des organismes individuels – l'association avec des membres de la même espèce – qui, de notre point de vue d'êtres humains, semble *plein de valeur*. Il est impossible, en effet, de considérer une association entre humains sans voir intervenir de valeurs. Une association humaine libre d'émotions, de sentiments et de valeurs serait une contradiction dans les termes. Comment se fait-il que des mécanismes génétiques objectifs engendrent des formes vivantes – dont l'être humain n'est qu'un exemple – dont le comportement associatif semble lié au monde des valeurs? Comment allons-nous résoudre ce paradoxe?

Je crois qu'il s'agit d'une autre manifestation de ce qu'on appelle traditionnellement le problème de l'esprit et du corps: comment les processus électrochimiques dénués de conscience peuvent-ils finalement donner lieu à quelque chose que l'on perçoit comme la conscience? La question de savoir comment des valeurs humaines peuvent découler de processus ayant leurs racines dans le monde objectif de l'intérieur des cellules a pour corollaire celle, analogue, de comprendre comment la conscience émerge de la matière de nos corps.

Le physicien Schrödinger a examiné ce problème en

détail[30]. Il sonde le mystère des qualités perceptibles par les sens, remarquant, par exemple, qu'il n'y a absolument *rien* d'inhérent à la lumière jaune – c'est-à-dire la lumière que les physiciens définissent par une longueur d'onde de 590 nanomètres – qui ait quelque chose à voir avec la *sensation* du jaune. Schrödinger interroge: «Où est-ce que le jaune entre en jeu?»; et, pareillement, où les sensations de chaud et de froid, les odeurs et les goûts se produisent-ils?

Notre question est similaire: où les valeurs entrent-elles en jeu quand on retrace l'origine de nos propres mécanismes de survie jusque dans les profondeurs de notre structure génétique? La solution du problème doit tenir dans cet énoncé de Schrödinger: «Les sens de l'observateur doivent éventuellement entrer en jeu. La chronique la mieux tenue ne donne aucune information si on ne l'inspecte pas[31].» Qu'on examine des longueurs d'onde de 590 nanomètres ou le comportement associatif d'organismes vivants, les sens de l'observateur viennent à jouer leur rôle. Le premier cas donne lieu à la perception du jaune; le dernier, à la perception de valeurs. Il s'agit peut-être d'une propriété de notre esprit conscient, une propriété qui n'a pas été consignée dans la chronique. Aussi sûrement que la longueur d'onde de 590 nanomètres du physicien suscite la sensation du jaune, l'inspection de notre propre bagage génétique peut engendrer la notion à laquelle on associe le terme de *valeur*.

NOTES:

1. Erich Jantsch, *The Self-Organizing Universe*, New York: Pergamon, 1980, p. 97.
2. S. Vaisrub, «Groping for Causation», *Journal of the American Medical Association*, 241:8, 830, 1979.
3. Idries Shah, *The Sufis*, New York: Anchor, 1971, p. 63.
4. C.B. Thomas, «Precursors of Premature Disease and Death: The Predictive Potential of Habits and Family Attitudes», *Annals of Internal Medicine* 85:653-658, 1976.
5. Leonard R. Derogatis, M.D. Abeloff et N. Melisaratos, «Psychological Coping Mechanisms and Survival Time in Metastatic Breast Cancer», *Journal of the American Medical Association*, vol. 242, n° 14, 15 octobre 1979, p. 1504-1508.

6. *Work in America: Report of a Special Task Force to the Secretary of Health, Education, and Welfare,* Cambridge: MIT Press, 1973.
7. Cassem, Hackett et Wishnie, «The Coronary Care Unit».
8. R.M. Nerem, M.J. Levesque et J.F. Cornhill, «Social Environment as a Factor in Diet-Induced Atherosclerosis», *Science* 208:1475-1476, 1980.
9. C.D. Jenkins, «Psychological and Social Precursors of Coronary Disease», *The New England Journal of Medicine* 284:244-255, 1971.
10. *Work in America.*
11. Cooper et Aygen, «The Effect of Meditation».
12. *Ibid.*
13. R.A. Stone et J. DeLeo, «Psychotherapeutic Control of Hypertension», *New England Journal of Medicine* 294:80, 1976.
14. Ron Jevning, A.F. Wilson et J.M. Davidson, «Adrenocortical Activity During Meditation», *Hormones and Behavior* 10:54-60, 1978.
15. J.H. Medalie et U. Goldbourt, «Angina Pectoris Among 10,000 Men II: Psychosocial and Other Risk Factors as Evidenced by a Multivariate Analysis of Five-year Incidence Study», *American Journal of Medicine* 60:910-921, 1976.
16. G.W. Brown et T. Harris, *Social Origins of Depression: A Study of Psychiatric Disorder in Women,* New York: The Free Press, 1978.
17. S.J. Schleifer, «Bereavement and Lymphocyte Function», conférence présentée au congrès annuel de l'American Psychiatric Association, San Francisco, mai 1980.
18. A.S. Kraus et A.M. Lilienfeld, «Some Epidemiological Aspects of the High Mortality Rate in the Young Widowed Group», *Journal of Chronic Disease* 10:207:217, 1959.
19. M. Young, B. Bernard et G. Wallis, «The Mortality of Widowers», *Lancet,* 1963; 454-456.
20. L.F. Berman et S.L. Syme, «Social Networks, Host Resistance, and Mortality: A Nine-year Follow-up of Alameda County Residents», *American Journal of Epidemiology* 109:186-204, 1979.
21. L. Eisenberg, «What Makes Persons 'Patients' and 'Patients' Well?», *American Journal of Medicine* 69:277-286, 1980.
22. T.H. Holmes et R.H. Rahe, «The Social Readjustment Rating Scale», *Journal of Psychosomatic Medicine* 11:213-218, 1967.
23. T. Dobzhansky, *Genetics and the Origin of Species,* 3ᵉ éd., New York: Columbia University Press, 1951, p. 78-79.
24. A. Montague, *On Being Human,* New York: Hawthorn, 1966, p. 30.
25. *Ibid.,* p. 31.
26. *Ibid.,* p. 32.
27. *Ibid.,* p. 33.
28. G.G. Simpson, *Life of the Past,* New Haven: Yale University Press, 1953, p. 56.
29. R. Dawkins, *The Selfish Gene,* New York: Oxford University Press, 1976.
30. E. Schrödinger, «The Mystery of the Sensual Qualities», in *What is Life?* et *Mind and Matter,* Cambridge: Cambridge University Press, 1967, p. 166-178.
31. *Ibid.,* p. 176.

CHAPITRE 2

La danse de la vie

Car chaque atome qui m'appartient, t'appartient aussi bien à toi
Walt Whitman
«Chant de moi-même»

Somme toute, c'est peut-être sur le plan des unités de base nécessaires à la reproduction, sur le plan des gènes, que l'on peut comprendre les raisons qui font que les liens sociaux sont des facteurs positifs pour la santé humaine.

Les gènes, croyons-nous, garantissent en quelque sorte notre individualité. On sait qu'il est pratiquement impossible, sauf dans le cas de jumeaux identiques, que deux personnes possèdent le même bagage génétique. C'est ce qui porte à croire à la notion d'individualité génétique. Mais la pensée prend des tours étranges, quand il s'agit d'individualité au niveau génétique: les qualités «individuel», ou «unique», suggèrent souvent l'idée de quelque chose de «spécial» (après tout, c'est *moi* que les gènes ont fait!). Et le sentiment qu'il y a quelque chose de particulier dans son moi génétique donne l'impression d'être une entité à part parmi les autres unités génétiques

118

que sont les êtres humains. Nos réflexions nous portent à transformer l'idée – au départ juste – d'individualité génétique en l'idée – erronée – d'isolement, de séparation; un phénomène qui, dans la nature, ne peut qu'être voué à l'échec. Nous étendons ainsi notre besoin d'être une personne unique à la notion de personne séparée, allant jusqu'à croire que nos gènes partagent cette distinction. Ne sont-ils pas nous et personne d'autre? Comment pourraient-ils *n'être pas* séparés, puisqu'ils sont uniques et individuels?

Rien n'est aussi loin de la vérité. Rien de ce que l'on sait des mécanismes génétiques ne donne la moindre indication que l'isolement du gène aurait quelque valeur que ce soit. Les gènes circulent; ils ne sont pas fixes. Ceci est évident, bien sûr, dans le cas de la procréation: ma contribution au bagage génétique d'un de mes descendants est réduite de moitié à chaque génération. Chez mes enfants, mes gènes se rangent pour partager l'autorité avec un nombre égal de gènes provenant de mon partenaire sexuel. Ce processus de dilution se poursuit de génération en génération. À ce rythme, à la naissance de mon arrière-arrière-arrière-arrière-petit-fils, mes gènes comptent pour moins de un pour cent de son patrimoine génétique*.

Nous pensions préserver notre individualité génétique personnelle mais, d'un point de vue diachronique, le mécanisme de l'hérédité semble lui porter un rude coup: nous voyons nos gènes dilués à chaque génération. Génétiquement, nous nous dissolvons graduellement, de génération en génération, tellement qu'en fin de compte, l'idée d'isolement, de séparation génétique apparaît sous son vrai jour: une illusion issue de notre ego.

Même si nos gènes sont dilués à un point tel qu'on en vient à ne plus pouvoir se reconnaître génétiquement dans ses descendants, on peut au moins – croyons-nous – être certain qu'ils sont fixes, *pour une génération donnée.*

---

* N.D.T. – Selon mes calculs, c'est à la génération suivante.

Au moins, on dure toute sa vie comme individu, génétiquement différent de ses semblables, pendant soixante,
soixante-dix ou quatre-vingts ans. Mes gènes, le plan
biologique qui correspond à ma personne et à nulle
autre, demeurent inchangés durant toute *ma* vie. Il n'y a
certainement rien qui puisse infirmer cela!

Mais notre insistance à nous considérer comme des
individus génétiquement stables, ne serait-ce que pour la
durée de notre vie, s'avère également une illusion. En
effet, nos gènes sont constitués d'ADN – le matériau de
base de tous les gènes –, et la durée de vie des molécules
d'ADN dans le corps est brève: quelques mois seulement.
Nos gènes s'agitent, ne cessent de se renouveler, échan-
geant par-ci par-là un morceau contre une pièce de
rechange. De brassage en réorganisation, au bout de
quelques mois, notre structure génétique est complètement renouvelée. Autrement dit, aujourd'hui, il n'y a *rien*
dans nos gènes qui y était déjà il y a un an; tout a été
renouvelé entre-temps.

Bien sûr, le *plan* d'un gène demeure inchangé (sauf
dans le cas de certains accidents, les mutations) et peut
rester ainsi pendant des centaines de millions d'années.
Mais la substance même du gène – les milliers d'atomes
de carbone, d'hydrogène, d'oxygène, etc. –, se livre à des
échanges constants avec le monde extérieur.

Il devient de plus en plus difficile de persister à croire à
l'existence d'une forme d'individualité permanente. Même
nos gènes ne restent pas longtemps fixés, se livrant à
d'étourdissants échanges de pièces avec l'extérieur. Notre
plan génétique individuel demeure certes inchangé durant
toute notre vie, mais nous ne nous exposerions qu'à des
frustrations à tenter de nous raccrocher à un «moi» physique stable qui durerait, ne serait-ce que cette période.

Cet aspect de la vie est certes inquiétant, mais la constante dissolution du moi génétique laisse quand même un
certain sentiment d'un moi physique inchangé. Nous
nous dissolvons silencieusement, dans un courant qui
échappe à la conscience.

Il n'y a pas que les gènes qui se renouvellent. Tout le corps participe à ce dynamisme étonnant. Des techniques de traçage utilisant des radio-isotopes permettent d'observer les allées et venues de produits chimiques entre le corps et l'extérieur. Aebersold[1] a calculé que 98 p. 100 des 10^{28} atomes de notre corps sont remplacés chaque année. Certains tissus, comme le tissu osseux, sont particulièrement dynamiques. Chaque organe a sa propre vitesse de reconstitution: la paroi de l'estomac se renouvelle en une semaine; la peau est entièrement remplacée en un mois; le foie est régénéré en six semaines. Certains tissus sont relativement résistants à ce mouvement constant: par exemple, le tissu conjonctif (collagène) et le fer dans les molécules d'hémoglobine du sang. Mais, somme toute, au bout de cinq ans, on peut considérer que le corps s'est entièrement renouvelé, jusqu'au dernier atome.

Notre corps physique se renouvelle de la même façon que nos cheveux et nos ongles repoussent. Nous sommes en mouvement. Il y a cinq ans, nous n'existions pas, tous nos atomes ont été remplacés entre-temps. Ici, aujourd'hui, complètement disparu dans cinq ans, renouvelé jusqu'au dernier atome, nous ne durons que par la forme qui nous est donnée en fonction de notre plan génétique. C'est de la terre elle-même que nos pièces de rechange viennent en un flot ininterrompu. Les atomes de carbone de mon corps ont déjà appartenu à la terre, et lui retourneront un jour, seulement pour être échangés contre des atomes identiques. Plus tard, aussi invraisemblable que cela paraisse, ils pourraient même revenir dans mon corps. Ou encore, ils pourraient se fixer pour un temps dans le corps de quelqu'un d'autre – ou de *quelque chose* d'autre – dans une ronde sans fin, la «biodanse», la danse de la vie.

La *biodanse* – l'échange ininterrompu d'éléments entre les êtres vivants et la terre elle-même – se déroule en silence, ne nous laissant aucunement soupçonner ce qui se passe. C'est une danse de derviches: animée, préméditée et disciplinée; et tous les êtres vivants y participent.

Ces observations défient carrément toute définition selon laquelle le corps serait statique. Même nos gènes, notre prétention à l'individualité biologique, ne cessent de se dissoudre et de se renouveler. Nous sommes en équilibre constant avec la terre. Mais on peut étendre encore plus loin les frontières de notre corps. On sait que certains de ses éléments, tel le phosphore des os, ont été formés à une époque reculée dans l'évolution de notre galaxie. Comme bien des éléments de la croûte terrestre, le phosphore a tourné pendant les vies de plusieurs étoiles avant d'apparaître sur terre, pour aboutir dans nos corps.

Il n'existe donc pas de corps strictement borné. Le concept d'un moi physique qui serait fixé dans l'espace et qui durerait dans le temps ne cadre pas avec notre connaissance des riches connexions entre les organismes vivants et le monde qui les entoure. Nos racines sont profondes: nous sommes ancrés aux étoiles.

Nous avons des connexions encore plus élaborées avec le monde extérieur. Il n'y a pas qu'avec la terre qu'on échange des atomes; même des organismes éloignés peuvent s'échanger des *molécules* entières. Par exemple, des plasmides bactériens – des anneaux d'ADN – peuvent s'incorporer à des plantes, ce qui entraîne la formation de certaines tumeurs sur ces plantes. Donc même l'ADN, élément de base des gènes, peut être partagé par des organismes aussi différents que peuvent l'être une plante et une bactérie. Les frontières entre les organismes et le monde extérieur non seulement sont très floues, mais elles vont jusqu'à se volatiliser entre des organismes tout à fait étrangers.

Mais jusqu'à quel point les organismes vivants sont-ils si différents les uns des autres? Des liens tout à fait inattendus ne cessent d'être mis au jour. Bernard Davis, biologiste de Harvard, a émis l'hypothèse que la fonction première des virus est peut-être d'échanger des blocs d'acide nucléique entre des organismes. Selon lui, «il est raisonnable de croire que tout l'ADN contenu dans le monde vivant fait partie d'une chaîne ininterrompue de contacts à faible fréquence[2].» On voit donc que les virus, la forme de vie la plus primitive que l'on connaisse, jouent peut-être un rôle prépondérant dans la chaîne de relations qui nous unit à tous les êtres vivants.

Nous avons vu plus tôt comment les relations humaines influencent la santé. Les personnes qui entretiennent des relations intimes avec d'autres bénéficient non seulement d'une vie plus longue, mais encore d'un plus faible taux de certains symptômes comme l'angine de poitrine. Nous avons vu également que le fait de s'associer à des membres de sa propre espèce est un phénomène répandu dans tout le règne animal, des formes de vie les plus primitives jusqu'aux plus complexes. Nous nous sommes demandé si ce principe d'association était déjà inscrit dans notre structure génétique. Maintenant, nous voyons que ce phénomène va bien plus loin: chaque atome de notre corps est relié au monde extérieur dans un mouvement incessant, la danse de la vie.

Des atomes aux organismes puis aux personnes, le phénomène naturel qui nous frappe le plus est celui de l'association, du contact. L'isolement n'appartient pas au monde des organismes vivants. Ceci semble avoir la conséquence suivante sur la santé: on n'accédera à la meilleure santé possible que si on met en œuvre le principe d'association, que si on laisse éclore des relations avec d'autres êtres humains. Nous avons besoin de contacts avec les membres de notre espèce, tout comme les atomes de notre corps, qui ont constamment besoin d'être en contact, de communiquer, d'échanger avec le monde extérieur à notre peau, pour entretenir la vie. Essayer de confiner nos atomes à l'intérieur des frontières de notre corps physique contreviendrait à une condition de la vie elle-même: le principe de communication avec le monde extérieur. Nous cantonner à l'écart des autres équivaut à rechercher la mauvaise santé et la mort. À tous les niveaux, des atomes aux personnes, l'association est une condition nécessaire à la vie.

Pour établir des relations avec les autres, il ne s'agit pas d'appartenir à un certain type de personnalité. Il s'agit plutôt de se rendre compte de notre nature fondamentale. Si on adopte un style solitaire, on contredit un processus élémentaire de la vie: on défie la biodanse, le flux et le reflux qui établit les relations, et sans lequel la vie s'éteint.

La biodanse, le renouvellement constant de notre corps à partir du monde qui l'entoure, constitue un contraste amusant avec notre conception habituelle de la mort. D'ordinaire, on prend pour acquis que le corps demeure intact jusqu'à la mort. Malgré quelques égratignures, contusions ou fractures, on croit que l'intégrité physique demeure incontestable jusqu'au moment de la mort, à partir duquel s'engage un processus de destruction irréversible. Nous sommes voués à retourner à la terre – disons-nous –, et le point tournant de ce destin est le moment de la mort. Mais ce n'est pas si simple, ni si brusque. On n'attend pas la mort pour retourner à la terre: tant qu'on est *vivant,* une partie des 10^{28} atomes du corps est constamment rendue au monde extérieur. Cette circulation est si manifeste, si nécessaire à la vie, que la notion même de «frontière» commence à ressembler plus à une idée arbitraire qu'à une réalité physique.

Le courant incessant de matière provenant des organismes vivants forme des chaînes ininterrompues. Tout comme l'ADN peut être sans cesse retransmis d'un être vivant à un autre par les virus, les atomes qui quittent un corps peuvent pénétrer ensuite dans un autre. La respiration est un bon exemple de ce phénomène:

Saviez-vous que dans une inspiration moyenne, il y a dix mille trillions d'atomes, nombre qui – chacun s'en souvient – s'écrit en notation moderne 10^{22}? Et, puisque l'atmosphère de la terre est assez volumineuse pour contenir autant de respirations – chacune se trouvant, tout comme l'homme, à mi-chemin entre la dimension d'un atome et celle du monde –, il y a donc 10^{22} atomes que multiplient les 10^{22} respirations pour un total de 10^{44} atomes d'air dans le vent qui souffle autour de notre planète. Cela signifie, évidemment, que chaque fois que vous inhalez, vous absorbez en moyenne un atome de chacune des respirations qui circulent dans le ciel. Et chaque fois que vous expirez, vous envoyez cette même quantité moyenne d'un atome à chacune. Tous les êtres vivants en font autant, et cet échange, répété vingt mille fois par jour par quatre milliards de personnes, a pour conséquence surprenante que chaque inspiration contient mille billions (10^{15}) d'atomes qui ont été respirés par le reste de l'humanité durant les dernières semaines et plus d'un million d'atomes provenant de la respiration personnelle de quiconque sur la terre[3].

Nous sommes donc tous, sans exception, partenaires dans la biodanse.

Au chapitre 2 de la première partie, nous avons examiné les fondements historiques de notre façon de trancher l'homme en deux parties indépendantes: le corps et l'esprit. Selon ce point de vue, le corps n'est que matière, tandis que l'esprit est la partie vraiment humaine, pensante, spirituelle, de l'homme. Le corps est constitué d'une mosaïque de produits chimiques enfermés dans un sac de peau. Cette vision double non seulement a reçu l'approbation de l'homme de la rue, mais elle s'est finalement érigée en dogme scientifique. Une idée aussi peu dynamique n'aurait sans doute pas vu le jour si Descartes – son plus influent architecte – avait eu le moindre pressentiment de l'étonnante vitalité de la biodanse. L'ennui, la fixité, la stagnation, ne sont tout simplement pas des qualités du corps. Mais Descartes l'ignorait certainement à l'époque, car autrement, il n'aurait jamais formulé la description mécanique sur laquelle se basent, depuis, tous les biologistes:

Je désire que vous considériez, après cela, que toutes les fonctions que j'ai attribuées à cette machine, comme la digestion [...], la nourriture [...], la respiration, la veille et le sommeil; la réception de la lumière, des sons, des odeurs [...]; l'impression [des] idées [...] dans la mémoire; les mouvements intérieurs des appétits et des passions; et enfin, les mouvements extérieurs de tous les membres [...]: je désire, dis-je, que vous considériez que ces fonctions suivent toutes naturellement, en cette machine, de la seule disposition de ses organes, ne plus ne moins que font les mouvements d'une horloge [...].[4]

De nos jours, nous en savons trop pour formuler une vision aussi mécanique du corps humain. Si le corps est une machine, c'est une machine merveilleuse, une machine dont les partie volent constamment dans tous les sens, une machine qui n'est confinée ni dans l'espace, ni dans le temps. C'est une machine constamment en dissolution, mais qui a rarement besoin de réparations. Semblable en cela à aucune horloge, c'est une machine dont chaque atome est renouvelé deux fois par décennie.

De bien curieux aspects de la danse de la vie font surface. Nous avons vu que toutes les créatures vivantes partagent les mêmes molécules d'oxygène, créant ainsi une chaîne de contacts chimiques à faible fréquence entre tous les êtres vivants, entre tous les humains des temps passés et présents. Cette relation a-t-elle un sens en ce qui concerne l'expérience humaine? Peut-être. Il y a des millénaires que l'on rapporte que des personnes prétendent percevoir ce contact. Les mystiques affirment depuis longtemps qu'ils sont en contact direct avec les autres, qu'ils ont une connaissance empirique de l'unité avec tous les humains de tous les temps. Que devons-nous faire de ces prétentions? Sont-elles concevables?

Bien que nous soyons capables de sensations très subtiles, notre système nerveux est très habile à filtrer les stimuli – par exemple, nous avons rarement conscience du contact des vêtements sur la peau. Quand on le désire, cependant, on peut rappeler certaines perceptions qui, normalement, restent dans l'inconscient. D'habitude, on n'a aucune idée de l'état du dessous de son pied droit, mais en se concentrant, on finit par

126

recevoir des signaux de cette partie du corps. *Il s'agit de faire attention.*

Presque tout le monde a appris à se couper des événements extérieurs. Avec sa théorie «du robinet», Aldous Huxley propose un modèle de la conscience qui semble toujours adéquat: on peut ouvrir et fermer la conscience, comme un robinet, pour ne permettre qu'à une très petite fraction des stimuli d'être enregistrés dans l'esprit. Mais nos réelles facultés de perception sont surprenantes. Dans le cas de l'acuité visuelle, par exemple, on sait que l'œil adapté à l'obscurité est capable de détecter un photon isolé! On n'est pas si malhabile qu'on le croit parfois.

Cependant, nous n'avons pas tous les mêmes aptitudes à la perception. Comme l'avait remarqué Schrödinger:

> Il y a vingt ou trente ans, les chimistes [...] ont découvert un composé curieux, [...] une poudre blanche, absolument insipide pour certaines personnes, mais intensément amère pour d'autres [...] La qualité de «goûteur» (pour cette substance) est transmise par hérédité, selon les lois de Mendel, de la même façon que les groupes sanguins[5].

Nos aptitudes respectives à la détection sont très différentes les unes des autres. Les mystiques constituent-ils un cas spécial? Sont-ils capables de «goûter» la communion chimique qui nous réunit? Certains des produits chimiques qui participent à la biodanse sont-ils analogues à la curieuse poudre blanche de Schrödinger, à laquelle seulement certaines personnes douées sont sensibles? On l'ignore encore. Mais de nier la plausibilité de telles aptitudes serait comme si un aveugle disait que la vision, ça ne peut pas exister.

Beaucoup d'éléments chimiques de notre corps proviennent de parties très reculées de l'univers. La terre est couverte d'une cape parsemée de corps simples nés dans des parties très éloignées de l'espace, pour finalement aboutir dans nos corps. Nous sommes les fils des étoiles. Tous nos mécanismes biochimiques, fruits de l'évolution,

127

doivent leur nature aux corps simples qui les mettent en œuvre, à ces dons des étoiles. C'est aux étoiles que nous devons notre forme, à des événements très lointains dans l'univers. La cosmologie moderne affirme que *tous* les événements terrestres sont influencés par des parties reculées de l'univers. Comme le disait l'astronome Fred Hoyle :

> Les développements actuels en cosmologie en sont arrivés à suggérer avec assez d'insistance que les situations quotidiennes ne pourraient persister sans les parties éloignées de l'univers, que toutes nos idées d'espace et de géométrie seraient entièrement invalidées si les parties éloignées de l'univers étaient exclues. Notre expérience quotidienne, même jusque dans ses plus infimes détails, semble être si étroitement intégrée à l'échelle de l'univers qu'il est presque impossible de considérer que les deux existent séparément[6].

Nous participerions donc d'une unité de base avec l'univers, non seulement de par les origines de nos composants – les éléments chimiques qui constituent notre corps – mais également en ce qui a trait aux lois physiques qui nous gouvernent.

Cette idée – que le comportement physique des objets matériels sur la terre est relié à tout l'univers – n'est pas nouvelle. Le physicien Ernst Mach la défendait, et elle a eu une influence énorme sur le développement de la théorie de la relativité généralisée de Einstein. Mach soutenait qu'un corps matériel manifeste de l'inertie (c'est-à-dire qu'il s'oppose à être accéléré) non pas comme une propriété intrinsèque qui lui est propre, mais plutôt comme la résultante de ses interactions avec le reste de la matière dans tout l'univers. Ainsi, la suppression de n'importe quelle quantité de matière dans l'univers changerait l'inertie de la matière restante. Cette notion est connue sous le nom de principe de Mach.

Dans sa théorie de la relativité généralisée, Einstein a développé l'idée de Mach sous la forme de descriptions mathématiques complexes, qui démontrent que des entités physiques distinctes sont indissociables de leur environnement. Il explique le fonctionnement de l'univers par les *interactions* des objets matériels. D'après la physique moderne, donc, tous les objets sont indissociables de leur environnement[7].

Ces concepts sont tout à fait révolutionnaires à côté des idées classiques de Newton. Avant la théorie de la relativité, on croyait que l'univers avait deux composants fondamentaux: la matière et l'espace vide. La relativité généralisée montre que ces deux notions sont inséparables. Les caractéristiques physiques – la «géométrie» – de l'espace vide sont déterminées par des corps physiques. L'interaction de la matière et de l'espace qui l'entoure est si forte qu'on doit considérer les deux comme des parties mutuelles d'un tout.

L'unité entre la matière et son environnement existe aussi au niveau subatomique. Capra la décrit dans les termes suivants:

La distinction classique entre les particules solides et l'espace les entourant est totalement dépassée. On considère que le champ quantique est une entité physique fondamentale, un milieu continu, présent partout dans l'espace. Les particules sont simplement des condensations locales de ce champ; des concentrations d'énergie qui vont et viennent, perdant ainsi leur caractère individuel et se dissolvant dans le champ[8].

Depuis le niveau de l'électron jusqu'à celui des étoiles et des galaxies, la physique moderne montre l'unité entre la matière et son environnement. L'interaction est tellement forte que l'on ne peut plus considérer l'espace et la matière comme des entités séparées.

L'homme, dans l'entre-deux, dans son monde intermédiaire entre les électrons et les galaxies, ne peut non plus être distingué de son environnement. Notre unité avec l'univers se manifeste par la danse de la vie, le flux incessant des corps simples entre le corps humain et son environnement. Et les points de vue de Einstein et de

Mach, selon lesquels l'inertie d'un corps matériel dans l'univers est fonction du reste de la matière dans l'univers, nous lient également très solidement à notre environnement. De plus, la physique quantique, dans sa description du plus bas niveau – le monde subatomique –, a réduit à néant toute idée de séparation de la matière en particules distinctes, et tire la conclusion que toutes les «particules» sont fondamentalement liées à toutes les autres parties de l'univers.

Des électrons aux corps humains puis aux galaxies, de la physique quantique à la biodanse puis à la relativité généralisée, les parties forment des touts avec l'environnement. Le physicien David Bohm décrit ainsi ce phénomène:

> Les parties sont en contact immédiat les unes avec les autres, et leurs relations dynamiques dépendent absolument de l'état du système global (et, bien sûr, de celui de systèmes plus larges qui les contiendraient, en allant, en fin de compte et en principe, jusqu'à l'univers entier). Ce qui suggère donc la nouvelle notion d'*intégrité ininterrompue,* qui infirme l'idée classique selon laquelle il est possible d'analyser le monde en parties indépendantes[9].

NOTES:

1. G. Murchie, *The Seven Mysteries of Life,* Boston: Houghton Mifflin, 1978, p. 321.
2. B.D. Davis, «Frontiers of the Biological Sciences», *Science* 209:88, 1980.
3. Murchie, *The Seven Mysteries of Life,* p. 320.
4. René Descartes, «Traité de l'Homme», *Descartes: Œuvres et lettres,* Paris: Gallimard, Bibliothèque de la Pléiade, p. 873.
5. E. Schrödinger, «The Mystery of the Sensual Qualities», p. 172.
6. Fritjof Capra, *Le Tao de la physique,* Paris: Tchou, 1979, p. 213-214.
7. *Ibid.,* p. 212-213.
8. *Ibid.,* p. 214.
9, G. Zukav, *The Dancing Wu Li Masters,* New York: William Morrow, 1979, p. 315.

CHAPITRE 3

Les structures dissipatives

«La nature est en nous, tout comme nous sommes en elle. Nous pouvons nous reconnaître dans la description que nous en faisons[1].» Ces mots sont du chimiste belge Ilya Prigogine, nobélisé en 1977 pour sa théorie des structures dissipatives. Les travaux de Prigogine ont eu l'effet d'une bombe dans le monde scientifique. En effet, comme l'a souligné le comité Nobel, cette théorie jette un pont au-dessus du fossé qui séparait le champ de recherche de la biologie de celui de la sociologie. Pour avoir traduit dans le langage de la chimie et des mathématiques le message éternel des poètes et des mystiques – nous ne faisons qu'un avec le monde –, Prigogine a été surnommé «le poète de la thermodynamique» par le comité Nobel.

L'homme a mené sa quête d'unité avec la nature au-delà de la poésie et du mysticisme – peut-être aussi qu'elle s'y est un peu fondue – pour former une vision unique à notre temps. Cet entrelacement de science et de mysticisme est un événement encore jamais vu dans l'histoire de l'humanité; les scientifiques sont soumis à de nouvelles exigences. Les liens sont tellement forts qu'on peut affirmer sans crainte que l'homme de science qui ne les perçoit pas ne comprend ni le mysticisme ni sa propre spécialité.

La théorie de Prigogine veut réfuter le point de vue scientifique classique qui soutient que le monde de la physique et celui de la biologie seront toujours séparés du royaume, chargé de valeurs, de l'expérience humaine. Prigogine reconnaît que sa «science du devenir» est une «physique humaine[2]». Il n'y a pas solution de continuité entre le monde microscopique et le nôtre.

Le travail de Prigogine est particulièrement important en ce qu'il rompt avec le point de vue déterministe de la biologie actuelle, tel que prôné par le biochimiste français Jacques Monod. Son livre célèbre, *Le Hasard et la Nécessité*, a pratiquement été une sorte de proclamation officielle de cette idée. Il y présentait l'homme sous un jour bien sombre: «[...] comme un Tzigane, il est en marge de l'univers où il doit vivre. Univers sourd à sa musique, indifférent à ses espoirs comme à ses souffrances ou à ses crimes[3].» Les idées de Prigogine s'opposent en tout point à celles de Monod, selon qui l'homme est victime de lois universelles inflexibles, et ses actes les plus élevés comme les plus vils sont également sans importance. D'après Prigogine:

Nous savons que nous pouvons interagir avec la nature. Ceci constitue le cœur de mon message [...]. La matière n'est pas inerte. Elle est vivante et active. La vie change sans cesse, d'une façon ou d'une autre, pour s'adapter à des conditions où l'équilibre n'est jamais atteint. Maintenant qu'on peut abandonner l'idée d'un monde déterministe voué au malheur, il n'en tient qu'à soi d'orienter son destin pour le meilleur ou pour le pire. La science classique nous avait laissés avec le sentiment d'être les témoins impuissants du monde mécanique de Newton. Maintenant, la science nous permet d'être à l'aise dans la nature[4].

C'est parce qu'elle laissait croire que tout était voué à passer — que le mécanisme était voué à se démonter à jamais —, que la façon classique de voir l'univers suggérait une telle attitude d'impuissance. Une dégradation irréversible se poursuivait, puisque de toute tentative de travail utile résultait la perte d'une certaine quantité d'énergie sous forme de chaleur. C'est ce processus que régit le deuxième principe de la thermodynamique, en vertu duquel on prévoit la «mort thermique» de tout l'univers. Comme le café qui refroidit et ne sera plus jamais chaud, l'univers lui-même est sur la voie d'un état semblable de chaos désorganisé. C'est cet état final que les physiciens appellent l'«équilibre».

Évidemment, les choses ne sont pas si simples. Tout le souci de la biologie, par exemple, est d'étudier les *exceptions* à cette tendance irréversible. Les biologistes étudient la *vie;* et les processus de la vie comportent une tendance à *s'écarter* de l'équilibre. Dans un univers qui s'achemine tranquillement vers le désordre maximum, les processus de la vie ne cessent d'aller à contre-courant, défiant le deuxième principe de la thermodynamique.

Par une série d'équations mathématiques complexes, Prigogine a expliqué comment le principe de Carnot pouvait rester valide pour l'univers considéré dans son entier, tout en n'étant pas toujours respecté localement. Des fluctuations dues au hasard surviennent effectivement et, si elles se trouvent assez éloignées de l'équilibre, leur effet peut subir une amplification considérable. Défiant localement la tendance universelle au désordre, les fluctuations peuvent susciter l'organisation de formes plus complexes. Dans la nature, les configurations résultantes se mettent aussitôt à se comporter comme une «structure dissipative» – le terme de Prigogine: elles interagissent avec l'environnement local en consommant de son énergie et en y rejetant les sous-produits de cette utilisation d'énergie.

La consommation et l'utilisation d'énergie au sein d'une structure dissipative ne se déroulent pas toujours sans à-coups. Le courant d'énergie à l'intérieur de la structure peut causer des perturbations ou des fluctuations dans le système. Les perturbations faibles seront étouffées, mais des variations plus importantes peuvent amorcer des changements considérables. Plus la structure est complexe, plus elle a besoin d'énergie pour survivre, et plus elle a de chances de subir une perturbation interne d'importance. Autrement dit, l'augmentation de la complexité entraîne celle de la consommation d'énergie provenant de l'environnement, ce qui risque de rendre la structure plus fragile. Ironiquement, *c'est cette caractéristique de la structure dissipative qui constitue la clef de toute évolution ultérieure vers une plus grande complexité*. En effet, si la perturbation interne est suffisamment intense, le système peut subir une réorganisation soudaine, une espèce de «brassage», et passer à un ordre supérieur, d'organisation plus complexe. C'est donc la fragilité, la possibilité d'être secoué, qui, paradoxalement, est la clef de la croissance. Les structures à l'épreuve du dérangement sont également protégées contre le changement. Elles stagnent et n'évoluent jamais vers une forme plus complexe.

La susceptibilité est le catalyseur du changement. Une fois qu'on a saisi cette notion fondamentale, elle se met à résonner dans des disciplines bien éloignées de la physique et de la chimie. Ferguson exprime clairement cette situation:

A priori, l'idée de créer un nouvel ordre au moyen de perturbations semble extravagante, un peu comme de brasser une boîte de mots au hasard et d'en tirer une phrase cohérente. Pourtant, notre sagesse traditionnelle contient des idées semblables. Nous savons que le stress contraint souvent à de nouvelles solutions soudaines; qu'une crise avertit souvent d'une occasion; que le processus créatif requiert un chaos avant qu'une forme n'émerge; que les individus sortent souvent renforcés de la souffrance et des conflits; et que les sociétés ont besoin des remous salubres des différences d'opinions[5].

Une idée qui revient souvent dans le présent ouvrage est celle de l'existence de parallèles entre la réalité des mondes microscopiques et celle de l'expérience humaine. Prigogine affirme que ces parallèles sont inhérents à la nature. Les éléments d'une structure dissipative peuvent agir en coopération pour provoquer une restructuration du tout – que ce soit sur le plan des molécules ou sur celui de l'expérience humaine. Dans une telle transformation, notait Prigogine, les molécules ne font pas qu'interagir avec des molécules qui leur sont contiguës: elles ont un comportement cohérent avec les besoins de l'organisme parent. Le comportement des composants microscopiques se répercute jusqu'au niveau macroscopique. On peut comprendre la signification du tout en observant le comportement des parties. Mais cela peut aller encore plus loin, quand de nouvelles formes surgissent, comme le système évolue vers une structure plus sophistiquée.

L'idée que l'ordre peut surgir du chaos – et même que l'ordre ne pourrait pas se faire *sans* le chaos – revient constamment dans la théorie des structures dissipatives. Cela évoque une certaine sagesse ancienne: «On dit que celui qui professe le vrai sans voir le faux, l'ordre sans voir le désordre ne comprend rien à l'ordre de l'univers ni aux réalités des êtres[6].» Les similarités entre les conceptions de Prigogine et celles des philosophes orientaux ne lui ont pas échappé: il les a soulignées à maintes reprises.

Bien qu'elles soient issues de la chimie et de la physique qui gouvernent le monde microscopique, les théories de Prigogine semblent s'appliquer d'emblée à l'échelle de notre vie quotidienne. Prigogine lui-même l'affirme. On peut relever chez Barron un exemple qui illustre comment certains principes de la théorie des structures dissipatives s'appliquent au monde de l'expérience humaine. Alors que cette théorie n'avait pas encore sa forme définitive, Barron avait mené une étude très approfondie des personnes douées de créativité. Ses découvertes montrent bien combien les concepts de Prigogine s'appliquent à la réalité humaine:

[...] les personnes créatives sont plus à l'aise dans la

complexité et le désordre apparent que les autres […]. Les personnes créatives, en préférant généralement le désordre apparent, se tournent en fait vers la vie à peine réalisée de leur inconscient, et sont portées à avoir plus de respect envers les forces de l'irrationnel, en elles et chez les autres, que la plupart des gens […]. La personne créative non seulement respecte son irrationalité, mais elle la considère comme la meilleure source de nouveauté pour sa pensée. Elle ne se conforme pas à la société qui voudrait faire d'elle un membre «civilisé», qui doit fuir tous les aspects primitif, inculte, naïf, magique et absurde qui l'habitent. Quand quelqu'un a des pensées qui sont d'habitude proscrites, ses semblables peuvent le considérer comme un déséquilibré mental. D'après moi, ce genre de déséquilibre est plus susceptible d'être sain que malsain. La personne douée de créativité vraie est toujours prête à abandonner de vieilles classifications et à reconnaître que la vie – en particulier la sienne propre – est riche de possibilités nouvelles. Pour elle, le désordre est plein d'ordre potentiel[7].

Les observations de Barron sont bien conformes à celles de Prigogine: l'ordre peut surgir du chaos.

Comme l'a remarqué le comité Nobel, la théorie de Prigogine jette des ponts au-dessus du fossé qui séparait la biologie et la sociologie. Ces ponts ne sont pas seulement les conclusions des interprètes. Prigogine lui-même illustrait régulièrement ses principes à l'aide d'exemples tirés de la vie quotidienne. Considérons par exemple – disait-il – une ville. C'est un parfait exemple de structure dissipative. Elle prend de l'énergie dans son environnement, la transforme en produits utilisables et élimine les déchets en les rejetant dans le monde qui l'entoure.

On trouve des structures dissipatives à tous les niveaux dans la nature. Les mêmes principes d'organisation qui sont en œuvre au niveau microscopique sont répandus partout dans nos vies aux niveaux des cultures et des sociétés. Cela dénote à nouveau un principe d'association, qui implique que l'homme et la nature sont unis. La nature est en nous, et nous en faisons partie, disait Prigogine. Nous *sommes* la nature; il n'est donc pas étonnant que nous découvrions des principes communs qui décrivent non seulement le comportement des *molécules* mais également celui des *hommes*.

Certaines personnes ont dénigré ces découvertes, de crainte qu'une fois de plus, les humains ne soient dépréciés par la science. On nous réduit à des descriptions de molécules; cette théorie des structures dissipatives est encore du réductionnisme sous une nouvelle forme. Cette attitude révèle une incompréhension des implications des travaux de Prigogine, qui ne déprécie pas la vie mais, au contraire, l'élève à une position prépondérante dans un univers que nous croyions à la dérive, nous entraînant vers une mort froide, entropique, inexorable. Nous voyons soudainement se lever des horizons nouveaux. Le futur est plus rose depuis qu'on a admis que le monde de la matière et celui de la vie *peuvent* être liés.

Cela rappelle le point de vue de Eugene Wigner, prix Nobel de physique, qui affirmait que les objets physiques et les valeurs spirituelles partagent une même espèce de réalité. Wigner soutenait que c'était là le seul point de vue connu qui soit cohérent avec la mécanique quantique. Nous pouvons maintenant ajouter que l'union des objets physiques et des valeurs spirituelles est également en accord avec la théorie des structures dissipatives.

Au premier abord, la théorie de Prigogine ne soulève souvent qu'incrédulité. Comment une théorie aussi générale peut-elle bien être fondée? La théorie des structures dissipatives s'applique probablement dans tous les champs de recherche en science et en sociologie. Cela semble trop beau pour être vrai. Nous devons cependant nous rappeler que le but des théories scientifiques est de rapprocher des observations qui jusqu'ici n'allaient pas bien ensemble. Les plus grandes découvertes *sont* unificatrices. La théorie de Maxwell a relié l'électricité et le magnétisme. Einstein a montré la relation entre l'énergie, la matière, la gravité et la lumière. Nous nous sommes habitués à la puissance explicative de ces jalons scientifiques, mais rappelons-nous qu'à l'époque où ces théories ont été formulées, elles aussi ont été considérées comme des accomplissements intellectuels d'une globalité prodigieuse, qui étaient alors «trop beaux pour être vrais».

La majeure partie de notre difficulté à assimiler la portée de la théorie des structures dissipatives réside dans la croyance traditionnelle que le monde des vivants et celui des non-vivants ne peuvent être liés, sauf pour les poètes et les mystiques. Nous avons maintenant des preuves du contraire. Nous sommes forcés de voir dans le monde microscopique de la nature ce que nous voyons en nous-mêmes. On nous présente une «physique humaine». On exige que nous pensions d'une façon nouvelle. On ne nous demande pas de participer à une nouvelle sorte de science, mais à une nouvelle vision de l'univers. Cette conception va au-delà de l'idée selon laquelle la vie est un processus déterministe, une impasse, le résultat des propriétés électrochimiques d'un arrangement moléculaire donné. Elle transcende cette réduction de la vie à de la matière inerte. Elle voit de la vie *dans* la matière. Comme disait Prigogine, nous voyons dans la nature ce que nous avons toujours vu en nous-mêmes.

La théorie des structures dissipatives s'applique à la santé

Quelles sont les conséquences de la théorie des structures dissipatives sur la santé humaine? Si cette théorie prétend offrir une «physique humaine», on doit s'attendre à y trouver des implications sur la santé et la maladie.

En surface, les idées de Prigogine semblent lancer un défi à la médecine classique, dont le but avoué est de fournir à tous une vie libre de toute maladie, du début à la fin. Les moyens qu'on consent à prendre pour assurer l'absence de toute maladie semblent illimités. On ne remet pas en question la valeur de ce but. Qui contesterait le bien-fondé de prévenir la maladie et la souffrance? Rappelons, cependant, une idée centrale de la théorie des structures dissipatives: ce n'est que grâce à des perturbations que le système peut passer à un ordre de complexité supérieur. La clef de la croissance est la fragilité. Bien que les perturbations faibles soient étouffées dans le système, les perturbations majeures ne le sont pas: elles ont le pouvoir de stimuler le passage soudain à une organisation plus complexe.

Comment ce concept s'applique-t-il à la santé humaine? La maladie est évidemment une perturbation, avec des répercussions sur tout l'être psychophysiologique. Alors qu'on peut contrôler les intrusions bénignes – par exemple, un rhume banal ou un coup sur un orteil – on ne traite pas les maladies plus importantes avec la même facilité. Elles nous secouent, nous perturbent. Si, par exemple, je prends étourdiment de l'alcool avec des aspirines, je risque fort de développer un ulcère ou une inflammation de la paroi de mon estomac, avec comme symptômes: indigestion, douleur et peut-être des saignements. Cependant, je peux tirer profit de ce dérangement. Je peux «passer» à un niveau de conscience supérieur dans lequel j'éviterai sagement le mélange peu judicieux d'aspirine et d'alcool. J'aurai fait l'expérience d'une perturbation de la part de l'environnement (aspirine et alcool); j'aurai subi un dérangement intérieur (douleur ressentie, indigestion, saignement); et j'aurai organisé une approche plus complexe envers ma santé personnelle. La richesse intérieure de ma propre philosophie des soins préventifs s'en trouvera accrue.

On pourrait citer d'innombrables autres exemples. En matière de santé, on voit souvent que le stress engendre la force. C'est particulièrement vrai en psychologie, où l'adversité peut jouer un rôle majeur pour augmenter la conscience. Mais, tout comme dans le monde physique les perturbations ne se soldent pas toutes par une réorganisation d'un système à un niveau supérieur, la règle est la même pour les humains: les menaces à notre santé ne sont pas toujours traitées avec succès par le corps. Parfois, le système n'est pas seulement secoué, il est réduit en pièces. La maladie peut causer une infirmité permanente ou la mort. Mais – dit la théorie des structures dissipatives –, l'évolution est impossible *sans* fragilité. Le dérangement et la susceptibilité à la dissolution sont le prix à payer pour le potentiel de croissance et de complexité.

Au XIXᵉ siècle, les îles d'Hawaï ont reçu la visite d'un nombre toujours plus grand d'Américains qui apportaient avec eux une nouvelle perturbation pour les indigènes: la rougeole. Le virus de la rougeole était alors endémique aux États-Unis où, comme toujours, il était considéré comme un fléau. Cependant, il était bien rare qu'il se manifeste plus sérieusement que par quelques symptômes embêtants: éruption, yeux rougis, fièvre passagère, malaise. Mais pour les insulaires, il était mortel. La population indigène a été décimée par ce virus, car elle était complètement démunie d'immunité naturelle contre celui-ci. Après cet événement, l'immunité naturelle s'est développée, à tel point que la maladie n'est maintenant pas plus mortelle chez les Hawaïens que chez les Américains. Le système immunitaire des indigènes a changé, à la suite de la perturbation provenant de l'environnement. Il a été «secoué», mais la population, dans son ensemble, est passée à un nouveau degré de compétence immunitaire. Il en est résulté un niveau de santé interne supérieur.

Les principes de la théorie des structures dissipatives sont rappelés dans beaucoup de nos méthodes de soins préventifs. Considérons, par exemple, les vaccins. L'introduction artificielle de micro-organismes atténués est, pour le corps, une perturbation provenant de l'extérieur. En fait, le but est de créer une «mini-maladie» – juste assez pour stimuler le corps à produire des anticorps qui le protégeront contre la même maladie s'il vient à s'y confronter plus tard. Si le corps étouffait tous les effets de l'inoculation, il ne produirait pas d'anticorps, et il n'en résulterait aucune immunité. Il s'agit donc de secouer le système immunitaire juste assez pour stimuler sa résistance, mais pas assez pour vraiment provoquer la maladie. La vaccination suscite une évolution, un passage à un niveau de complexité biologique supérieur, par une perturbation intentionnelle du système immunitaire.

Si on n'était jamais perturbé par la maladie, pourrait-on jamais être en santé? Si on n'était jamais malade, on ne connaîtrait probablement pas non plus la notion de santé correspondante. Mais ce problème mérite plus qu'un examen épistémologique. Nous avons des raisons de croire que le corps *se nourrit* de maladies pour créer sa santé, tout comme les structures vivantes «mangent de l'entropie négative» – comme disait Schrödinger.

Notre propre corps contient la sagesse issue d'innombrables défis jetés à son intégrité. Depuis la peau qui nous couvre, jusqu'aux globules blancs qui engloutissent les micro-organismes intrus, notre corps sait quoi faire. Comment cette information s'est-elle accumulée? Par des perturbations constantes et répétées chez nos ancêtres, dans leur évolution vers une complexité toujours plus grande.

Il n'y a qu'à observer ce qui se passe quand la principale caractéristique des structures dissipatives n'a pas fonctionné. Il arrive que des enfants naissent avec toute une gamme de maladies qu'on appelle des états de déficience immunitaire. Ces pauvres enfants sont incapables de fabriquer des anticorps qui les protégeraient contre les bactéries, les virus et les champignons. Ils sont impuissants à combattre les infections, et meurent le plus souvent en bas âge. Ce sont les «bébés-bulles», qui vivent dans des compartiments étanches, semblables aux combinaisons spatiales, ou sous des tentes imperméables, dans une atmosphère aseptique artificielle. Dans le langage de la théorie des structures dissipatives, on peut dire qu'ils sont incapables de réagir aux perturbations de l'extérieur. Ils ne savent relever aucun défi à leur intégrité physique. Et, parce qu'ils ne réagissent pas, ils ne peuvent pas passer à un niveau de complexité immunitaire supérieur. Leur seul espoir est l'isolement artificiel.

Nous voyons ici un aspect bien subtil de la santé: les perturbations sont orientées vers la complexité physiologique. La santé est impossible sans dérangements – contrairement à ce qu'on croyait. Ces processus complémentaires engendrent la santé: la capacité de résister aux attaques à notre intégrité psychophysiologique. La théorie des structures dissipatives et l'observation du fonctionnement de notre propre système immunitaire montrent que les processus de la santé et de la perturbation sont indissociables et complémentaires.

Un but extrêmement général de la santé pourrait se formuler comme suit: faire tout ce qui est possible pour aider le corps à s'adapter aux perturbations. Les attitudes courantes en matière de santé sont bien différentes! On essaye de résister, solide comme le roc, aux assauts contre sa santé, parant tous les coups avec une collection toujours renouvelée de piqûres, de pilules et d'opérations. On ne bouge pas *avec* la perturbation, mais *contre* elle. On essaie d'éviter tout ce qui constituerait un défi pour la santé; et faute d'y échapper, on met en œuvre tous les moyens à sa portée pour y résister. Il faudrait commencer à remettre cette attitude en question. Si l'intégrité de notre corps n'avait jamais été perturbée, nous serions vraiment sans défense contre la maladie, parce que nous n'aurions jamais développé ces mécanismes de défense à l'efficacité toute silencieuse. Nous serions comme les enfants affligés de déficience immunitaire, impuissants dans un monde de pathogènes.

Il conviendrait peut-être d'adopter une stratégie qui ferait qu'on essayerait de se comporter non comme le rocher de Gibraltar, mais comme le bambou qui, dans la tradition orientale, ploie sous le vent au lieu de lui résister, et est ainsi préservé. Comme un pont qui n'aurait aucune flexibilité et pourrait donc être secoué par le vent jusqu'à tomber en morceaux, on risque sa perte en s'obstinant à demeurer inflexible et héroïque devant la maladie.

Notre stratégie en matière de santé doit donc faire de la flexibilité son but principal – c'est-à-dire l'adaptabilité et la capacité de réagir aux défis qui sont périodiquement jetés à l'intégrité de notre corps et de notre esprit. Ce que nous faisons *entre* les épisodes de maladie est aussi de première importance. Par un effort conscient, je peux très bien saboter la sagesse naturelle de mon corps. Si je me soumets à des habitudes malsaines – tabac, obésité, stress soutenu, fatigue chronique, manque d'exercice, anxiété ou dépression ininterrompues – je limite la capacité homéostatique qu'a mon corps de réagir aux perturbations externes. Je lui demande de faire ce que le bambou, dans sa sagesse, ne tente jamais: rester rigide face aux événements stressants et perturbateurs.

De ce point de vue, la *vraie* médecine est ce que l'on fait *entre* les périodes de maladie. Toutes les techniques de soins préventifs, qu'on relègue à un statut de deuxième classe, sont d'importance critique: elles permettent de déterminer la capacité qu'a le corps à se réorganiser à un niveau de complexité supérieur. Ce sont les approches classiques de la médecine et de la chirurgie qui devraient être considérées comme une seconde ligne de défense. On ne devrait recourir à ces méthodes qu'en dernier ressort, comme supplément à la sagesse du corps. On les emploie trop souvent comme un bouclier contre les attaques physiques – comme la pratique condamnable qui consiste à prescrire des antibiotiques contre un rhume ordinaire, ou de prendre des tranquillisants pour les anxiétés courantes de la vie quotidienne. Pour la plupart des attaques contre son intégrité, le corps n'a besoin d'aucune protection. En fin de compte, de tels efforts servent moins souvent à protéger le corps qu'à se mêler inconsidérément de ses affaires et à frustrer sa sagesse.

Dans certains cas, cependant, une seconde ligne de défense *est* réellement nécessaire: la perturbation ne constitue pas une *garantie* de réorganisation à un niveau supérieur. Une infection virale mineure peut parfois tourner en catastrophe – comme quand une varicelle bénigne se complique d'une pneumonie ou d'une encéphalite. Même un orteil meurtri peut s'infecter et mener à une septicémie (empoisonnement du sang). Dans de tels cas, la sagesse du corps peut soudainement s'avérer débordée, et une aide extérieure – des médicaments ou la chirurgie – est requise. Mais ce sont là des événements peu fréquents. Comme l'a fait remarquer Lewis Thomas[8], le corps est d'une efficacité quasiment incroyable pour entretenir la santé, étouffant des troubles avant même qu'on en soit conscient. Par exemple, des bactéries envahissent le sang chaque fois qu'on se brosse vigoureusement les dents; pourtant, la durée de vie d'un tel intrus est de moins de quatre minutes. Soumis à d'innombrables invasions bactériennes au cours des âges, notre corps a évolué en cultivant ce haut degré d'efficacité. La sagesse demeure d'une efficacité extraordinaire et n'a d'habitude besoin d'aucune aide de notre part.

Je me souviens d'une réunion – il y a de cela plusieurs années, alors que mon attitude face à la santé et à la maladie était plutôt typique de celle de la plupart des diplômés en médecine – où je me suis trouvé entraîné dans une discussion avec un vieux psychologue. Il s'intéressait à la question du traitement des ulcères à l'estomac parce qu'il avait remarqué que, chez certains patients, ce problème semblait lié au stress. J'écoutais ce monsieur exprimer sa conception de l'importance de contrôler le stress chez ces malades, mais je me suis vite trouvé consterné par ce que je considérais une approche très simpliste du problème. L'ulcère à l'estomac est un événement physiologiquement très complexe, et je trouvais que le psychologue ne s'en rendait pas suffisamment compte. Quand il en est venu à dénigrer l'usage des médicaments comme première approche au problème, je me suis indigné, affirmant que si nous étions pour *refuser* l'usage des médicaments pour contrôler la sécrétion d'acide dans l'estomac, nous condamnerions ainsi plusieurs milliers de patients à mourir d'hémorragie chaque année, à la suite

144

de la perforation de leur ulcère dans un vaisseau sanguin important de la paroi de l'estomac ou du duodénum. Le psychologue réfléchit un moment, puis répliqua: «Oui, c'est vrai. Mais les médicaments ne font rien du tout pour la *personne*!»

À l'époque, ces mots ne pouvaient avoir de sens pour moi. Cependant, nous avons fini par devenir amis et j'ai pu développer une certaine compréhension de sa position. Pour lui, les médicaments peuvent, certes, prévenir la douleur des ulcères et la mort par hémorragie, mais le patient n'en tire aucune leçon. Ni lui ni moi n'avions jamais entendu parler de la théorie des structures dissipatives, mais maintenant, je trouve intéressant de traduire sa remarque dans le langage de Prigogine. Quand on administre le médicament (à l'époque, il s'agissait d'un nouveau produit, la cimétidine, à propos duquel tous les médecins étaient très enthousiastes), on bloque les cellules de l'estomac pour les empêcher de répondre aux stimulations qui les font sécréter de l'acide. Cela donne à l'ulcère plus de chances de se cicatriser. Mais comme tout médicament, il a des effets secondaires. De plus, il coûte cher, et quand le patient cesse d'en prendre, l'ulcère récidive souvent. Même si l'ulcère peut guérir, il est difficile de voir comment la sagesse du corps pourrait avoir augmenté après l'usage du médicament. Devant une perturbation exprimée sous la forme d'un ulcère, le médicament n'offre aucune voie qui permettrait de passer à un niveau de complexité supérieur à partir duquel le corps pourrait résister aux futures ulcérations.

Par contre, si le patient apprenait certains faits à propos de sa maladie – comment l'alimentation peut en affecter le cours, ou comment le stress psychologique joue un rôle dans la sécrétion d'acide –, il serait en mesure de mettre en œuvre une nouvelle stratégie de santé. Elle n'aurait peut-être pas de résultat mais, dans les cas où une telle méthode «naturelle» fonctionne, on peut dire que l'esprit et le corps du malade ont évolué et sont passés à un niveau de sophistication supérieur, par suite de la perturbation par l'ulcère à l'estomac. La réorganisation augmente la capacité de résister à une nouvelle agression.

Moralité: les meilleures stratégies en matière de santé sont celles qui nous rendent plus sages. Dans la mesure où une intervention n'augmente ni notre sophistication psychophysiologique ni notre sagesse intérieure, on peut la considérer comme une thérapie inférieure.

Dans le cadre de ma propre pratique, j'ai eu un exemple très net de ce principe en action. Une patiente, que j'appellerai Nancy, était venue me voir pour un problème de douleurs thoraciques récurrentes. Elle était âgée de 29 ans, extrêmement intelligente, belle, et elle réussissait très bien dans sa carrière. Cependant, au cours des cinq années précédentes, elle avait été périodiquement affligée d'enflure, de rougeur et de douleurs atroces – tellement qu'elle devait interrompre son travail – dans les articulations chondro-costales, c'est-à-dire les endroits sur le devant de la poitrine où les côtes sont reliées au sternum par du cartilage. C'est une affection commune appelée syndrome de Tietze. Elle peut être causée par une infection virale et, bien qu'elle puisse être très douloureuse, elle est normalement passagère et répond bien aux analgésiques doux, au repos et à la chaleur.

L'expérience de Nancy était différente. La maladie frappait soudainement, plusieurs fois par année, et l'empêchait de travailler. Nancy ne pouvait alors plus fonctionner: tout mouvement des bras rendait la douleur insupportable. La première fois que je l'ai vue avec ce syndrome spectaculaire, les régions affectées, le long du sternum, étaient grotesquement enflées et rouges. Je l'hospitalisai immédiatement pour lui faire subir des analyses dont les résultats, à ma grande surprise, étaient tous normaux. Croyant que mon évaluation du problème avait été erronée, j'ai demandé à un rhumatologue de la voir – en vain: il n'avait pas d'autre suggestion.

L'inflammation se résorba graduellement, pour être suivie par quatre autres épisodes similaires durant la première année pendant laquelle j'ai eu Nancy sous mes soins. Frustrée, elle rendit visite à un chirurgien thoracique, qui craignait qu'elle eût un cancer des cartilages. Elle refusa de subir les biopsies qu'il lui avait recommandées et l'éventualité d'une intervention chirurgicale. Elle alla également voir un spécialiste du contrôle de la douleur, affilié à une école de médecine très réputée. Ils essayèrent toute une variété de techniques pour contrôler sa douleur – sans effet.

Deux ans plus tard, après de nombreuses attaques, elle ne semblait pas mieux que la première fois que je l'avais vue. Mais un jour, elle arriva à mon bureau et me révéla un événement étonnant. Elle avait ressenti le tout début d'un épisode typique – une douleur énervante au thorax, le long du sternum. Elle avait alors pensé: «Le problème existe toujours. La médecine ne peut rien pour moi. Je dois m'en occuper toute seule.» Et elle me décrivit comment elle s'était assise confortablement, détendue, se concentrant de toutes ses forces sur la douleur. Elle ne savait pas pourquoi elle avait choisi cette stratégie, mais la douleur avait diminué graduellement pour finalement disparaître. Au cours des heures suivantes, poursuivant ses activités ordinaires, elle avait utilisé la même technique dès que la douleur avait tendance à revenir. Pour la première fois depuis tellement d'années, les signes avant-coureurs de son mal n'avaient pas déchaîné la crise habituelle qui l'aurait obligée à s'aliter.

J'étais immensément impressionné. Ma thérapie n'avait été qu'un échec embarrassant. Avec ses propres moyens, Nancy avait accompli ce que je tentais de réaliser avec mes comprimés anti-inflammatoires et mes potions. Avec le temps, elle est devenue très habile; elle détecte avec une sensibilité extrême les tout premiers signaux qui annoncent une crise possible. Et, chaque fois, elle réussit à prévenir l'attaque, grâce à sa simple stratégie. Depuis cinq ans, elle n'a eu aucune rechute importante.

Intrigué par son succès, je lui avais demandé de participer à mon nouveau projet de thérapie par rétroaction biologique. Elle s'est montrée très intéressée. Les techniques de rétroaction biologique permettent de porter à la conscience des événements physiologiques qui demeurent d'habitude dans l'inconscient. Avec des appareils de mesure sophistiqués, on peut rapidement atteindre une sensibilité extrêmement fine à des phénomènes tels que la tension musculaire, la température de la peau ou sa résistance aux courants galvaniques. J'étais convaincu que Nancy avait appris toute seule à détecter et à interrompre certains processus physiologiques critiques qui annonçaient l'imminence d'une rechute. Comme on pouvait s'y attendre, Nancy s'est révélée un sujet très doué pour la rétroaction biologique. Elle s'est lancée dans l'expérience avec entrain et a appris en peu de temps à raffiner ses facultés déjà fort enviables. Au cours des cinq années suivantes, elle est revenue au laboratoire de rétroaction biologique pour tester ses capacités à l'aide des instruments. Sa sensibilité ne s'est pas affaiblie – elle s'est améliorée –, et Nancy garde la maîtrise de ses symptômes.

Quel enseignement peut-on tirer d'un tel cas isolé? La médecine ne fait pas grand cas des anecdotes de ce genre. (Attention aux suites de cas uniques!) Mais n'importe quel médecin confronté à un problème insoluble comme celui de Nancy ne peut faire autrement que d'être impressionné par l'efficacité de sa stratégie.

Essayons de reconstituer les événements en fonction de la théorie des structures dissipatives. D'abord, Nancy était régulièrement perturbée par le syndrome de Tietze. En dépit de toute une suite de traitements médicaux, son corps ne semblait jamais plus compétent qu'avant pour passer à travers les épisodes successifs. Il n'en résultait aucun accroissement de sa complexité, il ne se produisait jamais de passage à un ordre supérieur. Les assauts périodiques ne cessaient pas, chaque épisode était semblable au premier, tant en durée qu'en intensité. Mais la découverte de Nancy changea tout cela. Sa stratégie psychophysiologique commandait une soudaine réorganisation de ses mécanismes de santé, une nouvelle complexité tout à fait différente de toutes les mesures auxquelles on avait eu recours jusqu'alors. Les perturbations successives à son intégrité psychologique et physique lui ont permis d'atteindre une sagesse supérieure, grâce à laquelle elle peut, depuis, relever les défis posés à sa santé.

Le cas de Nancy serait-il un exemple de pure coïncidence? (Quand une maladie recule mystérieusement, la médecine a une réponse classique: «Elle a suivi son cours.» Mais cela n'explique rien du tout, cela en dit moins sur l'évolution naturelle de la maladie que sur l'état naturel de notre ignorance.) Je suis convaincu qu'il ne s'agit pas d'une coïncidence. Dans ma pratique, j'ai vu trop de Nancy, trop de maladies qui répondent à son approche générale. Mon expérience avec l'utilisation des techniques de rétroaction biologique pour contrôler certains problèmes de santé a été absolument fascinante. Les patients qui réussissent le mieux à mettre en œuvre ces techniques sont souvent comme Nancy: médicalement, ils sont au bout de leur rouleau. Ils ont essayé toute la gamme des thérapies courantes, sans résultat. Ils sont désespérés, en quelque sorte. Leur expérience avec des techniques médicales uniformément inefficaces les a laissés désenchantés, sceptiques, et dans la crainte d'un nouvel échec.

Dans bien des cas traités par les techniques de rétroaction biologique – par exemple, quand un patient qui a souffert toute sa vie de migraines intraitables voit ses maux de tête disparaître –, on ne trouve pas d'explication physiologique à l'amélioration. Mais il faut un scepticisme des plus obstinés pour nier l'efficacité de ces méthodes. Dans les bons laboratoires de rétroaction biologique, 75 p. 100 des patients souffrant de migraine ordinaire ou de maux de tête dus à la tension peuvent apprendre à s'en défaire. Toutefois, un des résultats les plus surprenants n'est pas la fin des maux de tête, ni de la costochondrite, etc. – c'est la *réorganisation* très nette qui non seulement met en jeu la physiologie du patient, mais qui s'étend également jusqu'à ses pensées et sentiments. C'est bien plus que ce qu'on obtient par la médication classique et la chirurgie. Comme disait le psychologue contre qui je m'étais emporté: ces techniques «font quelque chose pour la personne». Les patients se comportent différemment; ils se *sentent* différents. Pourquoi?

Très généralement, on peut dire que les thérapies qui suscitent chez un patient la conscience de son unité psychophysiologique favorisent une réorganisation soudaine, comme celle que décrit la théorie des structures dissipatives. Cette réorganisation est évidente, non seulement par la disparition des symptômes, mais également par des changements dans les sensations et sentiments immédiats du patient, jusque dans sa pensée et son comportement. De telles stratégies médicales font ce que les pilules et la chirurgie ordinaires ne font jamais: elles favorisent un passage à un niveau de complexité supérieur, à une plus grande conscience de son unité psychophysiologique, à une meilleure santé. Et, pour certaines personnes, elle constituent un traitement d'une efficacité presque incroyable.

On commence à en savoir plus sur le fonctionnement de ces «thérapies réorganisatrices». Elles ne vont pas supplanter les merveilleuses réalisations de la médecine et de la chirurgie contemporaines, mais leur usage devrait se répandre, à mesure qu'on leur découvrira des champs d'application. La médecine est à une étape bien embarrassante: elle est tombée sur des thérapies efficaces mais n'a pas d'explication satisfaisante de leur fonctionnement. Mais on finira bien par comprendre. En attendant, la théorie des structures dissipatives fournit un cadre théorique qui peut servir de guide pour trouver des applications.

Un modèle de soins préventifs basé sur la théorie des structures dissipatives met en jeu un principe d'unité entre le corps et l'esprit. Les thérapies réorganisatrices fonctionnent non seulement parce que le corps devient plus sage, mais parce que les changements qui surviennent mettent en jeu tout l'être psychophysiologique. La médecine moléculaire, dans le cadre de laquelle les soins visent les molécules, est une stratégie thérapeutique incomplète. Certes, les méthodes employées ont parfois des résultats spectaculaires, mais elles ont l'inconvénient de n'être mises en œuvre qu'*après* l'éclosion du problème – par exemple, l'appendicectomie, après l'appendicite. Globalement, elles ne peuvent pas faire plus. C'est dans les cas où des problèmes substantiels sont déjà en place que ces approches modernes ont leur meilleur rendement. Après tout, ce sont des thérapies du corps: leur portée est limitée.

En tant que médecin, et (comme tout le monde) patient potentiel, je suis reconnaissant que la médecine et la chirurgie contemporaines soient à ma disposition quand je suis malade. Je ne les dénigre pas; au contraire, elles augmentent ma confiance que je vais guérir. Mais je cherche de quelle façon les méthodes contemporaines doivent changer pour favoriser la réorganisation psycho-physiologique à des niveaux de plus grande complexité, afin d'augmenter notre habileté à tirer parti des perturbations de notre santé.

La théorie des structures dissipatives a osé faire ce que la science classique a longtemps interdit de faire: elle identifie, dans la nature, des traits de comportement qui s'appliquent également à des niveaux d'organisation éloignés. Elle affirme avec audace que les molécules et les êtres humains ont des comportements similaires. Certains schémas de comportement se trouvent aussi nettement sur le plan des atomes que chez les personnes. C'est parce que ces schémas couvrent d'aussi grandes distances que Prigogine disait qu'on peut désormais parler d'une «physique humaine».

La théorie des structures dissipatives nous met en contact intime avec le monde microscopique. D'après elle, notre nature a ses racines dans les processus fondamentaux qui siègent au cœur de l'univers. Plus besoin de nous livrer à des spéculations philosophiques pour démontrer comment les principes d'organisation de la nature sont également à l'œuvre chez les humains: la théorie des structures dissipatives nous tend la preuve sur un plateau d'argent, garnie de démonstrations mathématiques élégantes. Le cœur et l'âme des mondes macroscopique et microscopique partagent des caractéristiques identiques.

Réaction typique à ces réflexions: elles doivent être fausses! La philosophie peut bien faire sienne la tâche difficile de réunir le monde microscopique des atomes et des molécules au monde des humains, mais cela ne saurait être un but convenable pour la science. En fait, pour les scientifiques, cette croyance a l'autorité d'un dogme. Mais maintenant, nous voilà confrontés à la théorie des structures dissipatives, qui accomplit cet exploit jusqu'ici jugé impossible. En cours de route, ses preuves mathématiques ont subi le test des plus grands ordinateurs du monde, et la théorie a remporté un prix Nobel.

Nous sommes donc en présence d'un fait qui avait toujours été pressenti par les philosophes, tout en restant totalement ignoré des scientifiques: *nous constituons un tout avec la nature*. Le domaine d'investigation scientifique légitime prend de l'expansion. C'est une autre partie des plates-bandes des philosophes qui est désormais récupérée par la science. Il n'y a pas lieu d'en être consterné: chacun – les philosophes comme les scientifiques – devrait tirer profit de ce soudain glissement des frontières.

NOTES:

1. M. Lukas, «The World According to Ilya Prigogine», *Quest/80*, décembre 1980, p. 88.
2. *Ibid.*
3. Jacques Monod, *Le Hasard et la Nécessité*, Paris: Seuil, 1970, p. 188.
4. Lukas, «The World According to Ilya Prigogine».
5. Marilyn Ferguson, *Les Enfants du Verseau: Pour un nouveau paradigme*, traduit et adapté de l'américain par Guy Béney, Paris: Calmann-Lévy, 1981, p. 124.
6. Tchouang-tseu, «L'œuvre complète, xvii», *Philosophes taoïstes*, Paris: Gallimard, 1969, p. 206.
7. F. Barron, «The Psychology of Imagination», *Scientific American*, septembre 1958.
8. L. Thomas, *The Lives of a Cell*, New York: Viking, 1974, p. 75.

CHAPITRE 4

Le théorème de Bell

Le physicien ne découvre pas l'univers, il le crée.

Henry Margenau[1]

Les mystiques parlent d'une vision du monde dans laquelle l'homme participe à une existence sans coutures, indissociable de l'univers qui l'entoure. Une découverte de la physique moderne, le théorème de Bell[2], fait écho à cette idée. Proposé pour la première fois en 1964 par le physicien John S. Bell, ce théorème a reçu sa première confirmation expérimentale en 1972, à Berkeley, par les travaux du professeur John Clauser. Il s'agit d'un résultat presque incroyable – incroyable parce qu'il défie toute logique. Il a eu un effet énorme dans le milieu de la recherche en physique. D'après le professeur Henry Stapp, physicien à Berkeley – et autorité en ce qui concerne les implications du théorème de Bell –, c'est la découverte la plus importante de toute l'histoire des sciences.

Plusieurs descriptions verbales de la preuve ont été formulées depuis l'énoncé original de Bell; la plus claire est probablement celle de Stapp, qui se lit comme suit: «Si les prévisions statistiques de la théorie quantique sont vraies, un univers objectif est incompatible avec la loi de la causalité locale[3].»

À première vue formidable, le théorème de Bell semble plus simple une fois qu'on en a compris les termes clefs. D'abord, un «univers objectif» est simplement un univers qui existe *séparément de notre conscience*. Il a une existence légitime, réelle, et il ne disparaît pas quand on regarde ailleurs. Deuxièmement, la «loi de la causalité locale» renvoie au fait que, dans l'univers, les événements se déroulent à une vitesse qui n'excède pas celle de la lumière. Autrement dit, les choses se produisent toujours à la vitesse de la lumière ou plus lentement. C'est la théorie de la relativité restreinte de Einstein qui impose cette limite – une notion importante de la physique moderne.

En pratique, les physiciens ne font pas vraiment d'expériences pour prouver ou infirmer le théorème de Bell: les tests qu'ils font ont pour but de vérifier les prévisions statistiques de la théorie des quanta.

Pour comprendre l'importance du théorème de Bell, il faut se reporter en 1935, date à laquelle on disposait déjà d'une théorie quantique cohérente. À cette époque, les principes des probabilités et statistiques avaient pris un rôle de premier plan. Mais on ne pouvait faire de prévision que sur les événements mettant en jeu un grand nombre d'entités subatomiques individuelles. La physique quantique ne savait rien dire sur un événement subatomique pris isolément. Même en principe, on considérait les événements individuels comme aléatoires. L'observation de la nature sur ce plan n'avait pas permis d'identifier de causes ni d'effets.

Einstein, pour avoir contribué de maintes façons à cette situation, n'en était pas moins contrarié par cet encombrement de probabilités et de statistiques. En 1935, avec Nathan Rosen et Boris Podolsky, il développa un argument par lequel il croyait réduire à l'absurde la théorie de la mécanique quantique[4]. Par un raisonnement mathématique infaillible, il proposait que si la théorie de la mécanique quantique était juste, «alors, dans un système de deux particules, le changement de spin de l'une d'elles devait simultanément affecter la particule jumelle, même si les deux étaient séparées dans l'intervalle[5]».

Cette suggestion semblait tout à fait absurde. D'abord, comment une particule, séparée de sa sœur jumelle, pourrait-elle bien «savoir» quand celle-ci subit un changement? Il faut au moins qu'une sorte de signal énergétique passe entre elles, ce qui demande un peu de temps, éliminant ainsi la possibilité d'un changement simultané. D'ailleurs, dans le contexte de la théorie de la relativité restreinte, qui interdit la transmission d'un signal à une vitesse plus rapide que celle de la lumière, la simultanéité est une notion très délicate. Or il est évident qu'un signal pour dire «quoi faire» à la particule devrait se déplacer plus vite que la lumière si on voulait que des changements simultanés surviennent.

Einstein, Podolsky et Rosen avaient entraîné la théorie quantique dans un profond dilemme – on en vint à parler du paradoxe de Einstein-Podolsky-Rosen. Or, en 1935, la théorie de la relativité restreinte était à juste titre considérée comme la pierre angulaire de la physique moderne. Elle avait passé tous les tests avec succès. Personne n'était prêt à sacrifier un de ses principes fondamentaux – celui qui dit que rien ne doit excéder la vitesse de la lumière – pour sauver la théorie quantique.

Einstein se délectait de ce dilemme, croyant que son argument mettait le doigt sur une lacune de la théorie de la mécanique quantique. Mais en 1964, le théorème de Bell vint, en fait, prouver l'impossible proposition de Einstein: un changement simultané, dans des systèmes largement séparés, s'était vraiment produit. Mais à l'époque, il n'était pas possible techniquement de confirmer rigoureusement la preuve de Bell. Par contre, en 1972, Clauser a confirmé les prévisions statistiques de la mécanique quantique, à l'aide d'un système complexe mettant en jeu des photons, des cristaux de calcite et des photomultiplicateurs[6]. L'expérience a depuis été répétée de nombreuses fois, toujours avec les mêmes résultats cohérents: le théorème de Bell est solide[7]!

Même pour les physiciens concernés, les implications du théorème de Bell sont pratiquement inimaginables. Encore une fois, comme il est arrivé si souvent au cours de notre siècle, les mathématiques et l'expérience nous ont transportés en des lieux inaccessibles à notre pensée logique. Imaginez! Deux particules, d'abord en contact, puis séparées – même aux deux bouts de l'univers –, changent *instantanément*, dès qu'une des deux est affectée!

De nouvelles idées font lentement surface pour expliquer ces événements impensables. Par exemple, le physicien français Bernard d'Espagnat suggère que les particules restent en contact d'une certaine façon inexplicable, même si elles sont séparées dans l'espace. En 1979, alors qu'il écrivait sur la réalité des quanta, il a dit que toute la notion d'un monde éternel, fixe et objectif était désormais en conflit non seulement avec la théorie quantique, mais avec des résultats d'expériences réelles. D'Espagnat affirme: «la violation des suppositions de Einstein semble impliquer que, d'une certaine façon, tous ces objets constituent un tout indivisible[8].»

Le physicien Jack Sarfatti, du groupe de recherche Physics/Consciousness (Physique et conscience), propose que ce n'est pas vraiment un signal énergétique qui est transmis entre les objets distants, mais de l'«information»[9]. Ainsi, on ne viole aucunement la théorie de la relativité restreinte. On ne sait pas au juste en quoi consiste cette information: c'est une chose bien étrange pour qu'elle puisse se déplacer instantanément sans consommer d'énergie.

Nick Herbert, médecin et directeur de l'institut C-Life, pense qu'on a simplement découvert là l'unité élémentaire du monde. Cette unité ne peut pas être diminuée par la séparation spatiale. Une intégrité invisible unit tous les objets qui naissent dans l'univers; c'est sur cette intégrité qu'ont trébuché les expériences modernes. Décrivant cette qualité, Herbert fait allusion au poète Charles Williams: «Séparation sans coupure, réalité sans couture[10].»

Finalement, si on accepte de renoncer à la loi de la causalité locale, cela permet de déduire, à partir des résultats expérimentaux susmentionnés, que des événements peuvent survenir simultanément dans notre univers sans couture, grâce à un principe de liaison invisible. Mais on n'est pas limité à ce choix. Si on veut, on peut décider d'abandonner l'idée d'un univers objectif et conserver la loi de la causalité locale. D'autres options existent aussi – chacune nous force à réviser radicalement notre conception habituelle de la réalité[11].

Pour le moment, on ignore encore quelles seront les retombées de cet étonnant théorème de Bell, mais on aurait tort de croire qu'il ne s'applique qu'au monde invisible des atomes. Le professeur Henry Stapp affirme que toute l'importance de cette découverte tient dans le fait qu'elle s'applique directement à notre existence macroscopique. Nous sommes tous concernés par ses effets: ils ne sont pas réservés qu'à une poignée de physiciens privilégiés travaillant avec de l'équipement coûteux.

Cela évoque encore Prigogine et sa «physique humaine» – appelée ainsi parce que les principes d'organisation qu'il décrit fonctionnent à travers tout l'univers, tant chez les êtres humains que dans les atomes. L'implication de Stapp est du même ordre: l'intégrité déduite du théorème de Bell enveloppe tant les êtres humains que les atomes.

NOTES:

1. H. Margenau, «Metaphysical Elements in Physis», *Review of Modern Physics,* vol. B, n° 3, juillet 1941, p. 176-189.
2. J.S. Bell, *Physics* 1, 1965, p. 195.
3. H.P. Stapp, «Correlation Experiments and the Nonvalidity of Ordinary Ideas About the Physical World», *Physical Review,* D3, 1971, p. 1303.
4 A. Einstein, B. Podolsky et Nathan Rosen, «Can Quantum Mechanical Description of Reality Be Considered Complete?», *Physical Review* 47, 1935, p. 777 seq.
5. Ferguson, *Les Enfants du Verseau,* p. 130.

6. J.F. Clauser et M.A. Horne, *Physical Review,* D10, 1974, p. 526.
7. Zukav, *The Dancing Wu Li Masters,* p. 320.
8. Bernard d'Espagnat, «The Quantum Theory and Reality», *Scientific American,* décembre 1979, p. 158-181.
9. Zukav, *The Dancing Wu Li Masters,* p. 313.
10. N. Herbert, «Scientists Explore Invisible Ocean of Glue», publication du C-Life Institute, février 1977, p. 1-20.
11. Zukav, *The Dancing Wu Li Masters,* p. 320.

Chapitre 5

Un univers holographique

Donc, si toutes les actions ont la forme de quanta discrets, les interactions d'entités différentes (des électrons, par exemple) constituent une seule structure de liens indivisibles, de sorte que l'univers entier doit être conçu comme un tout sans faille. Dans ce tout, chaque élément qu'on peut abstraire par notre pensée possède des propriétés élémentaires (nature ondulatoire ou particulaire, etc.) qui dépendent de son environnement, cela d'une façon qui rappelle bien plus les relations entre les organes qui constituent les êtres vivants, que l'interaction des pièces d'une machine. De plus, la nature non locale et non causale des relations entre éléments éloignés les uns des autres contrevient évidemment au principe fondamental de toute approche mécanique, qui exige des constituants élémentaires séparés et indépendants[1].

Finalement, il faut comprendre l'univers entier (avec toutes ses «particules», y compris celles qui constituent les êtres humains, leurs laboratoires, leurs instruments d'observation, etc.) comme un seul tout indivisible, qu'il n'est pas fondamentalement justifié d'analyser en parties indépendantes et séparées[2].

David Bohm

Des poupées russes, chacune étant une réplique exacte de celle qui la contient, et chacune contenant sa propre reproduction en miniature...

159

Des miroirs face à face, réfléchissant à l'infini la même image, qui rapetisse graduellement, pour finalement échapper à notre acuité visuelle...

Un chêne géant produisant un gland qui contient toute l'information nécessaire à sa reproduction, le chêne suivant produit de même des glands pour se reproduire, et le suivant, et le suivant...

Le plan de chaque être humain gravé dans ses gènes – une information miniaturisée concentrée dans une partie, mais suffisant à reconstituer le tout...

Le monde dans lequel nous vivons est ainsi fait: la partie contient le tout. C'est une idée ancienne, mais la science moderne l'a rendue légitime. Depuis que le moine à lunettes Gregor Mendel a établi la notion d'hérédité prévisible, on a fini par accepter cette idée comme un dogme scientifique.

Dans le jardin de son monastère, Mendel travaillait sur des pois. Il démontra que la couleur était transmise d'une génération à la suivante dans des proportions prévisibles. Son œuvre est le fondement de la génétique moderne. Cependant, depuis Mendel, la scène a changé: le moine a laissé place au physicien, les pois sont remplacés par l'univers tout entier, et au potager de Mendel correspond le cosmos lui-même. Ses rapports numériques simples ont passé leur rôle aux mathématiques complexes de la théorie des quanta. Sa description du processus absolument déterministe de l'hérédité a cédé la place au langage des probabilités et de la vraisemblance statistique.

Certains spécialistes de la physique quantique ont donné des proportions incroyables aux principes qui sous-tendaient les découvertes de Mendel: d'après eux, non seulement les gènes des pois contiennent-ils l'information suffisant à leur reproduction, mais chaque partie de l'*univers* renferme toute l'information présente dans tout le cosmos lui-même! Cette assertion est si audacieuse qu'on l'écarterait d'emblée, n'était la stature scientifique de son principal avocat: David Bohm. Ancien associé de Einstein, Bohm est professeur de physique théorique au

Birbeck College de l'Université de Londres. C'est aujourd'hui un des plus importants théoriciens de cette discipline.

Bohm soutient donc que l'information que contient tout l'univers est également contenue dans chacune de ses parties. La photographie nous donne, dit-il, un exemple frappant de ce principe en action: l'hologramme (littéralement, «message complet»). Un hologramme est une image spécialement construite qui, quand on l'éclaire avec un laser, semble suspendue comme par magie dans un espace à trois dimensions. Sa caractéristique la plus surprenante est qu'en éclairant n'importe quelle *partie* avec une lumière cohérente, on obtient une image de *tout* l'hologramme. L'information sur le tout est contenue dans chaque partie. D'après Bohm, ce principe peut être étendu à l'univers entier.

Bohm a fréquemment recours à l'analogie de l'hologramme. Voici donc une brève description du procédé. C'est dans les années quarante que le physicien et prix Nobel Denis Gabor en a élaboré la théorie mathématique. À l'époque, il était impossible de la mettre en pratique: il a fallu attendre vingt ans l'invention du laser.

On fabrique un hologramme à l'aide d'un procédé de photographie sans lentille qui requiert de la lumière cohérente – de la lumière dont les ondes sont à peu près toutes de la même fréquence: un faisceau laser, par exemple. La lumière est projetée sur un miroir sans tain. Une partie le traverse et va frapper une plaque photographique; le reste est réfléchi sur l'objet à «photographier». L'objet réfléchit ensuite la lumière sur la plaque photographique. Le faisceau réfléchi et celui qui traverse le miroir entrent en collision. Une figure d'interférence se forme. C'est cette figure, enregistrée sur la plaque, qui constitue l'hologramme.

Voyons maintenant la caractéristique vraiment unique des hologrammes. Si on fait passer un faisceau de lumière cohérente par la plaque photographique, on fait apparaître, pour l'observateur placé de l'autre côté, une reproduction tri-dimensionnelle de l'objet original, suspendue dans l'espace. Qui plus est, quelle que soit la partie de l'hologramme qu'on éclaire avec de la lumière cohérente, le même phénomène se produit. Certes, plus la partie éclairée est petite, plus l'image est floue, et plus la partie est grande, plus l'image est détaillée; mais il en reste que toute la représentation de l'objet original est contenue dans chaque portion de l'hologramme.

Bohm propose que l'univers est construit selon le même principe. Sa théorie se fonde sur des concepts issus de la physique moderne, du point de vue de laquelle le monde n'est pas un assemblage de pièces individuelles: il est considéré comme un tout indivisible. En physique moderne, la vision classique du «jeu de cubes» a cédé la place aux concepts de configuration, processus et relation.

Certes, on perçoit habituellement le monde comme un ensemble de parties isolées. Pour nous, en effet, les choses ont l'air tout à fait séparées les unes des autres. Mais c'est une illusion, une distorsion de l'unité sous-jacente, qui est une qualité intrinsèque du monde. Pour Bohm, cette unité est «enveloppée» dans l'univers. Elle est l'expression d'un ordre implicite. Comment cet ordre est-il enveloppé dans l'univers? La physique l'a déjà dit: c'est dans les ondes électromagnétiques, les ondes sonores, les faisceaux d'électrons et dans de nombreuses autres formes de mouvement. Leur comportement constitue l'ordre implicite de la nature, et pour mettre en évidence l'intégrité sans faille qui caractérise l'univers, Bohm a nommé «holomouvement» le «support» de l'ordre implicite. Il s'agit, là encore, d'un tout indivisible. Évidemment, les scientifiques choisissent d'étudier certaines facettes de l'holomouvement: les électrons, les photons, les sons, etc., «[...] mais plus généralement, toutes les formes d'holomouvement fusionnent et sont inséparables. Ainsi, dans sa totalité, l'holomouvement n'est limité d'aucune façon. Il n'a pas à se conformer à quelque mesure que ce soit. On ne peut donc ni le définir ni le mesurer[3].»

Pour illustrer comment l'ordre peut être caché ou enveloppé, Bohm employait un exemple simple. Imaginons deux cylindres concentriques séparés par un liquide visqueux – de la glycérine, par exemple. Supposons qu'on jette dans la glycérine une gouttelette d'encre insoluble noire et qu'on fasse tourner les cylindres très lentement l'un par rapport à l'autre, de sorte que l'encre ne se diffuse pas dans la glycérine. La gouttelette noire s'étire graduellement en un mince fil, qui devient finalement invisible. Alors, si on fait tourner le système dans le sens inverse, la gouttelette d'encre se reconstitue à partir du fil noir invisible. Elle a ainsi été *repliée* dans la glycérine, rendue invisible à l'œil nu. Elle ne faisait plus partie de la réalité *déployée* qu'on sait reconnaître. Mais elle restait présente, *implicitement,* et en renversant le sens de rotation des cylindres, on peut à nouveau la rendre *explicite,* perceptible.

Pour Bohm, c'est sous des formes qui échappent à nos sens que l'ordre et l'unité sont répandus dans l'univers. Ils font partie d'un ordre implicite qui, bien qu'il nous soit caché, constitue un aspect fondamental de la réalité. De la même façon que l'ordre et l'organisation sont répandus dans l'hologramme, chaque partie de l'univers contient suffisamment d'information pour reconstituer le tout. La forme et la structure du monde entier est repliée dans chacune des parties.

Ne sous-estimons pas le sérieux des descriptions de Bohm. Pour nombre de physiciens, ces concepts sont les conclusions inévitables de la mécanique quantique et de la relativité. Il ne s'agit *pas* de simples divagations, poétiques ou métaphoriques, sur le comportement du monde. Ne négligeons pas non plus la portée de leurs implications. On croit souvent que la physique quantique ne s'applique qu'aux domaines du minuscule dans la nature – les électrons, les protons, etc. – et que la relativité ne concerne que les objets imposants, aux proportions cosmiques – les étoiles, les galaxies, les nébuleuses, etc. Mais Bohm affirme que nous sommes carrément au centre de ces phénomènes: «Finalement, il faut comprendre l'univers entier (avec toutes ses "particules", y compris celles qui constituent les êtres humains, leurs laboratoires, leurs instruments d'observation, etc.) comme un seul tout indivisible, qu'il n'est pas fondamentalement justifié d'analyser en parties indépendantes et séparées[4].»

Plus encore, Bohm pense que les hologrammes sont peut-être omniprésents dans la nature. Pour enregistrer ce phénomène général, il existe sans doute d'autres façons que celle qui consiste à faire interférer deux faisceaux de lumière cohérente frappant une plaque photographique. Après tout, la lumière n'est qu'une des formes d'expression du phénomène ondulatoire. Les ondes sont effectivement répandues dans la nature, et l'holomouvement de Bohm les anime souvent. On pourrait fabriquer des hologrammes avec des faisceaux d'électrons, ou avec des ondes sonores, ou à partir de «toute forme de mouvement», y compris «les mouvements connus et inconnus». L'univers est imprégné de formes d'ondes. Il se pourrait même, suggère Bohm, que nous habitions un univers holographique.

Qu'implique la notion d'univers holographique, où une multitude de formes d'ondes se frappent, produisant des figures d'interférence extrêmement complexes? Comment les êtres humains peuvent-ils contenir une telle panoplie chaotique? Il faut d'abord comprendre que, d'après la physique moderne, nous faisons nous-mêmes *partie* des processus de l'univers. Comme le disait Bohm, l'univers entier inclut toutes les particules: les électrons comme les êtres humains, leurs laboratoires et leurs instruments d'observation. Si l'univers est livré au chaos, il est vraisemblable qu'en tant que parties constituantes, nous prenions également part au chaos. Évidemment, il y a une limite au désordre: nous pouvons effectivement comprendre certaines choses. Nous sommes manifestement capables de reconnaître des formes dans le monde et d'en extraire des processus connaissables. Mais comment?

En tant que parties de cet univers holographique, possédons-nous des caractéristiques holographiques qui nous permettraient de le comprendre? Karl Pribram, neurophysiologiste à Stanford, a répondu affirmativement à cette question. Tentant d'expliquer certaines observations clefs sur le fonctionnement du cerveau, Pribram est arrivé à une proposition radicale: l'hologramme est un modèle du fonctionnement du cerveau. Le cerveau serait essentiellement la «plaque photographique» sur laquelle est encodée toute l'information concernant l'univers. Si on joint les propositions de Bohm et de Pribram, il en émerge un nouveau modèle de l'homme. Notre cerveau encode l'information de façon holographique; et c'est un hologramme qui fait lui-même partie d'un hologramme encore plus grand: l'univers.

L'idée radicale de Pribram est basée sur des travaux entrepris dans le laboratoire d'un des pionniers de la neurophysiologie moderne: Karl Lashley. À une époque où il était communément admis que le cerveau était divisé en centres spécifiques correspondant à pratiquement toutes les fonctions humaines – parole, vision, appétit, sommeil, etc. –, Lashley a démontré qu'apparemment, cela n'était pas vrai pour la mémoire. Des expériences sur des animaux révélèrent que, même quand on enlève presque tout le cortex cérébral, la mémoire de certaines tâches spécifiques est conservée. La rapidité et la précision d'exécution sont souvent atténuées, mais le savoir reste.

Cette découverte ne cadre pas très bien avec les théories actuelles expliquant la manière dont l'information est emmagasinée dans le cerveau. C'est comme si la mémoire s'étendait partout dans le cerveau – mais comment? Pribram supposa que toute la mémoire est contenue dans chacune des parties du cerveau. L'analogie avec un hologramme est évidente. La plus grande résistance à cette idée vient peut-être de l'entêtement à considérer que ce sont des régions spécifiques du cerveau qui contrôlent chacune des fonctions physiologiques et psychologiques. Mais il y a toujours eu des incohérences dans ce modèle, et les neurologues, comme les neurophysiologistes, sont bien à l'aise de les ignorer. Or de plus en plus de faits probants laissent soupçonner que la notion des centres cérébraux serait une explication inadéquate de certaines fonctions humaines.

Dans un article provocant intitulé «Votre cerveau est-il vraiment nécessaire?», le neurologue britannique John Lorber[5] a remis en question l'idée qu'un cortex cérébral intact est nécessaire à une activité mentale normale. On peut évaluer l'épaisseur du cortex cérébral à l'aide d'une technique appelée tomographie axiale informatisée. C'est par cette technique que Lorber a étudié des centaines de patients hydrocéphales, un état dans lequel une partie du tissu cortical normal est remplacée par du liquide céphalo-rachidien. Il a découvert que beaucoup de ses patients avaient des facultés intellectuelles normales ou supérieures à la normale, même si leur cerveau était presque entièrement rempli de liquide. Normalement, les êtres humains ont un cortex épais de 4,5 cm et contenant 15 à 20 milliards de neurones. Cependant, chez un des patients de Lorber, un étudiant en mathématiques qui lui avait été référé parce que son médecin soupçonnait que sa tête avait légèrement grossi, la tomographie révéla un cortex cérébral de 1 *millimètre* seulement. Avec une mince couronne de cortex cérébral, cet étudiant s'avérait particulièrement doué selon les tests de QI standards (il avait un QI de 126) et était tout à fait normal, tant intellectuellement que socialement.

La question de Lorber, à savoir si le cerveau est vraiment nécessaire, suggère qu'il y a peut-être beaucoup d'informations redondantes dispersées dans le cortex, de sorte qu'il peut toujours fonctionner normalement, même après la destruction d'une partie importante de la substance cérébrale.

Chez la plupart des droitiers, on croit que c'est le côté gauche du cerveau qui contrôle les mouvements du côté droit du corps. Si le côté gauche du cerveau est blessé – à

166

la suite d'une attaque d'apoplexie ou d'un traumatisme, par exemple – on peut s'attendre à voir le côté droit du corps frappé de paralysie ou de grande faiblesse. Cependant, le docteur Richard Restak[6] a rapporté un cas fort étonnant. Afin de contrôler ses crises d'épilepsie, une femme de 21 ans avait subi l'ablation chirurgicale de tout le côté gauche du cerveau. Aucune autre forme de thérapie connue ne pouvait venir à bout de son problème. Or, quelques semaines après l'opération, non seulement les crises avaient complètement cessé, mais la jeune femme avait commencé à retrouver le contrôle de son côté droit à tel point qu'elle a pu retourner travailler et reprendre ses activités sociales. D'où pouvaient donc venir les informations motrices destinées au côté droit de son corps, depuis que le côté gauche du cerveau avait pris le chemin du seau du chirurgien?

En 1975, Smith et Sugar[7] ont rapporté un cas similaire. Il s'agit d'un garçon de six ans qui avait subi l'ablation complète de l'hémisphère gauche dans le but de remédier à des crises d'épilepsie incontrôlables. Les neurophysiologistes affirment traditionnellement que le côté gauche du cortex cérébral est responsable de la parole, du raisonnement mathématique et de la pensée logique en général, et que l'hémisphère droit contrôle les formes de pensée intuitive, irrationnelle, non verbale. Or le garçon en question est devenu en grandissant un étudiant particulièrement doué, fort en logique verbale et autres aptitudes langagières – ses résultats aux tests d'intelligence standard étaient supérieurs à la moyenne. L'idée que certaines parties du cerveau seraient étroitement spécialisées semble donc une illusion.

Avec sa théorie selon laquelle le cerveau fonctionne comme un hologramme, Pribram offre une explication élégante – trop élégante même, selon certains neurophysiologistes. Il en reste que l'idée attire bien des spécialistes, ne serait-ce qu'à cause des défauts flagrants du point de vue classique[8].

Comment le cerveau peut-il bien réaliser l'encodage

holographique des informations? Jusqu'à tout récemment, on croyait que les neurones fonctionnaient sur un mode binaire. Ou bien ils déchargent, ou bien ils ne déchargent pas. Entre les décharges, la synapse – l'espace entre deux neurones – reste électrochimiquement «silencieuse». Cependant, cette image a dû être révisée. On sait maintenant que, même entre les moments d'activité, les synapses sont le siège de «potentiels d'ondes lentes» – une activité électrochimique au plus bas niveau. La synapse n'est jamais calme. Elle est comme le Texas avec son vent légendaire dont on dit qu'il n'est pas d'endroit où il ne souffle.

On sait maintenant que la synapse est large d'environ 200 angströms – une distance minuscule à l'intérieur de laquelle des phénomènes quantiques peuvent avoir lieu. Étant donné l'activité électrochimique incessante qui occupe les intervalles entre les 15 à 20 milliards de neurones, dont certains peuvent «décharger» jusqu'à 20 fois par seconde, il se pourrait que des formes d'ondes complexes soient ainsi produites et s'accompagnent des inévitables figures d'interférence. Cela remplirait donc une des conditions nécessaires à l'enregistrement holographique des informations. Cette activité ondulatoire se déroulant partout dans le cortex, il pourrait en résulter un stockage d'information diffus, ce qui expliquerait les cas dont on a déjà parlé, de même que la nature étendue de la mémoire humaine.

Les chercheurs en neurologie ne s'entendent pas sur la vraisemblance de ces possibilités. Certains y opposent même une résistance énorme: les théories holistes sur le fonctionnement du cerveau n'ont pas la faveur des neurophysiologistes orthodoxes. La plupart des scientifiques considèrent comme une fantaisie mystique et absurde l'idée d'un cerveau holographique interprétant un univers holographique. D'autres, par contre, trouvent que cette idée permet de rendre compte de certains cas qui n'ont jamais cadré dans les théories classiques sur le fonctionnement du cerveau humain.

La qualité centrale de l'univers est une forme d'unité: le tout est contenu dans la partie. Cependant, les parties ne sont pas nécessairement distinctes. Elles forment un tout continu qui, selon Bohm, peut être décrit par la mécanique quantique. Et bien que l'on puisse choisir de circonscrire par la pensée certaines parties de l'univers, comme les électrons ou les protons, et leur attribuer des caractéristiques spécifiques – onde ou matière – on aurait tort de négliger la caractéristique la plus importante de cette réalité à facettes: il s'agit d'une «structure unique de liens indivisibles». Cette qualité s'applique fondamentalement à l'espace et au temps. La relativité a montré qu'ils sont indissociables.

L'univers holographique et la santé

On conçoit d'ordinaire qu'au cours de la vie, la santé et la maladie alternent – comme la vague. Il s'agit d'événements qui surviennent dans le temps et s'appliquent à des corps physiques, qui occupent une position donnée dans l'espace. Le corps, fixe dans l'espace et existant à travers le temps, est soit en santé, soit malade. Certes, on peut observer une progression entre ces deux états, mais on les considère fondamentalement comme des phénomènes s'excluant mutuellement.

Mais, comme le dit Bohm, la théorie quantique implique que des éléments séparés dans l'espace sont généralement reliés de manière non locale et non causale. Ces conclusions découlent partiellement des arguments de Einstein, Rosen et Podolsky, ainsi que du théorème de Bell. Si, dans la description moderne du monde, l'espace et le temps sont inséparables, on doit considérer également que *des moments séparés dans le temps sont également reliés de façon non causale et non locale.*

Rappelons une des conséquences du théorème de Bell, mettant en jeu des caractéristiques non locales de l'univers: des objets ayant déjà été en contact, puis séparés – même si on les envoie aux deux bouts de l'univers – demeurent d'une certaine façon en contact permanent, puisque tout changement chez l'un suscite sans délai ni atténuation un changement chez l'autre. C'est là un événement non local, c'est-à-dire que pour causer un tel changement instantané, l'information transmise entre les deux objets doit se déplacer plus rapidement que la lumière. Mais comme il est impossible, dans le cadre de la théorie de la relativité restreinte, d'excéder la vitesse de la lumière, un tel événement est dit non causal – c'est-à-dire qu'il n'est pas causé par le transfert de quelque forme d'énergie que ce soit entre les deux objets.

Bien qu'on ait élaboré ces descriptions pour des objets séparés dans l'*espace,* Bohm affirme que les implications de la théorie quantique, comme on vient de le voir, s'appliquent également à des moments séparés dans le *temps:*

> Le plus important [...] c'est que, d'après la théorie de la relativité, on ne peut plus maintenir une nette distinction entre l'espace et le temps [...]. Ainsi, puisque la théorie quantique implique que des éléments séparés dans l'espace sont généralement des projections, reliées de façon non locale et non causale, d'une réalité comptant un plus grand nombre de dimensions, il s'ensuit que des moments séparés dans le temps sont aussi de telles projections de cette réalité[9].

Nous disions donc que les corps humains sont des objets séparés dans l'espace, et que la santé et la maladie sont des processus qui occupent une suite de moments. Comme tels, ce sont des événements qui s'étendent dans le temps. Et nous donnons de la tête contre le problème suivant: si Bohm a raison de dire que l'univers entier et tout ce qu'il contient ne peuvent être compris que comme une entité inséparable descriptible par la théorie quantique, comment pouvons-nous conserver notre conception ordinaire de ce que les corps, la santé et la maladie signifient vraiment? Les corps humains, séparés dans l'espace, semblent être inséparables du point de vue non local et non causal de la physique moderne; la santé et la maladie, un ensemble de moments séparés dans le temps, revêtent également une intégrité non locale et non causale.

Dans un contexte d'unité quantique, on ne peut plus conserver de distinction absolue entre corps séparés, entre la santé et la maladie. Ceci ne veut pas dire qu'on ne peut pas abstraire ces notions en caractéristiques apparemment discrètes de la réalité. On peut les voir comme des aspects du monde, tout comme les physiciens parlent de la nature ondulatoire ou particulaire des électrons. Mais il faut garder à l'esprit que toute les manifestations de l'univers sont enveloppées dans un tout sans coutures.

Si, dans l'univers moderne, on ne peut dissocier l'espace et le temps, on ne peut non plus faire de distinction entre les corps, la santé et la maladie. Tout comme les électrons ne sont pas des choses – Niels Bohr insistait toujours sur ce point – les corps ne sont pas des choses non plus. Tout comme les électrons n'«ont» pas de nature particulaire ou ondulatoire, de même nos corps n'«ont» pas la santé ou la maladie; ils *sont* ces qualités, qu'on peut décrire plus précisément comme des processus ininterrompus, reliés de façon non locale et non causale, tant dans le temps que dans l'espace.

Toute description moderne du monde doit être le lieu d'une réévaluation de notre façon habituelle de décrire séparément les corps d'abord sains, puis régulièrement assiégés par des épisodes de mauvaise santé, du berceau au tombeau. Si les moments ne peuvent être séparés dans le temps, alors la santé et la maladie non plus. Si les éléments dans l'espace sont inséparables, alors nos corps le sont aussi. Et si le temps et l'espace sont inséparables, alors nos corps ne font qu'un avec la santé et la maladie, qu'on croyait qu'ils «possédaient» alternativement.

On en vient à une vision qui suggère que les corps, la santé et la maladie viennent ensemble, un peu comme le ciel et sa couleur se confondent. Bien qu'on parle parfois de cieux divers, le ciel est une entité inséparable et sans coutures. C'est un tout. Il ne «possède» pas de bleu, de rouge ou de toute autre couleur, car il *est* ce bleu ou ce rouge. Dans le temps, tout comme dans l'espace, le ciel n'a pas de fin. Il ne meurt pas. C'est un tout continu. Il en va de même des corps humains, de la santé et de la maladie.

Comment ces notions d'espace, de temps et de santé se traduisent-elles dans la pratique? Les deux exemples suivants montrent que si on se concentre sur un principe de relation et d'unité, en écartant toute idée de fragmentation et d'isolement, on trouvera la santé.

Dans le cadre d'une étude sur l'application des techniques de rétroaction biologique pour traiter le mal de tête chronique, on demanda d'abord aux sujets de tenir un journal avant d'entreprendre effectivement le traitement. Le but de cet exercice était d'obtenir des données sur la fréquence et l'importance des douleurs afin de pouvoir juger du succès éventuel de cette forme de traitement. Or la plupart des sujets virent leurs maux de tête disparaître dès qu'ils eurent commencé à tenir leur journal[10].

Que s'était-il passé? On considère d'habitude que la maladie – qu'il s'agisse de mal de tête, de pneumonie ou de crise cardiaque – vient de l'extérieur, qu'elle nous «attaque». Le fait de tenir son journal, en notant non seulement la fréquence et la sévérité des symptômes ressentis mais encore les circonstances entourant l'événement, entraîne un changement de perspective. On voit la maladie dans son *contexte* – comportement, alimentation, sommeil, exercice et diverses autres relations avec le monde en général. Le schéma qui en émerge mobilise l'attention du malade, de sorte qu'il ne voit plus son mal de tête comme un intrus venu d'ailleurs, mais plutôt comme une partie d'un processus vital, qu'on peut précisément décrire comme un tout continu. Dans une telle perspective, les séparations spatiales disparaissent. Et comme nous le verrons dans un prochain chapitre, les séparations temporelles sont également transformées: les images mentales mises en œuvre pour «voir» des touts font qu'on délaisse la notion de temps fragmenté en passé, présent et futur, au profit d'un temps ressenti «tout d'un coup», de sorte que les moments individuels perdent toute distinction.

Lors d'une autre expérience, on a enregistré sur bande vidéo des épisodes de la vie familiale d'un groupe d'enfants épileptiques. Au cours de plusieurs de ces épisodes, survinrent des périodes fortement chargées d'émotions. Ces moments étaient souvent suivis d'une crise effective, qui a aussi été enregistrée sur vidéo. On a ensuite présenté les enregistrements aux jeunes malades. Après qu'ils eurent regardé les épisodes et compris la relation entre les événements lourds d'émotions et leurs crises, ils n'ont pratiquement plus eu d'autres crises[11]!

Ces jeunes épileptiques, comme les sujets de l'étude sur les maux de tête, ont fait l'expérience d'une nouvelle vision de leur corps, de leur santé et de leur maladie. L'enregistrement vidéo leur a fourni un point de vue d'où ils pouvaient voir l'épilepsie – dont on supposait l'action indépendante – *en relation* avec le monde en général. Ce point de vue met en évidence que les pensées, les émotions et les sentiments sont tous reliés. Les crises d'épilepsie peuvent être considérées comme le produit d'une entité indissociable qui englobe toute la famille. L'épilepsie n'est plus indépendante, malveillante et extérieure. La présentation de l'enregistrement vidéo suscite une fusion spatiale des personnes et des corps, une expérience riche d'enseignements. Pendant la période de réflexion qui suivit la présentation, les discontinuités temporelles entre les événements passés, présents et futur, qui font partie de l'expérience ordinaire du temps linéaire, étaient atténuées; les moments cessaient d'être séparés dans le temps. Adopter un point de vue mettant en évidence l'unité spatio-temporelle a permis de mettre un terme aux crises. Il s'ensuivit un niveau de santé plus élevé.

Cependant, le problème avec les exemples, c'est qu'on doit utiliser le langage pour décrire des événe-

173

ments qui ne peuvent fondamentalement pas être réduits à une description verbale. La disjonction entre la pensée et le langage n'est pas un problème nouveau pour la science. Les physiciens qui ont développé la théorie quantique, au début du siècle, étaient bien conscients de cette difficulté. Par exemple, on s'est rendu compte que la seule tentative d'évoquer une image mentale d'un électron individuel induisait automatiquement en erreur. Cela parce que, par essence, un électron n'était pas quelque chose de discret puisqu'il manifestait des propriétés qui montraient qu'il était relié à toutes les autres particules existantes. Ces interconnections étaient une caractéristique si prédominante qu'on en vint à douter du sens même du mot «particule». Comment décrire cette qualité? Les problèmes de langage étaient si grands que Niels Bohr a suggéré que beaucoup de nouveaux concepts seraient mieux décrits par des métaphores et dans le langage de la poésie.

Nous sommes confrontés au même problème, avec notre tentative d'illustrer des concepts de l'espace-temps par des exemples cliniques. Le mot «patient» est aussi trompeur que celui de «particule». Toutes les images mentales qui présentent les être humains comme des entités isolées, fondamentales, cliniques, sont inévitablement aussi fausses que la notion de particules subatomiques séparées dans l'espace. Bien que nous continuions à présenter des analogies avec des cas cliniques, nous prions le lecteur de garder à l'esprit que lorsqu'on fait référence à des patients ou à des corps, ces concepts sont porteurs de nouvelles significations: les êtres humains sont des processus essentiellement dynamiques dont il est fondamentalement impossible d'analyser en parties séparées la configuration – tant intérieure qu'extérieure. Comme la santé et la maladie, les êtres humains s'étendent dans le temps et dans l'espace; et le plus important, c'est le fait qu'ils sont reliés entre eux, qu'ils ne font qu'un – et non leur isolement ni leur séparation.

La possibilité d'être chacun un esprit holographique

qui interprète un univers holographique est très séduisante. Ce concept fournit d'emblée une explication au sentiment de ne faire qu'un avec l'univers, une émotion qui se retrouve dans le patrimoine littéraire de toutes les cultures. C'est peut-être la réponse à la question de Whitman: «Des moments et des lieux – qu'ai-je en moi, qui les rencontre tous, partout et toujours, et qui fait que je m'y sens chez moi[12]?»

NOTES:

1. David Bohm, *Wholeness and the Implicate Order,* Londres: Routledge and Kegan Paul, 1980, p. 174-175. (N.D.T. – Dans l'édition corrigée: 1980, p. 175-176.)
2. *Ibid.*, p. 174.
3. *Ibid.*, p. 151.
4. *Ibid.*, p. 174.
5. John Lorber, «Is Your Brain Really Necessary?», *Science* 210:1232-1234.
6. Richard Restak, *Science Digest,* mars 1981, p. 18.
7. Aaron Smith et Oscar Sugar, «Development of above normal language and intelligence 21 years after left hemispherectomy», *Neurology* 25:813-818, septembre 1975.
8. Entrevue avec Karl Pribram par Daniel Goleman, «Holographic Memory», *Psychology Today,* février 1979, p. 71-84.
9. Bohm, *Wholeness and the Implicate Order,* p. 211.
10. B. Brown, *Supermind: The Ultimate Energy,* New York: Harper and Row, 1980, p. 274.
11. *Ibid.*, p. 275.
12. Walt Whitman, «Locations and Times», *Leaves of Grass,* New York: The Modern Library, p. 225.

CHAPITRE 6

Les particules, les personnes, les planètes: pourquoi comparer?

Comme on le comprend aujourd'hui [...], une existence détachée, indépendante, est impossible.

A.N. Whitehead[1]

L'unité est une qualité importante de notre univers. La tendance à concevoir le monde comme un ensemble de parties indépendantes viole les descriptions les plus précises dont nous disposons: celles de la physique moderne. Ces descriptions de l'univers disent qu'une «partie» est une illusion qu'on ne peut comprendre qu'en relation avec toutes les autres parties. On ne peut comprendre les particules subatomiques que par l'observation de leurs relations avec toutes les autres particules subatomiques. Et on peut en dire autant des corps massifs – les planètes, les étoiles, les galaxies.

Et les êtres humains? Nous avons déjà examiné de plusieurs points de vue le principe de l'association avec les membres de sa propre espèce: du niveau des gènes à celui de notre vie quotidienne. Nous avons vu que s'associer à ses semblables est une qualité commune à toutes les formes de vie, des plus primitives aux plus complexes. Chez les humains, cette caractéristique est un facteur critique pour la santé. Le corps humain lui-même démontre ce principe d'association par les échanges continuels qu'il mène avec son environnement. Le corps matériel s'associe à la terre matérielle; on ne peut le dissocier de tout ce qui l'entoure.

Mais la corrélation organique des corps matériels dans l'univers, qui peut être décrite en termes mathématiques, est-elle analogue à celle des êtres humains, qui ne se prête pas à une telle description? On aurait certainement tort de prendre un principe qui a été développé pour un aspect du monde matériel et de l'appliquer sans plus à une facette de la réalité physique qui lui est étrangère. Le problème, c'est qu'on n'a pas de moyen de savoir que la pensée et le comportement humains *sont* étrangers aux événements traités par la physique. Nous n'avons pas l'intention de forcer les concepts de la physique à rendre des services pour lesquels ils n'ont jamais été conçus. Mais comment savoir si on ne le fait pas déjà?

Cela nous ramène à de vieux problèmes. Le bon sens nous dit que les formes d'association entre les corps matériels dans l'univers, comme les atomes ou les planètes, n'ont strictement aucun rapport avec la corrélation entre les êtres humains. Le domaine de la matière, où prévalent les lois de la physique, n'a rien à voir avec celui des associations humaines, où entrent en jeu les émotions et les sentiments.

Mais le bon sens peut nous induire en erreur. Considérons le cas des lapins, dans l'expérience décrite au premier chapitre de la présente section (voir p. 103-104). Les émotions se sont *effectivement* traduites par des changements physiques vérifiables. Considérons de même les effets de la corrélation entre humains sur la mortalité, *toutes* causes confondues (voir p. 108). Il est clair que le monde des émotions et des sentiments est relié au monde matériel, parce que ces qualités suscitent des changements que tout chercheur est capable de mesurer.

Le théorème de Bell (voir p. 155) met également en évidence la corrélation entre la conscience humaine et le monde observé. Avec ce théorème, on se bute contre un autre aspect interactif de la réalité: on ne peut pas considérer la conscience humaine et le monde matériel comme des entités distinctes et séparées. Ce qu'on appelle la réalité physique, le monde extérieur, est mis en forme – dans une certaine mesure – par la pensée humaine. Répétons-le, toute tentative de définir la réalité en fonction de parties indépendantes – la matière physique et la conscience humaine – est vouée à l'échec. Moralité: on ne peut pas séparer notre existence propre de celle du monde qui nous entoure. Nous sommes intimement associés non seulement avec la terre que nous habitons, mais avec les parties les plus éloignées du cosmos.

L'homme dans le cosmos

On a longtemps entendu dire, surtout d'un point de vue religieux, que le cosmos avait été créé *pour* nous. Il a été conçu comme un domicile confortable pour la vie. Pendant des siècles, cette idée a rassuré les multitudes. C'est peut-être la plus vieille explication de la relation de l'homme avec l'univers qu'il habite. Cependant, il existe un autre point de vue selon lequel l'univers et la vie humaine sont indissociables l'un de l'autre. C'est parce qu'il est ce qu'il est que nous sommes ce que nous sommes. De ce point de vue, cela n'a pas de sens de séparer l'homme *de* l'univers, de tenter de l'analyser comme on le ferait d'un insecte qu'on aurait extrait de son environnement pour l'épingler sur une planche à dissection, dans un laboratoire de biologie.

Un exemple emprunté à Davies[2] illustre bien cette relation. On sait que la taille de l'univers n'est pas fixe. D'après la cosmologie moderne, l'univers est en expansion; ce processus aurait commencé au moment du «big bang», quand toute la substance concentrée de l'univers a explosé. On considère que l'univers est né à ce moment; il serait donc âgé d'environ 14 milliards d'années.

Bien qu'un nombre de cette importance échappe presque à notre compréhension, il est absolument crucial pour expliquer notre existence propre. Notre structure vitale dépend du carbone synthétisé non sur la terre, mais dans des étoiles éloignées. La durée de vie de ces étoiles était de plusieurs milliards d'années. Elles finissaient par exploser, dispersant leur matière dans l'univers. Une partie de cette matière a abouti sur la terre.

La vie sur terre n'a évidemment pas surgi du jour au lendemain; il a fallu des milliards d'années encore pour qu'elle évolue à partir des prérequis élémentaires. L'évolution est extrêmement lente: les formations géologiques inscrites dans la croûte terrestre en témoignent. Des techniques utilisant le carbone radioactif permettent de dater avec précision ces archives fossilisées. D'après ces données, on a été drôlement longtemps dans la chaîne de montage.

Si l'univers était beaucoup plus jeune qu'il ne l'est, la vie sur terre ne pourrait pas exister. Les matériaux de base ne seraient pas disponibles, et il ne se serait pas écoulé assez de temps pour lancer tous les faux départs nécessaires pour que l'évolution finisse par produire la vie consciente sur terre.

Le fait que nous sommes là pour l'observer a donc un lien avec l'âge de l'univers. Davies suggère aussi que puisque l'univers est en expansion, non seulement son âge mais aussi sa taille sont liés à la vie humaine. Il énumère d'autres qualités de l'univers, comme sa température, auxquelles a également rapport le fait que l'homme existe. Si l'âge, la taille ou la température de l'univers étaient autres, nous n'existerions pas.

C'est une curieuse propriété de la pensée humaine que de persister à croire que quelque chose de spécial se produit à notre niveau sur la terre. On doit s'assurer de sa propre importance. Bien des civilisations se renvoient cet écho: nous sommes ici et l'univers est là, dehors. Ou bien il a été conçu pour nous (conception plus intéressante pour les religions), ou bien nous sommes quelque anomalie capricieuse à la dérive dans une étendue sans dieu. Pas étonnant que ce dernier point de vue ait eu peu d'adeptes au cours des âges.

Il semble qu'on n'a jamais vraiment songé à la possibilité d'un moyen terme. Mais maintenant, la cosmologie moderne suggère que les caractéristiques de la vie humaine sont liées aux propriétés du cosmos. On a toujours cru qu'une telle association était dégradante pour la vie humaine, qu'elle la rendait froide, insensée, sans but. On peut maintenant inverser ie raisonnement: si l'homme est effectivement spécial, l'univers l'est donc aussi, tellement l'existence de l'un et celle de l'autre sont interdépendantes. Gregory Bateson défendait ce point de vue: «Dans la mesure où nous sommes un processus mental, nous devons nous attendre à ce que le monde naturel fasse montre, dans la même mesure, de qualités semblablement mentales[3].»

Mais nous persistons à ne pas voir qui nous sommes réellement. On dirait que l'esprit humain est vexé quand il réalise ses vraies affinités avec l'univers dans lequel il se trouve. Il nous est difficile de comprendre notre union indissoluble avec le cosmos. Pour faciliter la compréhension de ce fait, Alan Watts avait constamment recours à l'analogie, affirmant à sa manière typiquement concise, orientale, que les montagnes ne sont pas *faites* de pierre, qu'elles *sont* la pierre; que les rivières ne sont pas *faites* avec de l'eau, qu'elles *sont* l'eau. La cosmologie moderne va peut-être mettre en évidence de la même façon un fait excessivement simple, quoique profond: nous ne sommes pas *faits* de fragments de l'univers, nous *sommes* cet univers.

Le paradoxe de la perception: l'unité dans la diversité

Le fait que nous sommes inséparables du monde qui nous entoure se manifeste de différentes manières, dont nous avons rarement conscience. En particulier, l'acte élémentaire de la perception fournit des preuves de cette unité.

Nous croyons d'habitude que nos perceptions ont rapport à *quelque chose*. Nous percevons des événements qui sont extérieurs à nous. C'est une caractéristique typique de notre attitude occidentale que de dissocier celui qui perçoit de ce qui est perçu: la connaissance est quelque chose qui s'acquiert, qui vient d'une source extérieure. Comme si notre appareil perceptif était en dehors du monde.

Le biologiste Davenport a quelque peu remis en question cette relation entre nos êtres conscients et perceptifs et le monde que nous occupons. Il a observé que nous n'étions capables de perception que lorsqu'une *différence* surgissait – un contraste dans le monde qui nous entoure. Sans contrastes, il n'y aurait jamais de perception. Davenport disait donc:

Si nous examinons les expériences à partir desquelles notre connaissance du monde se construit, nous pouvons voir qu'elles consistent en divers types de différences. Sans différence, il ne peut y avoir de perception. L'expérience de la différence est fondamentale pour notre notion d'existence, dont le nom est dérivé du latin *ex sistere,* qui signifie «être à part», c'est-à-dire «être différent» [...]. Pour être valable, une épistémologie doit être fondée sur la reconnaissance que, puisque toutes les propriétés doivent être perçues comme des différences, le monde matériel n'existe pour nous qu'en termes de relations [...]. Il est important de reconnaître la nature de l'expérience qui soustend la connaissance pour comprendre que la réalité physique n'existe pas devant nous comme objet d'étude mais qu'elle *émerge de notre conscience pendant notre expérience changeante au sein de la nature*[4].

L'appareil visuel de certaines espèces de grenouilles illustre clairement ce phénomène. Assise tranquillement, regardant un environnement où rien ne bouge, la grenouille ne tire pas beaucoup d'informations des stimuli visuels qu'elle reçoit. Ce n'est que si un mouvement – c'est-à-dire un contraste – se produit, qu'elle aura une excitation visuelle. Le mouvement d'une mouche en vol est détecté avec une précision surprenante par la grenouille, qui peut transformer ce «contraste» en un bon repas.

Ce processus est au cœur de toute perception sensorielle. Les contrastes dans le monde qui nous entoure sont le substrat de toute connaissance perceptive. Bertrand Russell avait suggéré cette idée en observant que, même si on n'a aucune idée de qui a découvert l'eau, on peut être certain que ce n'était pas un poisson. S'il n'y avait pas assez de contraste dans notre environnement, nous serions aveugles au monde.

Que dire de la relation qui existe entre notre propre conscience et le monde qu'elle perçoit? Le concept de conscience est certainement lié à notre notion de la perception – autrement dit, il est difficile, sinon impossible, de croire à une conscience dépourvue de contenu. On doit être conscient de *quelque chose* – semble-t-il –, pour être le moindrement conscient. Mais – nous l'avons vu – les perceptions sont liées au monde, puisqu'elles ne peuvent exister sans qu'il ne se soit produit un contraste dans le monde lui-même. Notre conscience et le monde semblent donc liés à un point tel qu'il n'est peut-être pas possible de les concevoir séparément. Cela ne signifie pas que notre conscience *est* le monde extérieur, ni que le monde lui-même *est* conscient, mais que toute tentative de conférer un statut indépendant à l'un ou à l'autre est vaine.

Notre conscience, dont la vraie signification est issue de la perception, est inséparable du monde où surviennent les contrastes qui donnent lieu à la perception. Nous sommes indissociables de l'univers qui nous entoure dans notre qualité la plus subtile: la conscience elle-même.

Quoique nous qualifiions souvent certaines qualités, comme la conscience, de «propres à l'homme». On en parle comme si ces caractéristiques n'existaient que dans les cerveaux humains, qu'on ne les partageait pas avec les autres espèces, qu'elles n'appartenaient même pas au monde extérieur. Il faut remettre en question cette distinction puisque toute perception est liée à des con-

182

trastes survenant dans le monde qui nous entoure. Nos perceptions conscientes ne tiennent pas toutes seules; il serait donc tout aussi exact de dire que la conscience humaine n'est pas moins «propre au monde» qu'elle est «propre à l'homme».

L'unité de perception

L'idée que notre appareil perceptif, notre cerveau, acquiert la connaissance comme une amibe absorbant une particule de nourriture est profondément enracinée en nous. Cela reflète bien l'orientation sujet-objet que nous donnons à l'idée que nous nous faisons de notre place dans le monde. Cependant, ce point de vue n'est pas cohérent avec l'unité intrinsèque entre ce qui perçoit et ce qui est perçu – une relation que nous avons déjà examinée. Pour accepter le concept d'unité avec le monde, il nous faut dépasser la pensée dichotomique qui insiste sur les notions de sujet et d'objet. C'est une tâche bien difficile. L'idée que nous sommes tout à fait à part de ce que nous percevons dans le monde qui nous entoure est une illusion d'une persistance extraordinaire.

Une façon d'embrasser ce nouveau mode de pensée est de considérer la notion d'unité de perception – la combinaison de la faculté de perception et de ce qui est perçu. L'unité de perception, c'est l'entité formée de la conscience et du monde qui l'entoure, dans une relation fondamentale et irréductible.

La répétition, la pureté et la science

À plusieurs reprises, au cours des chapitres précédents, nous avons comparé des événements qui surviennent dans la nature avec des phénomènes qui appartiennent au monde de notre expérience quotidienne. Nous avons fait des analogies entre la corrélation organique de toutes les particules subatomiques et celle des êtres humains, ainsi qu'entre l'unité implicite dans le domaine de l'infiniment petit dans la nature, et l'unité de l'homme avec le cosmos dont il fait partie.

Ces comparaisons auront peut-être scandalisé les puristes. Ils répliqueront qu'on ne connaît pas de règle raisonnable qui permette de lier le monde subatomique inerte à celui de l'expérience humaine. Les atomes sont des atomes et les hommes sont des hommes, et ils sont aussi étrangers les uns aux autres que le jour et la nuit, que le vivant et le non-vivant. Nous avons commis le péché capital de mêler des descriptions scientifiques objectives au monde de l'expérience humaine qui, par essence, est imprégné de valeurs subjectives.

Je crois que ces critiques classiques et prévisibles sont injustifiées. En fait, les comparaisons en question ne visent pas tant à mêler le subjectif et l'objectif qu'à identifier des modèles répétés dans la nature. Peut-on identifier dans la nature une forme de régularité qui se produise à différents niveaux d'organisation? Peut-on découvrir un principe d'unité général? La nature ne se conforme certainement pas toujours aux notions préconçues de netteté scientifique; donc, si on persiste à croire qu'un principe d'unité ne peut pas exister sur le plan de l'expérience humaine, bien qu'il en existe pour les atomes, cela équivaut à exiger que la nature se conforme à nos préjugés.

En fait, dans l'histoire de la science moderne, la quête de parallèles entre certaines qualités de l'expérience humaine et le comportement de la nature s'est avérée extraordinairement fructueuse. C'est la recherche de modèles, de séquences, de régularité, qui a mené Mendeleïev à découvrir le tableau périodique des éléments. Cette découverte est toute contaminée par les qualités humaines de répétition, modèle et régularité: faut-il l'abandonner? Il est effectivement impossible de garder notre science libre de toute qualité humaine. On en voit sans cesse surgir dans la nature. Et les scientifiques – même les meilleurs – insèrent souvent dans leur image du monde matériel des descriptions qui évoquent des qualités présentes dans les activités ordinaires de l'homme.

Cela n'est nulle part plus évident que chez les chercheurs en physique corpusculaire, dans leur quête des quarks. C'est en 1964 que le physicien Murray Gell-Mann proposa le terme de «quark» pour désigner ces hypothétiques corpuscules qui seraient les plus petites sous-unités de la matière. Tous les laboratoires de physique corpusculaire du monde se sont lancés passionnément à la «chasse au quark». Comme l'existence de ces particules se faisait plus certaine, on créa une nomenclature pour les désigner. On ne les nomma pas Quark I, II, III, ni Quark A, B, C. On a plutôt choisi les termes les plus audacieux: *haut, bas, étrangeté*, *charme* et *beauté*. (La plupart des physiciens croient qu'il doit y avoir un sixième quark, pour faire trois paires symétriques. Ce corpuscule sera le partenaire de *beauté,* et s'appellera *vérité.*)

Ces termes, tout comme «quark» lui-même, semblent absolument fantaisistes. Mais il se trouve des enthousiastes, tant au sein de la communauté des physiciens qu'à l'extérieur, pour applaudir l'usage effronté de ces termes, même s'ils prêtent malicieusement des qualités humaines (le *charme,* en particulier!) à des choses qui n'ont sans doute pas à en avoir. Si on les presse, les physiciens nieront évidemment qu'il y ait là quelque intention sérieuse. Ils diront que n'importe quel fou sait qu'on ne pense pas réellement que le monde subatomique est apparenté à celui des qualités humaines. Mais je n'en suis pas si sûr. Il n'y a certainement rien qui empêchait de choisir des termes neutres, tout comme on l'avait fait jusqu'ici pour décrire les particules subatomiques: électrons, protons, neutrons, ou particules alpha, bêta, gamma. Mais charme, beauté et vérité!

Je ne prétend pas savoir ce que les physiciens pensent vraiment de ces questions. Mais je crois, cependant, que tous – les scientifiques et ceux qui n'en sont pas –, nous ressentons des sentiments d'unité avec le monde qui nous entoure. Ces sentiments se manifestent notamment quand les physiciens trouvent acceptable de donner à des

---

*   D'après la phrase suivante de Sir Francis Bacon: «Il n'y a pas de beauté excellente qui n'ait quelque *étrangeté* de proportions.»

particules subatomiques des noms qui suggèrent des qualités humaines. Ce sont également ces sentiments qui poussent les scientifiques à trouver des modèles et des symétries dans la nature – toute l'entreprise scientifique se fonde sur ce besoin.

Mythe classique d'une science classique: la science est détachée et impartiale

Toujours est-il que la plupart des scientifiques ne digèrent pas l'idée que l'unité des particules subatomiques est similaire à la sorte d'unité qui relie les êtres humains. C'est une espèce de trahison. Cela pervertit le sens de l'objectivité scientifique. C'est de l'anthropomorphisme éhonté. Cela laisse la porte ouverte à toutes sortes de superstitions – non content de voir de l'unité dans le monde matériel, on verra bientôt des fantômes et des lutins.

Je crois que ces objections se révéleront non fondées, et qu'il faudra finir par admettre que nos descriptions de la nature doivent porter la marque de notre conscience. Nous sommes certes capable de filtrer notre image du monde pour en éliminer les superstitions les plus crasses – comme les fantômes et les lutins, et les anges qui actionnent des manettes pour faire tourner le monde – mais nous ne gratterons jamais jusqu'où la science classique voudrait que nous allions. Nous n'atteindrons jamais ce qu'exige l'orthodoxie scientifique – une description de la nature qui soit claire, objective, impartiale, pure. C'est la leçon de la physique quantique, comme l'a exprimée Heisenberg:

> Les lois de la nature formulées mathématiquement dans la théorie quantique ne concernent plus les particules élémentaires elles-mêmes mais la connaissance qu'on en a. [...]
>
> Le concept de réalité objective [...] s'est évaporé dans des [...] équations mathématiques qui représentent non plus le comportement des particules élémentaires, mais plutôt la connaissance de ce comportement[5].

Nous ne pouvons pas mettre directement le doigt sur la nature; nous sommes forcés, comme l'a dit Heisenberg, de nous accommoder d'abstractions *de* la nature. Il ne s'agit donc plus de se demander si on a le droit de faire des comparaisons entre un monde objectif (les atomes et les particules subatomiques) et un monde subjectif (les pensées et les sentiments humains). La science moderne nous a montré que l'objectivité rigoureuse n'existe plus, depuis que le monde *n'existe plus pour nous comme un objet.* L'objectivité pure, libre de toute valeur humaine, est une illusion. Le physicien et prix Nobel Eugene Wigner s'est fait l'ardent défenseur de cette position: il affirme même que les objets matériels et les valeurs spirituelles partagent une même sorte de réalité[6].

Est-ce que ces caractéristiques subjectives de la nature ne s'appliquent qu'au monde microscopique de la réalité quantique? Probablement pas. Comme l'a relevé Wigner, rien n'indique que la précision de la mécanique quantique diminue avec l'augmentation de la taille des systèmes étudiés, et «la frontière entre les systèmes microscopiques et macroscopiques n'est certainement pas très nette[7].»

La biologie quantique

Pour leur part, les biologistes sont très réticents à appliquer à des systèmes biologiques des concepts tirés de la physique moderne. Les biologistes les physiologistes et les médecins sont tous convaincus que la physique moderne décrit des phénomènes qui ne concernent que des événements subatomiques, et qui sont donc essentiellement inapplicables au monde macroscopique qu'habitent les êtres vivants. On peut bien appliquer les concepts quantiques aux neutrinos, aux protons ou aux quarks, mais pas aux chiens ou aux chats ni aux êtres humains. C'est dans le langage de la chimie, pas dans celui de la physique, qu'on peut décrire les macromolécules géantes qu'on trouve dans le corps humain – des enzymes extrêmement complexes, par exemple.

Comme l'a relevé Capra, ce point de vue est fortement biaisé. Mais il n'est pas courant de reconnaître que les phénomènes quantiques concernent effectivement les événements ordinaires de la vie quotidienne:

La solidité de la matière, par exemple, le fait qu'on ne puisse pas passer à travers les murs et les portes, est une conséquence directe de la réalité quantique. C'est quelque chose qui vient de ce que les atomes offrent une certaine résistance à la compression, résistance que la physique classique ne peut expliquer[8].

Les biologistes ont trop longtemps cru à l'existence parallèle de deux mondes séparés: celui des choses vivantes, que seul le langage de la chimie peut décrire, et le monde microscopique, non vivant, des atomes et de leurs composants, que décrit le langage de la physique quantique. Rares sont les biologistes qui se rendent compte que l'application potentielle des concepts de la physique quantique au monde biologique était visible presque depuis l'éclosion de la théorie quantique. Heisenberg, une personnalité importante dans ce domaine, reprend les termes de Bohr à ce sujet: «Il n'est pas douteux qu'on va finir par joindre les concepts de la biologie à ceux de la mécanique quantique [...]. Peut-être que la richesse des formes mathématiques cachées dans la mécanique quantique est assez grande pour englober les formes biologiques[9].»

L'annexion prévue par Bohr a été bien longue à se réaliser*. Les concepts modernes décrivant comment les événements les plus élémentaires surviennent dans le corps humain sentent très fort la mécanique, pas la physique quantique. On explique beaucoup d'activités biolo-

---

* À titre d'exemple des débuts actuels de l'interpénétration de la mécanique quantique et de la biologie, mentionnons qu'en juin 1980, Jack Peter Green et Harel Weinstein, deux chercheurs de la section de pharmacologie du Mount Sinai School of Medicine de l'université de la ville de New York, ont organisé une conférence sur la chimie quantique en biomédecine. Les actes de la rencontre ont été publiés et constituent le volume 367 de *The Annals of the New York Academy of Sciences*.

giques à l'aide du concept des centres récepteurs – des endroits spécifiques dans un tissu qui reconnaissent au passage certaines molécules et s'y attachent, amorçant ainsi un effet physiologique donné. Par exemple, certaines cellules de l'estomac, les cellules pariétales, ont des centres récepteurs qui ont une affinité spécifique à l'histamine. Quand une molécule d'histamine s'y attache, une suite complexe d'événements biochimiques est déclenchée, provoquant finalement la sécrétion d'acide chlorhydrique par la cellule pariétale.

On sait maintenant que c'est de cette façon générale que la plupart des interactions moléculaires se produisent dans le corps – une molécule se pose en un endroit précis, ce qui démarre une chaîne d'événements biochimiques. Nous avons des centres récepteurs non seulement pour l'histamine, mais pour une myriade d'autres substances, comme l'insuline, diverses hormones digestives, l'adrénaline, etc. Comme une clef qui tourne dans une serrure, ces interactions mettent en branle la chimie infiniment complexe du corps.

Parce qu'il a permis d'élaborer des médicaments spécifiques qui se sont avérés efficaces contre certains processus morbides, ce modèle général semble des plus puissants. Les pharmacologistes ont réussi à synthétiser des produits chimiques qui ressemblent à certaines des «clefs», mais qui bloquent les «serrures», les centres récepteurs, empêchant ainsi la capture des vraies molécules messagères. Par exemple, la cimétidine, médicament très courant qui ressemble à l'histamine, est capable de se poser dans les centres récepteurs d'histamine des cellules pariétales de l'estomac et de les bloquer, ce qui entraîne une baisse de la sécrétion d'acide chlorhydrique. Ce médicament, qui a rendu un grand service aux personnes affligées d'un ulcère à l'estomac, n'est qu'un exemple des accomplissements de la pharmacologie moderne.

À l'époque des premiers développements de la pharmacologie moderne, on croyait que la *forme* de la molécule messagère et de celles qui constituaient le centre récepteur était cruciale. Seule la géométrie pouvait expliquer ces concepts de clefs et de serrures. La seule chose qu'on trouvait importante, quand deux molécules se rencontraient, c'était la configuration spatiale. On concevait les molécules comme de rigides assemblages d'atomes – les angles et la longueur des liens étaient figés – qui pouvaient s'emboîter ici et là, dans des niches spécifiquement conçues pour accommoder leurs configurations particulières. Là encore, la mécanique était souveraine – sauf que cette fois, la machine ressemblait à ce jouet tout simple où les trous ronds ne peuvent recevoir que les objets ronds et jamais les carrés ou les triangles.

Comment les concepts de la mécanique quantique peuvent-ils bien s'appliquer à la physiologie? Les spécialistes de la physique quantique ne s'occupent pas de formes, mais de champs. Dans le cadre de la mécanique quantique, les molécules ne sont plus ces entités aux angles rigides, formées de boules et de petits bâtons, mais des entités dont les électrons engendrent une force plus ou moins grande à un endroit donné, un peu comme un aimant. C'est la composition et la conformation des divers champs de force, à l'intérieur et autour des molécules, qui déterminent si deux molécules qui se rencontrent s'attireront ou se repousseront. Cette relation de force et champ est évidemment assez différente de la conception simpliste – le cube va dans le trou carré – qui ne se base que sur des considérations géométriques. Dans le cadre du concept quantique, les électrons d'une molécule exercent une force sur les électrons d'une autre molécule – ce qui change leur configuration et donc leur champ de force –, et vice versa. C'est cette distorsion mutuelle qui détermine si deux molécules vont ensemble[10].

Alors, la physique quantique concerne-t-elle les systèmes vivants? Si, pour décrire le fonctionnement du corps humain, on est prêt à aller plus loin que les conceptions habituelles, qui font intervenir des clefs et des serrures, ou des boules et des bâtonnets, il semble que oui. Comme l'affirment Green et Weinstein:

Bien que les informations dont nous disposons sur ces molécules géantes [les enzymes] viennent de sources expérimentales diverses – spectroscopie, physicochimie, biochimie, cinétique – toutes ces données, aussi détaillées et variées soient-elles, peuvent être formulées dans le langage de la mécanique quantique, ce qui nous permet de comprendre les principes qui sous-tendent le comportement de millions d'interactions différentes[11].

La question de l'applicabilité de la mécanique quantique aux organismes vivants ne fait pas que mettre en jeu l'existence d'une nouvelle théorie de l'interaction des médicaments et des centres récepteurs. Elle nous oblige, en fait, à faire face à une conceptualisation tout à fait nouvelle de l'intérieur de notre corps, qui le présente sous un jour radicalement différent de la machine à laquelle on était habitué. La théorie quantique a renversé le mécanisme d'horloge de Newton – l'univers déterministe et ses éléments semblables à des boules de billard – pour ériger à la place un cosmos avec des notions d'espace, de temps, de masse et de causalité de nature différente. Si la physique quantique a soulevé une telle révolution dans notre conception de la nature de tout l'univers matériel, on peut s'attendre à ce qu'elle suscite aussi d'étonnantes transformations dans l'idée que nous avons de notre être psychophysiologique, qui est justement une expression *de* cet univers.

Nous ne devrions peut-être pas nous étonner de voir la physique quantique faire des incursions dans le domaine de la biologie et de la physiologie. La physique quantique est la description du monde physique la plus précise jamais découverte. Or, après tout, il n'y a qu'*un* monde, et nous en faisons partie. Nous n'aurions peut-être jamais dû croire que la meilleure description du monde pourrait se passer de nous.

L'esthétique, les valeurs et la science
En science, on ne vit pas dans deux mondes: l'objectif et

le non objectif. Bien que le charme d'un quark ne soit pas tout à fait le même que le charme de l'être aimé, il existe des modèles, des régularités, qui couvrent effectivement les deux mondes. On a trop longtemps dédaigné la quête de ces modèles. Ce faisant, on s'est probablement privé d'une grande sagesse et du réconfort qu'elle aurait procuré. Nous avons *besoin* de faire des comparaisons entre des objets matériels et le monde des pensées et des sentiments humains. Si on y manque, cela peut entraîner un grand appauvrissement spirituel. Wigner souligne bien ce point: «Quand j'ai pris conscience que les objets matériels et les valeurs spirituelles partagent une même sorte de réalité, cela a contribué dans une certaine mesure à ma tranquillité d'esprit [...]. Quoi qu'il en soit, c'est le seul point de vue connu qui soit cohérent avec la mécanique quantique[12].»

Il est un terrain sur lequel les scientifiques de la plus grande envergure ont toujours laissé les valeurs humaines se mêler au contenu d'une science supposément objective: celui de l'esthétique. La notion que la pensée rationnelle est intrinsèquement belle est très ancienne; et à l'heure actuelle, elle fait quasiment l'unanimité chez les scientifiques. On attend d'une théorie scientifique acceptable qu'elle se conforme à l'idéal esthétique qu'est la simplicité. Les modèles réguliers, la symétrie dans la nature, font partie de l'esthétique scientifique. On évite soigneusement toute complexité inutile, tout détour, dans les descriptions. Une description de la nature qui contrevient à cet idéal est fort suspecte.

Cette idée remonte au moins à l'antiquité grecque. Il y a plus de deux mille ans, Pythagore proclamait que Dieu ne faisait que de la géométrie. Les mathématiciens contemporains n'oseraient certes pas aller si loin, mais ils ne répugnent pas à mêler les mathématiques et les valeurs subjectives. Le mathématicien français Poincaré, par exemple, affirmait que le charme des mathématiques résidait essentiellement dans leur beauté intrinsèque. Einstein aussi croyait fermement que l'univers portait la signature du Créateur. C'est la compréhension de l'harmonie intrinsèque de la nature qui l'a conduit – dit-il – à ses révélations. En fait, c'est parce qu'il trouvait que la théorie quantique s'était mise à accorder trop d'importance au hasard que Einstein l'avait prise en grippe. Il a cru jusqu'à sa mort que cette théorie était défectueuse et incomplète. Il a résumé ses objections en une phrase célèbre: «Dieu ne joue pas aux dés.» Comme beaucoup de grands hommes de science avant lui, Einstein semblait à l'aise pour faire des comparaisons entre la pensée humaine et la pensée divine, et s'attendait à trouver, dans le comportement du monde, des preuves des points qu'elles avaient en commun. Pour lui, ce n'était absolument pas de l'anthropomorphisme de pacotille. Il trouvait tout à fait légitime cette façon d'aborder la compréhension de la nature – *tellement* légitime qu'on aurait dit qu'il voulait mettre la théorie scientifique au service de l'esthétique et des valeurs; et non l'inverse, comme la science classique en a l'habitude.

La question de l'ordre de grandeur

Rien n'est plus absurde – dit-on – que de faire des extrapolations à partir du comportement des particules subatomiques pour comprendre celui des êtres humains, tellement la différence de taille est fantastique. Le monde de l'atome est un fantôme qu'on ne peut appréhender sans instruments. Mais il est pourtant évident que le comportement des particules subatomiques a *quelque chose* à voir avec le comportement humain (sans compter, pour le moment, l'association la plus évidente: nos corps sont composés de ces particules). Considérons la situation suivante: un homme est confiné dans une pièce tout à fait obscure. On lui a demandé d'appuyer sur un bouton chaque fois qu'il voit de la lumière. Au bout de plusieurs heures, ses yeux se seront adaptés à l'obscurité, et sa capacité de percevoir les signaux lumineux sera à son maximum. Les changements physiologiques qui surviennent lors d'un tel processus d'adaptation sont extrêmement complexes et efficaces de sorte qu'après plusieurs heures dans l'obscurité complète, le sujet est capable de percevoir même un *seul* photon, une unité élémentaire de lumière.

Dans la chambre noire, un appareil spécial émet un photon isolé. Il vise l'œil du sujet, il «brille» sur sa rétine d'où il déclenche une série d'événements électrochimiques élaborés. Le lien neurologique entre la rétine et la région du cortex cérébral qui perçoit consciemment la lumière est finalement activé. Le résultat final de cette chaîne d'événements est probablement une pensée: «Je vois de la lumière.» Le sujet peut ensuite utiliser cette pensée simple pour fonder une action – pour changer son comportement –; il appuiera sur le bouton, comme on le lui avait demandé.

Dans cet exemple, il est clair que le comportement d'une particule subatomique, un seul photon, influence le comportement d'un homme. Par surcroît, même la *pensée consciente* du sujet («je vois de la lumière») est liée au comportement d'une unique particule. Il n'est pas difficile d'étendre cette analogie. Les atomes d'oxygène, sans lesquels le cerveau humain commence à dégénérer au bout de quatre minutes, sont essentiels pour que notre corps – et notre cerveau – puissent se nourrir. Non seulement le *comportement* des êtres humains dépend-il de celui des atomes d'oxygène, mais la vie elle-même serait impossible sans oxygène.

Le fer – symbole de la matière inerte, morte – est aussi crucial pour la vie humaine. Si on en manque, le corps cesse de synthétiser les molécules d'hémoglobine. Sans hémoglobine, qui est le porteur d'oxygène dans le corps, tous les événements qui ont besoin d'oxygène échouent. Une telle déficience se solde non seulement par des changements de comportement, mais peut-être même par la mort. C'est donc parce que les atomes de fer se comportent comme ils le font que le corps humain fonctionne comme il le fait.

Les exemples du genre sont légion. Ils illustrent tous

que, malgré la distance inimaginable qui sépare la taille des êtres humains de celle des particules subatomiques, leurs comportements sont indissociables.

Ces associations entre la physiologie humaine et la chimie des éléments ont beau me sembler évidentes, elles sont encore souvent l'objet d'une curieuse résistance. Cette résistance est d'une nature très inattendue: elle semble profondément incohérente. Il est courant d'entendre les personnes les plus sensées, les plus humaines, celles sur lesquelles on fonde les espoirs les plus élevés pour notre planète et notre espèce, prôner les notions d'unité entre tous les êtres humains, et entre les êtres humains et le cosmos, tout en répudiant du même souffle toute notion d'unité avec ce qu'ils considèrent comme un monde inerte, mort – comme les atomes de fer. L'idée de l'unité des êtres humains, de même que celle de leur unité avec des corps célestes de plus grande taille, comme les étoiles et les galaxies, est acceptable; mais celle de l'unité des humains et des plus petites choses de l'univers ne l'est pas. On dirait qu'on applique une échelle de respectabilité: la notion d'unité dépendrait directement de la taille. Les corps célestes gigantesques évoquent de grands sentiments d'unité, mais pas les entités microscopiques. C'est comme si on ne pouvait pas aimer ce qu'on ne peut pas voir.

Cette attitude d'accorder les faveurs en fonction de la taille cosmique est très répandue parmi les humanistes les plus fervents. Pourquoi? Je crois qu'une partie de l'explication réside dans la crainte du réductionnisme – il faut résister à tout prix aux efforts de la science classique qui tente de réduire toutes les qualités humaines à de simples fonctions d'atomes morts. L'ombre qu'a fait planer le réductionnisme a rendu inacceptable l'idée de nous identifier, avec nos émotions, aux infiniment petits dans la nature. Ce faisant, on serait volontairement le jouet des réductionnistes. Peu importe si les étoiles, les galaxies et le cosmos, qui évoquent des sentiments d'unité et de transcendance, sont constitués de ces mêmes particules subatomiques! D'après les tenants de ce point de vue, il n'est légitime de s'identifier qu'aux éléments à l'échelle du cosmos, et à nos semblables. Par quelque étrange logique tordue, on justifie ses émotions les plus élevées en fonction de la taille des choses. Je crois que cette notion n'est fondée ni sur la raison, ni sur aucune capacité de transcendance, mais sur une résistance scrupuleuse à la plaie qu'on considère qu'une science réductionniste serait.

Il existe encore d'autres formes de relations, rarement remarquées, entre le comportement humain et celui des plus petits éléments du monde. L'exemple suivant, tiré de l'histoire de la science moderne, montre peut-être plus clairement comment les scientifiques acceptent sans discussion – bien qu'ils refusent de le reconnaître – la relation implicite entre le domaine du comportement humain et le monde de l'infiniment petit.

C'est en 1945 que le bactériologiste écossais sir Alexander Fleming a reçu le prix Nobel de médecine pour sa découverte de la pénicilline. Il s'agit d'une de ces découvertes remarquables, non seulement pour leur mérite scientifique, mais en vertu de leur importance pour toute l'espèce humaine. Comme pour bien des découvertes du genre, le début de l'histoire est d'une simplicité presque honteuse – un accident de laboratoire. Fleming avait remarqué qu'un contenant employé pour cultiver des bactéries avait été contaminé par une moisissure verdâtre. Les bactéries s'étaient multipliées autour de la moisissure; mais curieusement, celle-ci en était isolée par une zone toute claire, comme si une barrière empêchait les bactéries de l'atteindre. Fleming s'est dit que la moisissure fabriquait peut-être une substance qui inhibait la croissance des intruses. Des expériences plus poussées lui ont effectivement permis d'isoler cette substance: la pénicilline, nommée d'après la moisissure *Penicillium notatum*.

Imaginons ce qui se serait passé si Fleming avait appliqué la vision étroite selon laquelle il n'existe aucune association pertinente entre le monde microscopique des particules subatomiques et le niveau du comportement humain. Il aurait pu se dire: «Cette observation, aussi intéressante soit-elle, ne peut avoir de conséquence pour l'homme. Elle concerne un monde séparé du nôtre: le monde des bactéries et des champignons. Ce monde est trop éloigné du nôtre pour être de quelque importance pour nous. De plus, ce sont les lois de la bactériologie qui le régissent, et ces lois ont été élaborées pour les bactéries, par pour les humains. Il serait bien imprudent de les extrapoler dans les affaires des hommes – ce serait de la folie pure, de la bien mauvaise science. Ce sont les lois de la bactériologie, pas de la psychologie, et elles n'ont rien à voir avec les affaires humaines.»

Un tel point de vue est, certes, absurde: les bactériologistes et les mycologues n'entretiennent évidemment (et heureusement) pas de telles réflexions. Mais c'est effectivement l'idée que dissimulent les scientifiques en général, quand ils persistent à vouloir conserver une séparation rigide entre les niveaux d'organisation dans l'univers, peu importe la distance qui les sépare. Dans la pratique, par contre, comme l'illustre la découverte de Fleming, les scientifiques eux-mêmes ont l'air d'agir comme si les différences de taille n'avaient effectivement pas d'importance. Ils présument qu'on *peut,* dans les niveaux d'organisation inférieurs à l'homme, trouver des choses qui le concernent.

L'idée que les électrons, les protons ou les neutrons – tous non vivants – ne peuvent pas avoir d'effet sur l'homme alors que les bactéries vivantes le peuvent semble pourtant difficile à défendre. Comme l'a fait remarquer le biologiste Delbruck[13], à mesure qu'on descend d'un niveau d'organisation, dans la nature, on ne trouve pas de frontière nette entre le monde des vivants et celui des non-vivants. On peut, certes, considérer que les bactéries sont vivantes et que les molécules isolées sont mortes, mais que peut-on dire des virus, par exemple? Ces «êtres» primitifs défient toute classification facile;

ils constituent une question épineuse pour ceux qui insistent pour diviser la nature en deux classes rigides: les «vivants» et les «non-vivants». Les virus sont composés d'une agglomération de molécules d'ADN entourée d'une gaine de protéines. Ces créatures élémentaires n'ont aucun moyen de se reproduire par elles-mêmes; elles dépendent pour cela des processus vitaux d'êtres plus complexes – nous, par exemple. Il semble donc tout à fait arbitraire de vouloir tirer une ligne entre les vivants et les non-vivants. Comme Delbruck, le physicien David Bohm[14] affirme que le monde des non-vivants est une fiction.

Les poètes et les mystiques comprennent l'unité entre le monde des vivants et celui des non-vivants. Leur histoire est vraiment une histoire de l'affinité de l'esprit humain pour le cosmos entier. C'est un émoi ancien, qui s'exprime dans le langage de la science, comme chez Delbruck et Davenport. Rustrum est également partisan de cette idée historique:

> Pourquoi [...] nous dissocier d'un simple atome sous nos pieds? [...] À quoi sert de présumer, pour sauver l'honneur, que la vie humaine est plus importante que les autres formes de vie dans tout le cosmos? Ne pouvons-nous pas exalter toute forme de vie sans perdre notre propre prestige? Ne constituons-nous pas une partie du tout[15]?

La recherche de la cohérence

Nous avons vu, tout au long de la troisième partie du présent ouvrage, que la vie sur terre ne pourrait exister si ce n'était de toutes les caractéristiques de l'univers éloigné. Les éléments qui constituent notre corps ont été taillés dans les étoiles. L'évolution dépend d'une certaine quantité de mutations, attribuables pour la plupart au bombardement des formes de vie par les rayons cosmiques. N'était cette pluie invisible et silencieuse, la vie telle qu'on la connaît n'existerait pas sur la terre. Nous ne serions pas ici, maintenant, pas plus que nous ne pouvons continuer à vivre sans le reste de l'univers autour de nous.

Non seulement sommes-nous matériellement et morphologiquement liés à l'écologie de l'univers, mais le comportement physique de nos corps et de tout ce qui nous entoure dépend des caractéristiques des niveaux d'organisation supérieurs à l'homme. C'est ce qu'enseigne le principe de Mach. Les lois physiques qui régissent le moindre pas que nous faisons, même le clignement d'un œil, sont déterminées par la composition du cosmos.

Cette profonde leçon de la science moderne est étrangement étonnante. En effet, le but de la science – croyons-nous – est d'analyser la nature, de sonder ses secrets, de la détailler. Le mot «analyse» n'est-il pas dérivé du grec *analyein,* qui signifie «décomposer»? Pas étonnant, donc, que la science soit considérée par les profanes comme quelque chose de menaçant, qui ne peut causer que fragmentation, isolement et destruction. C'est dans la nature intrinsèque de la science que de diviser le monde en petits morceaux. Il serait fort étonnant de la voir se mettre à aller dans le sens de l'unité cosmique.

La science moderne ne fait pas que décrire l'homme en termes des caractéristiques du cosmos: elle suggère également que l'univers est ce qu'il est parce que nous sommes ce que nous sommes. Beaucoup de spécialistes de la physique moderne mettent cette implication au cœur de leur interprétation. De ce point de vue, un univers fixe et objectif est une illusion. Comme l'a dit d'Espagnat, croire à une réalité immuable et objective contredit non seulement la théorie quantique, mais également les faits expérimentaux[16].

Notre façon d'influencer la «forme» de l'univers vise-t-elle les aspects à l'échelle du cosmos, ou les mondes microscopiques que nous ne pouvons percevoir directement? Probablement les deux. Le théorème de Bell – nous l'avons vu – laisse entendre que l'activité humaine consciente influence le comportement des particules subatomiques, à preuve les expériences de laboratoire. Mais nous pourrions tout aussi bien influencer les événements grandioses qui ont cours dans l'univers.

Le physicien H.P. Stapp, un des principaux spécialistes des questions soulevées par le théorème de Bell, affirme que la conscience humaine est un facteur déterminant dont dépendent les caractéristiques du monde «réel». Pour lui, le théorème de Bell est le résultat le plus important de toute l'histoire des sciences, parce qu'il démontre l'effet de la conscience humaine *au niveau macroscopique.*

Notre conscience a des retombées tant sur le plan du très grand que sur celui du très petit. L'épée de la conscience tranche tant du côté des galaxies que de celui des atomes. Dans le courant dynamique des associations qui existent à tous les niveaux d'organisation du cosmos, dans lequel la conscience affecte les événements dans l'univers tout en étant affectée par eux, celle-ci apparaît semblable à l'épée mystérieuse d'un koan zen: dans l'acte de couper, elle coupe et elle est coupée en même temps.

Compte tenu du courant d'information apparemment omnidirectionnel dans l'univers, courant dans lequel les êtres humains conscients semblent enveloppés, il serait étonnant que le comportement des particules subatomiques ne soit pas lié à celui des hommes. Il s'agit bien ici d'une lutte pour la cohérence. Puisque nous consentons à entretenir des interactions bidirectionnelles avec les caractéristiques à l'échelle du cosmos, puisque nous consentons à explorer comment la conscience de l'homme peut même déterminer le cours des événements du monde subatomique, allons-nous refuser de croire que notre expérience quotidienne puisse aussi avoir rapport avec ce qui se passe dans le monde subatomique?

Diverses raisons me poussent à entretenir cette idée – l'une d'elles, et non la moindre, étant la cohérence. Compte tenu des modèles de relations que la science a déjà mis au jour, on *devait* s'attendre à l'existence de ces associations. Je suis conscient, toutefois, que ni la logique, ni d'innombrables histoires de photons et de pénicilline ne suffiront à convaincre les sceptiques inflexibles, déterminés à rester sur leur position, qui disent que ceux qui font des analogies entre les atomes et les hommes joignent imprudemment la science impartiale et les valeurs humaines, lesquelles, comme l'huile et l'eau, sont immiscibles. À tout prendre, je trouve difficile de conclure que nous vivons dans un univers immiscible. La règle semble plutôt être aux aspects miscibles et organiques. Comme Wigner, je crois que les objets matériels et les valeurs spirituelles partagent une même réalité. Pour moi, la fusion des objets matériels et des valeurs humaines est une preuve de plus de cette qualité universelle.

Dans la quatrième partie, nous tenterons donc de construire un nouveau modèle de la santé, de la maladie, de la naissance et de la mort, dans un effort pour traduire en termes humains les descriptions de la réalité subatomique. La vision relativiste de l'espace-temps sera mise à contribution. Je crois que le modèle qui en émergera sera cohérent non seulement avec notre description théorique du comportement du monde, mais également avec l'expérience humaine.

L'unité et les modèles de la santé

Les modèles de la santé dont nous disposons actuellement suggèrent que nous nous trouvons dans un univers auquel nous n'appartenons pas, dans lequel nous avons été jetés par accident. Notre existence même est le résultat de mutations aléatoires, dans un environnement hostile. On ignore ce qui a lancé la chaîne de la vie; c'est peut-être quelque accident chimique qu'on pourrait ne jamais élucider. Nous combattons désespérément la maladie. Nous n'avons pas eu le choix de naître, et nous n'avons pas d'autre choix que de finir par mourir, le tout dans un univers lui-même destiné à mourir un jour.

À l'opposé de cette vision de la place de l'homme dans l'univers, la théorie des structures dissipatives met en évidence un principe organisateur qui fonctionne à tous les niveaux dans l'univers. Ce principe, ou quelque chose qui lui ressemble, a fini par donner la vie – un événement «à contre courant» qui est devenu de plus en plus complexe, défiant la tendance à l'entropie, à l'écoulement, que manifeste l'univers considéré comme un tout. Dans cet univers, la maladie peut certes se produire, mais elle offre aux êtres humains ce que toute perturbation naturelle offre: la chance d'évoluer pour passer à un nouveau niveau de complexité psychophysiologique. La maladie n'est plus une tragédie indiscutable. Sans elle – nous l'avons vu – les mécanismes de survie de notre espèce, comme notre capacité immunitaire, ne se seraient jamais développés; car sans défis, sans perturbations, il ne peut se produire de passage à de nouveaux niveaux de richesse intérieure.

Dans ce contexte, la maladie est liée à la vie et au progrès. La vie comme nous la connaissons *a besoin* de la maladie. La maladie n'est plus un sombre prélude à la mort. Elle est plutôt devenue le précurseur de la vie.

Les principes d'unité que nous ont révélés le théorème de Bell et les corrélations observées dans la biodanse nous emportent loin de la frontière de l'univers menaçant de Monod. Essentiellement, cela dit que compte tenu de l'incroyable richesse des contacts que chaque être humain entretient avec tout l'univers *ainsi* qu'avec chaque autre être humain, notre concept de la mort est erroné. Dans un univers d'unité, la mort est impossible. La richesse des corrélations fait que l'extinction personnelle est impossible, parce que *l'extinction personnelle n'est possible que dans un univers d'isolement personnel*. Or ce n'est pas dans un tel univers que nous vivons.

Le fait de ne pas percevoir l'unité universelle qui nous enveloppe tous perpétue la plus grande illusion de l'homme moderne, qui croit que l'extinction personnelle est inévitable. C'est l'appréciation de cette qualité de l'univers – qualité si bien décrite par la science moderne – qui seule peut dissiper cette illusion.

On peut abandonner l'idée récente selon laquelle le

néant suit inévitablement la mort. Il n'y a en fait aucune raison de croire que la mort d'un homme annule l'unité dans l'univers. Si nous participons de cette qualité universelle avant la mort, notre survie après la mort est *obligatoire*. Le principe d'unité demeure, et nous avec:

Une seule Nature parfaite et pénétrant toutes choses, circule dans toutes les natures,
Une seule Réalité comprenant toutes choses, renferme en elle-même toutes les réalités.

Yung-chia Ta-shih[17]

NOTES:

1. A.N. Whitehead, *Nature and Life,* Londres: Cambridge University Press, 1934, p. 30.
2. P.C.W. Davies, *Space and Time in the Modern Universe,* Cambridge: Cambridge University Press, 1977, p. 212.
3 G. Bateson, *Mind and Nature: A Necessary Unity,* New York: E.P. Dutton, 1979.
4. R. Davenport, *An Outline of Animal Development,* Reading, Mass.: Addison-Wesley, 1979, p. 33.
5. W. Heisenberg, *Daedalus* 87:99, 1958.
6. E. Wigner, *Symmetries and Reflections,* Woodbridge, Connecticut: Ox Bow Press, 1979, p. 192.
7. *Ibid.*, p. 180.
8. F. Capra, «The physicist and the mystic—is a dialogue between them possible?», *ReVision* 4:1, 1981, p. 44.
9. J.P. Green et H. Weinstein, «Quantum mechanics can account for the affinities of drugs and receptors», *The Sciences*, septembre 1981, p. 27.
10. *Ibid.*, p. 28.
11. *Ibid.*, p. 29.
12. Wigner, *Symmetries and Reflections,* p. 192.
13. M. Delbruck, «Mind from Matter?», *The American Scholar,* juin: 339:353, 1978.
14. David Bohm, «A conversation with David Bohm», *ReVision* 4:1, 1981, p. 26.
15. C. Rustrum, *The Wilderness Life.*
16. D'Espagnat, «The Quantum Theory and Reality», p. 158.
17. Cité dans Aldous Huxley, *La Philosophie éternelle (Philosophia Perennis),* traduit de l'anglais par Jules Castier, Paris: Plon, 1948, p. 9-10.

Géométrie sacrée

IV

Synthèse

CHAPITRE PREMIER

La santé et l'espace-temps

[...] Nous ne devons pas parler de quelque esprit ou intelligence qui appartiendrait à la nature – parce que c'est tabou. Les choses ne seraient-elles pas plus simples si on consentait à enfreindre le tabou et à admettre que ce qu'on appelle l'inconscient est en fait l'essence de la nature et de nous-mêmes?

Owen Barfield[1]

La santé: point de vue classique

Si nous devions décrire toutes les suppositions quotidiennes sur lesquelles nous basons nos pensées concernant les questions de santé, quelle sorte de tableau en tirerions-nous? Premièrement, nous dirions peut-être que notre corps est un objet. Il est assez évident pour la plupart des gens qu'il occupe un espace spécifique qu'il ne partage pas avec d'autres corps. Dans ce sens, c'est une unité isolée, indépendante, qui se démarque de tous les autres corps existants.

De plus, le corps est matériel. Comme tout le reste, il est composé de pièces: les atomes. Ces atomes assemblés forment des configurations spécifiques et, d'une façon qui nous est mystérieuse, acquièrent la propriété que nous appelons la vie. Cette propriété – croyons-nous – n'est pas donnée à la plupart des autres objets de l'univers, qu'on considère séparés en deux catégories: les vivants et les non-vivants.

Une des caractéristiques les plus évidentes des corps est que non seulement leur existence est circonscrite à un espace spécifique, mais leur durée aussi est limitée. Les corps finissent tous par mourir. La vie, cette qualité indéfinissable, cesse avec la mort du corps matériel. Il ne peut en être autrement, car les corps sont isolés les uns des autres dans le temps comme dans l'espace; la vie de chacun s'éteint donc quand le corps individuel qui la possède meurt.

Bien que la configuration d'un corps soit détruite quand il meurt, la matière qui le constituait persiste. Comme toute autre matière, elle est absolue. Elle ne peut être créée ni détruite.

Les corps existent – c'est assez évident – dans un temps composé d'un passé, d'un présent et d'un futur. C'est un fait indéniable que la naissance et la mort se produisent dans ce courant. Ces événements ne se produisent jamais deux fois. La naissance et la mort sont les pôles de la vie, les deux lignes de démarcation de notre existence.

Les événements de la vie surviennent apparemment dans le cours du temps. Un de ces événements, la maladie, serait dû à des défaillances des molécules qui composent le corps. Ce sont des molécules individuelles constituant des corps individuels qui causent la maladie; celle-ci est donc un processus individuel. La maladie – comme les corps – est donc circonscrite dans l'espace et dans le temps.

La santé, comme la maladie – supposons-nous –, est semblablement localisée dans le corps et dans l'expérience de personnes spécifiques et isolées. C'est un processus individuel et strictement personnel. Bien que la santé et la maladie suscitent certainement des expériences psychologiques, elles sont essentiellement des phénomènes physiques, puisqu'elles sont l'expression d'événements qui se passent au fond de notre structure physique, dans les molécules qui la composent.

Nous aimons la santé et nous avons la maladie en horreur. Nous acceptons donc d'emblée l'idée que la santé est un événement positif, et la maladie, un événement négatif.

Puisque la maladie affecte des corps individuels, toute action thérapeutique vise des personnes individuelles. Il serait manifestement absurde de traiter une personne pour la maladie d'une autre. Les soins, comme la maladie, doivent être localisés; ils doivent viser les problèmes spécifiques qui affectent des patients spécifiques.

Puisque la maladie est le résultat de dérangements objectifs dans notre structure physique, les soins eux-mêmes doivent être objectifs. Les défaillances physiques requièrent des interventions physiques, car tout processus morbide est un phénomène entièrement physique. La maladie est l'affaire du corps; elle se distingue assez nettement des événements psychologiques. Il y a certes des cas évidents d'interaction entre l'esprit et le corps, mais la question accablante de la souffrance humaine et de la maladie est essentiellement physique. Quand des événements psychologiques paraissent dans l'équation de la santé, leur intervention est d'habitude une interférence. On reconnaît la réalité de la maladie psychosomatique; elle illustre bien l'hypothèse selon laquelle c'est le plus souvent pour nuire que l'esprit s'immisce dans les questions de maladie.

Puisque la santé, comme la maladie, est localisée dans un corps individuel, l'entretien de la santé est une affaire individuelle. Ce qu'on fait pour améliorer sa santé ou pour la détruire est une question personnelle, puisque les effets en sont circonscrits dans un corps isolé.

Dans une plage bien déterminée du cours du temps, la vie est un événement qui ne se produit qu'une fois. Sa durée est donc d'une importance capitale: on veut vivre le plus longtemps possible. C'est le but premier de tous nos efforts pour demeurer en santé. De même, une vie courte est tout à fait tragique. La mort est un événement final, absolu – l'ennemi de la vie. On doit lui résister à tout prix. Les professionnels de la santé ont pour mission première de la vaincre, ainsi que d'exterminer la souffrance, qui est en soi un événement menaçant, malveillant, négatif.

Cette description générale des événements que sont la naissance, la mort, la santé et la maladie ne fait certes pas l'unanimité, mais elle cadre néanmoins avec les conceptions de la plupart des gens. Il devrait être d'ores et déjà évident qu'elle se base sur un point de vue particulier du monde, largement conforme au sens commun. Ses caractéristiques principales sont l'idée du temps qui passe, l'idée que toute matière est composée de particules discrètes, que leur comportement est régi par les lois inflexibles de la causalité, que la matière existe indépendamment de l'espace, et que l'espace n'est pas influencé par le temps. Une caractéristique interpénétrante de ce point de vue est la fragmentation, l'isolement. Les corps – comme les atomes dans leur conception classique – se tiennent tout seuls, dans le temps comme dans l'espace. Ils forment certes des configurations, mais ils sont fondamentalement des unités distinctes. La corrélation n'est considérée qu'en termes de l'interaction de pièces essentiellement séparées.

Les limites du point de vue classique sur la santé

Les limites de cette vision du monde commencent à paraître. Ce sont les déficiences flagrantes du modèle classique qui ont suscité la grande révolution qui a secoué le monde de la physique au cours de notre siècle. Peu importe, en effet, si l'image qu'on avait du monde était conforme au bon sens. Quand on l'a mise au banc d'essai, les critiques scientifiques ont bien vu qu'elle était incomplète. Il a donc fallu réviser radicalement la description de Newton, réviser toutes les hypothèses – la nature de l'espace, du temps, de la matière et de la causalité. Toutes ces notions ont été refondues et coulées dans de nouveaux moules. Et bien qu'elles échappent à la perception sensorielle, les nouvelles descriptions se sont avérées incroyablement précises: aucune expérience n'a encore réussi à infirmer la vision du fonctionnement du monde donnée par la théorie des quanta et par celle de la relativité.

Si nos conceptions ordinaires de la vie, de la mort, de la santé et de la maladie sont fondées sur la physique du XVIIᵉ siècle, et que cette physique a été abandonnée en faveur d'une description plus exacte de la nature, la question suivante s'impose: ne devrions-nous pas redéfinir ces conceptions aussi? Si on refuse d'accepter cette conséquence, on se trouve à favoriser le dogme aux dépens de l'évolution des connaissances. Par surcroît, la vision moderne du monde permet – comme nous le verrons – de construire un modèle de la santé qui soit aussi humain que le point de vue ordinaire est grotesque. Nous n'avons rien à perdre à réévaluer les suppositions sur lesquelles se fonde le modèle classique de la santé: au contraire, cela nous permet d'envisager la possibilité extraordinaire de façonner un système qui mette l'accent sur la vie plutôt que sur la mort, sur l'unité au lieu de la fragmentation, de l'obscurité et de l'isolement.

C'est parce que je crois que le nouveau modèle de la santé doit reposer solidement sur les nouvelles notions d'espace et de temps fournies par la physique moderne que je l'ai appelé modèle «spatio-temporel». De quoi peut-il avoir l'air?

Le modèle spatio-temporel de la santé

Pour commencer, le corps cesse de paraître un simple objet entouré d'espace vide. Nous savons que les caractéristiques, tant des corps massifs – les corps humains, par exemple – que de l'espace qui les entoure, sont interdépendantes. Ni l'espace ni la matière ne sont absolus. La matière n'est pas séparée de l'espace qui l'entoure, l'espace n'est pas séparé de la matière qu'il contient.

Cette relation est vraie non seulement pour un corps

vu comme un objet de 70 kilos, mais aussi quand le corps est considéré au point de vue de ses atomes. Les atomes ne se tiennent pas tout seuls: ils entretiennent des relations dynamiques avec tous les autres atomes. Ces relations entre «particules» sont telles qu'il est difficile, voire problématique, de définir ce qu'est une particule. Les physiciens disent que tout atome est, par essence, lié à tous les autres atomes de l'univers. Non seulement le comportement de tout atome est théoriquement affecté par celui de tous les autres, mais la réciproque est aussi vraie: chaque atome, par son propre comportement, exerce une influence sur tous les autres atomes, aussi loin soient-ils. Comme le disait Eddington: «Quand l'électron vibre, l'univers tremble.» Les parties du corps paraissent donc plus comme des configurations et des processus que comme des entités discrètes. Si on ne peut plus attribuer de qualité objective aux atomes du corps, il est soudainement fort problématique de continuer à considérer le corps lui-même comme un objet séparé de tous les autres corps matériels dans l'espace et dans le temps.

Le flot virtuel d'éléments qui entrent dans le corps et en sortent assure son renouvellement total, jusqu'au moindre atome, en quelques années. Ce processus, la biodanse, est un courant incessant reliant non seulement les corps qui vivent présentement, mais aussi ceux qui ont vécu par le passé. Même du point de vue de la biologie fondamentale et de la physiologie, le corps fonctionnerait donc plus comme une configuration, comme un processus que comme un objet isolé. Les corps ne sont pas fixes; ils sont vivants dans l'espace et dans le temps. La frontière du moi physique, la peau, est une illusion. Ce n'est pas du tout une frontière: elle est constamment régénérée en quelques jours. Cette «frontière», solide au toucher, ne cesse de s'effacer, de se reformer pour s'effacer à nouveau, dans la ronde incessante de la biodanse. Qu'on le scrute sur le plan du tout ou sur celui de ses parties constituantes, le corps ne peut donc pas être vu comme un objet.

212

La santé peut être considérée comme un phénomène partagé, vu que tous les corps interagissent les uns avec les autres dans ce processus. La santé n'est pas qu'une affaire individuelle. Comme la maladie, elle peut se propager. Les efforts pour entretenir la santé transcendent donc l'action des individus. Ce qu'*une* personne fait pour améliorer – ou diminuer – sa santé a des conséquences vitales pour *toutes* les autres personnes.

De la même façon, les soins ne peuvent jamais viser qu'un seul individu. Les efforts des médecins *semblent* seulement s'appliquer à des patients individuels, vu que tous les corps sont reliés dans la dynamique du partage des éléments. Les soins individuels sont une mascarade, une duperie de la part du médecin. Les soins ont des retombées sur toutes les personnes puisqu'il n'existe, d'une certaine façon, qu'un seul corps qui, par un flot incessant d'événements associés, s'exprime par l'illusion des formes de vie individuelles.

Puisqu'il ne peut exister de démarcations dans un temps non linéaire qui ne s'écoule pas, le passé, le présent et le futur deviennent des divisions arbitraires. La façon ordinaire de marquer la vie à ses pôles par la naissance et la mort devient suspecte. On peut certes considérer la naissance et la mort comme des événements aux deux bouts du déroulement asymétrique qu'on appelle la vie, mais cela ne doit pas leur donner le statut de commencement et de fin ultime. La mort est caduque. Le but ordinaire des soins – prévenir le moment de la mort – ne peut plus servir de motif aux efforts soi-disant rationnels des médecins et des patients, car il n'y a plus de fin ultime à laquelle échapper. Le sentiment de toujours être pressé s'atténue, maintenant que le cours du temps est compris comme un événement psychologique qui ne représente pas une caractéristique réelle du monde matériel. Nous cessons de nous autodétruire, de souffrir de ce «mal du temps» qui donne l'impression que le temps s'écoule, qu'on va en manquer, qu'on approche de la fin.

Et, puisque tous les corps occupent le même espace et ont la même durée, grâce à des processus physiques dynamiques, la notion de mort individuelle est absurde. Parce que les corps ne sont *pas* individuels, mais plutôt des processus vivants, partagés, seule la mort collective de tous pourrait en éteindre l'un quelconque. Pour qu'*un* meure, *tous* doivent mourir. Toute la configuration, tous les entrecroisements doivent être interrompus – pas seulement les processus individuels. Cependant, quand on considère cette éventualité avec le temps non linéaire comme toile de fond, on voit que même la rupture de tous les processus vivants ne serait pas la fin ultime car cela n'aurait de sens que dans le courant du temps linéaire, composé d'un passé, d'un présent et d'un futur. Dans l'espace-temps, la notion de finalité est transcendée. Nous pouvons donc oublier la mort et le spectre des peurs, des souffrances et du déclin inexorable de la vie qui l'accompagnent.

La vie n'appartient pas à des corps isolés. Elle est une propriété de tout l'univers lié, comme tout corps vivant, à toutes les autres choses. Nous nous considérons non plus comme une anomalie, comme une étincelle de vie échouée sur une galaxie mineure dans un univers hostile, mais comme l'expression resplendissante d'une qualité universelle: la vie elle-même.

On peut abandonner le point de vue de la biomédecine classique sur la théorie moléculaire de la genèse des maladies. On reconnaît maintenant qu'il ne se produit jamais de dérangement isolé au niveau des atomes. On s'entend sur le fait que toutes les informations sont toujours transmises partout. Les relations de causalité bien nettes qu'on croyait caractéristiques de toutes les maladies humaines s'effacent pour laisser transparaître des chaînes de répercussions ininterrompues. La théorie moléculaire de la genèse des maladies n'est plus qu'une description imagée et démodée. Il n'y a jamais de cause discrète localisée dans des corps individuels, pour la simple raison qu'il n'existe pas de corps discrets, individuels.

Le but de la médecine classique – des soins absolument objectifs appliqués avec précision aux causes de toutes les maladies – est transcendé. Nous savons que nous ne pouvons pas nous démarquer de la nature, que nous sommes incapables d'intervention objective. D'après le principe d'incertitude de Heisenberg, il en est effectivement ainsi pour les plus petits corps matériels – les électrons, par exemple. Toute interaction suscite des changements – que ce soit entre un chercheur et l'objet de son observation, ou entre un médecin et son patient. L'interaction de deux êtres humains suscite d'authentiques perturbations dans l'état psychophysiologique de chacun. En vertu de ces interactions, la neutralité dans les soins est une illusion. Que nous ayons jamais cru cela possible reflète jusqu'à quel point nous ignorions nos liens.

Maintenant, pour tenir compte de la corrélation profonde entre la conscience et le monde matériel, plutôt que de tenter d'*atténuer* la subjectivité dans le processus thérapeutique, nous essayons de la *maximiser*, car nous y voyons une force de changement efficace. Nous croyons en outre que le changement peut être amorcé tant par les patients que par des thérapeutes professionnels. Tout malade a donc le potentiel d'être son propre médecin. C'est cela, la démocratisation des soins.

Puisque nous rejetons l'idée du corps pris comme un objet, notre notion de patient change: on ne le considère plus comme un objet «à qui» ou «pour qui» on fait quelque chose. Le patient et son thérapeute forment une unité dans les processus qui relient tous les êtres. Les soins dirigés sur le patient sont en fait un boomerang: ils affectent le thérapeute en même temps que le patient. Soigner un patient, c'est donc se soigner soi-même.

La maladie n'est plus considérée comme quelque chose d'entièrement négatif. La santé n'est pas totalement positive non plus. En fait, la distinction entre les deux commence à être floue. Pourquoi? C'est que nous en sommes venus à voir qu'il était impossible de concevoir l'existence localisée d'événements comme la santé ou la maladie – c'est-à-dire que de tels événements sont reliés à tout ce qui se passe dans l'univers et qu'ils en dépendent. Un tel degré de corrélation organique laisse entendre que les notions de «bon», de «mauvais», de «santé» ou de «maladie» sont en fait des jugements capricieux et arbitraires. On n'attache plus tellement de valeur à la santé et à la maladie. Plutôt que de considérer ces états comme bons ou mauvais, on se bornera à dire qu'ils sont simplement l'expression de notre condition du moment. Il ne s'agit cependant pas d'accepter aveuglément et passivement cet état: nous pouvons toujours agir pour qu'il change. C'est simplement un sentiment né de la reconnaissance de l'unité et de l'interpénétration de toutes choses.

On ne considère plus que la longueur de la vie est d'importance critique. Une vie longue n'a pas plus de valeur intrinsèque qu'une vie courte. Une vie courte n'est pas tragique – même si on continuera à faire en sorte de préserver la vie. C'est simplement que la longueur de la vie n'a pas de sens, parce qu'il n'y a pas de temps linéaire qui passe. Les efforts que l'on fait, les soins qu'on prodigue, ne sont plus désespérés. Pour nous, il n'y a pas de fin ultime. Nous avons échappé à la rivière du Temps. Le temps n'est plus le «tyran dévorant tout» qu'on croyait.

En effet, qu'est-ce que la mort? Le corps est «dématérialisé». La matière n'est plus absolue. Elle peut se transmuter en énergie, et vice versa. Le modèle grotesque de la mort exigeait que la matière soit absolue, indépendante de tout le reste. Avec le nouveau modèle de la santé, on considère que la matière vient du vide qui contient l'énergie, et qu'elle y retourne. D'après des expériences récentes, de telles transfigurations se produisent constamment dans toute la matière. Cette navette incessante entre le monde des formes et celui de l'absence de forme ne se limite pas à ce qu'on a arbitrairement défini comme le monde de la matière vivante, et ne s'interrompt pas avec la «mort» d'un être.

Nous ne considérons même plus que nous occupons

une place déterminée dans l'espace et dans le temps. ⁷

Puisque nous sommes en corrélation avec tous les autres corps, que nous appartenons à un courant incessant d'événements qui se produisent dans l'espace-temps, nous nous considérons donc non comme des corps fixés dans le temps en différents points, mais comme des configurations changeant sans cesse, pour lesquelles des termes descriptifs précis sont tout à fait impropres.

La nécessité d'un nouveau modèle de la santé

Pourquoi voulons-nous tenter d'exprimer les processus humains de la santé et de la maladie en fonction des nouveaux points de vue offerts par la physique quantique et la relativité? D'abord, comme l'a observé le physicien Wheeler, *tout* est quantifié à un certain niveau: «Au fond, le monde est un monde quantique; et tout système est inévitablement un système quantique[2].» Cela suppose qu'il faudrait en venir à ce que notre conception du fonctionnement du corps tienne compte des événements quantiques et des aspects probabilistes et statistiques du monde subatomique. Pour le moment, la plupart des biologistes pensent encore que les événements subatomiques sont trop petits pour être de quelque importance pratique. Certains scientifiques vont jusqu'à rejeter catégoriquement toute tentative de mêler la physique quantique et les recherches en biologie; ils expriment leur point de vue avec tellement d'emphase qu'il prend l'allure d'un préjugé. («Les électrons et les êtres humains, ce n'est pas la même chose.») Cette attitude ne sied pas très bien à un homme de science. Autant dire que le principe du vol est un phénomène naturel qui ne s'applique qu'à des choses minuscules comme les oiseaux-mouches ou les abeilles mais ne concerne pas du tout l'homme, qui ne pourrait jamais être porté par des molécules d'air invisibles.

En fouillant au plus profond de notre être, il semble que nous n'échapperons pas aux événements quantiques. Niels Bohr a proposé l'idée que la pensée consciente met en jeu des échanges d'énergie tellement ténus que seule la physique quantique peut la décrire adéquatement. Plus récemment, Walker[3] a fait une première tentative de description quantique de la conscience. C'est un travail d'éclaireur, une première avancée en eaux troubles, dont la signification réside dans la direction vers laquelle il pointe: dans ses tentatives d'explorer son corps et son esprit, l'homme ne peut pas échapper indéfiniment au monde des quanta.

Notre compréhension élémentaire des événements neurophysiologiques qui ont lieu dans le cerveau va dans le même sens. Pendant des décennies, on a considéré le cerveau comme un montage de fils métalliques – les neurones fonctionnant comme des conduites d'information électrochimique, un peu comme un fil métallique conduit l'électricité. Dans le cadre de ce modèle, les synapses – les jonctions entre les neurones – sont des interstices par lesquels l'information est transmise d'un neurone au suivant. Cet appareil fonctionnerait sur un mode binaire: ou bien le neurone «décharge», ou bien il ne fait rien. La situation semble maintenant beaucoup plus complexe. Loin de rester toute silencieuse entre les décharges, la synapse serait le site de ce qu'on appelle des potentiels d'ondes lentes. Une espèce de conversation électrochimique – parfois très animée, sinon au moins sous forme de chuchotements – y est toujours en cours. L'idée classique du fonctionnement en mode binaire est inadéquate pour expliquer ces événements, qui – semble-t-il – mettent en jeu des niveaux d'énergie où les phénomènes quantiques deviennent décisifs. On aurait donc besoin du concept des quanta pour comprendre les mécanismes énergétiques fondamentaux du cerveau[4].

Loin d'être invisibles, les événements quantiques peuvent s'introduire dans notre vie d'une façon très évidente. Nous avons vu que, d'après le théorème de Bell, une décision consciente peut déterminer l'issue d'une expérience. On aurait tort de considérer cette

218

découverte comme une banalité de laboratoire. Henry P. Stapp en a bien souligné l'importance:

Le plus important, à propos du théorème de Bell, c'est qu'il place clairement le dilemme posé par les phénomènes quantiques dans le monde des phénomènes macroscopiques. [...] il montre que nos idées ordinaires sur le monde ont de profondes lacunes, d'une certaine façon, même au niveau macroscopique[5].

Le théorème de Bell concerne donc notre vie quotidienne. Pourquoi n'est-ce pas plus évident? Les effets en sont-ils si petits que nous ne puissions nous en rendre compte? S'ils existent, sont-ils trop insignifiants pour qu'on s'en soucie? Ce serait une conclusion trop rapide que de croire que ces événements n'ont aucun sens pour nous, seulement parce que nous n'en avons pas conscience. Après tout, personne ne s'est jamais «rendu compte» de la gravité – seulement de ses effets. Nos vies sont remplies de phénomènes dont on ne peut que supposer la cause. Si on dénigre le théorème de Bell en disant qu'il n'a aucune importance sur le plan de l'expérience humaine, on commet la même erreur de logique que l'ichtyologiste qui, après avoir dragué tout l'océan avec un filet dont les mailles ont trois centimètres, conclurait que l'océan ne contient aucune créature vivante qui ait moins de trois centimètres de diamètre. Dans notre recherche des effets quotidiens des phénomènes quantiques, comme ceux qui découlent du théorème de Bell, il faudrait peut-être simplement resserrer les mailles de notre filet perceptif.

Dans la vie, on trouve sans cesse des exemples aussi curieux que celui de l'ichtyologiste. Dans les années 60, on décrivit pour la première fois un nouveau syndrome qu'on appela le coma hyperosmolaire. On lui attribua des causes diverses. C'était un problème sérieux, souvent fatal. La diffusion de sa description fut suivie d'une avalanche de rapports de cas de cette maladie, après quoi on eut vite fait de reconnaître que c'était un problème très répandu. Une question déconcertante se posait: où cette maladie se cachait-elle avant qu'on ne la remarque? Comment avait-elle pu nous échapper? Comment s'était-on passé si longtemps d'une maladie aussi spectaculaire? On s'entend maintenant pour dire qu'elle existait certainement bien avant qu'on la remarque, et que sa fréquence était aussi grande avant qu'après. Mais après qu'on l'eut découverte, les mailles du filet perceptif des médecins s'étaient resserrées, de sorte qu'on pouvait la capturer à tout coup. C'étaient les perceptions des médecins – pas la maladie – qui se cachaient.

TABLEAU I

Modèle de la naissance, la vie, la santé et la mort, considérées dans l'espace-temps

Point de vue classique	*Point de vue de la physique moderne*
1. Le corps est un objet, localisé dans un espace spécifique.	1. Le corps n'est pas un objet et ne peut être localisé dans l'espace.
2. Le corps est une unité isolée, indépendante.	2. Le corps entretient des relations dynamiques avec l'univers et avec tous les autres corps sous la forme d'échanges physiques effectifs: la «biodanse».
3. Le corps est constitué de pièces individuelles: les atomes.	3. Les «pièces», les «atomes», sont des descriptions inexactes, puisqu'on ne peut comprendre une particule dontoutes les autres.
4. La santé est une affaire individuelle, qui n'affecte qu'un seul corps.	4. La santé se propage à tous les autres corps, puisque tous les corps sont en corrélation dynamique. La santé individuelle est une illusion.

5. La maladie est un processus ressenti par un corps individuel.

5. La maladie est un événement collectif, puisque tous les corps sont en relation. La maladie individuelle est une illusion.

6. Les soins agissent sur un corps individuel.

6. Les soins agissent sur tous les corps.

7. Entretenir sa santé est une affaire personnelle.

7. Les efforts que chacun fait pour entretenir sa santé bénéficient à tous.

8. Négliger sa santé n'endommage que son propre corps; c'est une affaire individuelle.

8. Négliger sa santé nuit à tous; c'est une affaire collective.

9. La naissance et la mort constituent des démarcations aux deux pôles de la vie.

9. Il n'existe pas de démarcation dans le temps.

10. Le temps passe.

10. Le passage du temps est un événement psychologique, ce n'est pas un événement naturel. Aucune expérience de physique n'a jamais détecté que le temps s'écoulait.

11. Dans la vie, des événements se produisent.

11. Les événements de la vie ne se produisent pas, ils «sont». C'est l'«asymétrie» du déroulement des événements naturels qui donne l'impression qu'ils surviennent dans un courant de temps à sens unique.

12. La matière qui constitue le corps est quelque chose d'absolu.

12. Rien de ce qui constitue le corps n'est absolu. Toute matière, tout comme l'espace et le temps, est relative.

13. La mort est un événement final et absolu.

13. La mort n'est pas un événement final et absolu, puisqu'elle concerne un corps dont la matière n'est pas absolue et qui occupe le même

14. La vie est une propriété des corps individuels.

15. Les soins visent des individus, puisque ce sont des individus qui tombent malades.

16. La maladie survient à cause de dérangements dans les molécules [théorie moléculaire de la genèse des maladies].

17. La maladie est un mauvais comportement des molécules; c'est une affaire objective. Les soins doivent donc aussi être objectifs.

espace et la même durée que tous les autres corps.

14. Bien que les corps individuels soient effectivement vivants, la vie est un processus universel et non individuel, en raison de la corrélation de chaque corps avec tous les autres et avec tout l'univers.

15. Les individus tombent certes malades, mais grâce à la corrélation organique de tous les corps, les soins peuvent viser *n'importe quel* corps. L'effet des soins se répand partout parce que tous les corps sont en relation les uns avec les autres.

16. Les atomes et toutes les particules subatomiques dont est constitué le corps sont en relation dynamique avec toutes les autres particules de l'univers. Où est la défaillance – dans le corps ou ailleurs dans l'univers? La localisation de la cause de la maladie dans un corps spécifique, ou à un niveau donné à l'intérieur du corps, est inexacte.

17. L'objectivité des soins est une illusion. Toute intervention dans la nature, tout type d'investigation, change ce qui est observé. L'observateur ne peut pas se démarquer de l'issue de l'observation, de sorte que l'objectivité pure est impossible.

18. La maladie est l'affaire du corps.	18. L'influence de la conscience sur les processus physiques qui se déroulent dans le corps efface cette distinction.
19. La maladie est une affaire négative; la santé, une affaire positive.	19. C'est un caprice, un jugement arbitraire, que de caractériser les événements locaux comme bons ou mauvais, puisqu'ils sont reliés à tous les événements éloignés dans l'univers, et dépendent d'eux.
20. Une vie longue est souhaitable; une vie courte est tragique.	20. La longueur de la vie n'a pas de signification parce que le passage du temps linéaire ne se produit pas dans la nature.
21. Le corps est matériel.	21. La matière s'est «dématérialisée»; le corps n'est donc pas strictement matériel.
22. Les corps occupent une place déterminée dans l'espace et dans le temps.	22. La localisation d'un corps dans l'espace et le temps est au mieux une approximation, étant donné que chaque corps est relié à tous les autres.

Le modèle spatio-temporel et la santé

Apparemment, un des aspects les plus irrationnels du modèle spatio-temporel de la santé est sa redéfinition de la mort. Voyons cela de plus près.

La mort et le temps

Fondée sur la notion classique du temps linéaire, notre conception de la mort veut qu'elle soit à nos trousses: elle va nous rattraper, dans le cours à sens unique des événements. Le philosophe George Santayana a bien résumé les difficultés qu'on éprouve à accepter cette ruée inexorable: «Il n'y a aucun remède contre la naissance et contre la mort, sinon de profiter de la période qui les sépare.»

223

Quant à Bertrand Russell, il a décrit le caractère définitif qu'on donne à la mort avec son piquant habituel en disant que, quand il mourrait, il allait pourrir, et que rien de son ego ne subsisterait.

Les sceptiques endurcis, comme Russell, ont toujours considéré l'idée d'une vie après la mort comme un refus peureux d'accepter le caractère définitif évident de la mort. La notion de la mort chez Russell, tout comme celle des personnes qui croient à une vie après la mort – que ce soit le ciel, l'enfer ou une quelconque variation – est basée sur la vieille conception du temps vu comme une rue à sens unique.

Mais il faudrait bien qu'un jour ou l'autre nous en venions à envisager le fait, pénible et important, que notre notion «moderne» de la mort ne cadre absolument pas dans le concept moderne du temps. On ne peut pas forcer cette nouvelle définition, selon laquelle le temps ne s'écoule *pas,* pour qu'elle accepte notre conception ordinaire de la mort vue comme le climax d'une vie passée dans le temps linéaire. Comme l'affirme le physicien et mathématicien P.C.W. Davies, aucune expérience de physique n'a encore détecté le passage du temps. Cette affirmation peut sembler absurde, à première vue. Mais Davies décrit le temps du point de vue de la physique moderne – relativité et mécanique quantique; il ne parle pas de la conception newtonienne du temps, qui appartient à la physique classique et qu'on associe ordinairement à toutes les disciplines scientifiques. On a effectivement essayé d'observer le monde avec objectivité par des expériences de physique, mais dès qu'on s'y met, le passage du temps disparaît, comme un fantôme dans la nuit. Comme le disait Davies: «Mieux encore, considérons le monde comme un *phénomène total.* Le mathématicien allemand Hermann Weyl (1885-1955) ne disait-il pas que dans le monde, les choses ne se passent pas; elles *sont,* tout simplement[6].»

Notre conception de la mort ne cadre pas dans cette définition du temps. Nous marchons à contre-pas des concepts scientifiques actuels; c'est une erreur aussi monumentale que si nous croyions encore que la terre est plate. L'idée que le temps coule dans un seul sens est une propriété de notre conscience. C'est un phénomène subjectif, une qualité qui ne peut avoir de démonstration dans le monde naturel. Cette leçon de la science défie toute contradiction; l'homme a eu énormément de difficulté à la saisir. L'idée du temps qui passe appartient donc à notre esprit, pas à la nature. Nous percevons en série des événements qui «sont», tout simplement. C'est cette perception sérielle qu'on interprète comme un phénomène naturel indiscutable: le cours du temps.

C'est par une remise en question de ces phénomènes incontestablement naturels qu'au tournant du siècle, des physiciens ont révolutionné les anciennes idées sur le temps. Ce n'est cependant pas tant par des sauts intuitifs de leur conscience que par la tentative de répondre à la question persistante: quel concept de temps faut-il construire pour expliquer certaines observations qui ne cessent de ressortir des expériences atomiques? Ce sont les données réelles qui sortaient des laboratoires qui ont obligé les physiciens à revoir leur notion du temps. Quelle nouvelle conception en a-t-on tiré? La remarque de Weyl résume bien ce que nous en avons déjà exposé: «Dans le monde objectif, les choses sont, tout simplement; elles ne se passent pas. Ce n'est qu'aux yeux de ma conscience qu'une section du monde, grimpant à la ligne de vie de mon corps, naît sous la forme d'une image fugitive dans l'espace et qui change constamment dans le temps[7].»

Cette opinion constitue un affront au bon sens. Elle ne cadre absolument pas dans notre «connaissance» du comportement du temps. Elle était effectivement tout aussi farfelue pour les scientifiques qui ont mis au point la nouvelle conception du temps que pour nous qui devons l'assimiler.

La mort et le bon sens
Notre idée de la mort est fondée sur le bon sens, à

l'autorité duquel nous avons toujours recours dès que nous sommes confrontés à des idées que nous ne réussissons pas à saisir objectivement. Mais c'est peut-être ridicule et inutile de vouloir invoquer le bon sens pour se construire un concept de la mort. *Personne* n'a fait l'expérience directe de celle-ci. Il n'existe pas de source absolument digne de confiance en la matière. On peut opposer de sérieuses objections contre tous les cas connus de personnes qui seraient «mortes» temporairement, pour reprendre ensuite conscience et relater leur expérience.

Malgré ses limites, une démarche fondée sur le bon sens semble, pour la plupart des personnes, le seul moyen d'aborder le problème de la formation de concepts sur la mort. Mais pour ceux qui sont prêts à s'engager dans cette voie, rappelons la mise en garde de Einstein: le bon sens n'est que le dépositaire de tous les préjugés versés dans l'esprit humain jusqu'à l'âge de dix-huit ans[8].

L'objection la plus sérieuse à l'incorporation de notions «évidentes» sur le comportement de la nature dans nos concepts de la mort (hormis leur tendance à refléter des préjugés cachés) est que ces approches divergent des descriptions de la nature données par la physique moderne. *Si* nous voulons prétendre à l'objectivité de notre description du monde, nous nous devons, dans la mesure du possible, de rester cohérents avec la science. La mort fait partie du monde naturel au même titre que la vie, et quand la science parle de la nature, qui inclut le phénomène du temps (et donc la mort), nous devrions prêter l'oreille à ce qui s'en dit. On ne peut pas choisir de n'extraire des concepts scientifiques modernes que ceux qui nous plaisent. Il nous faut avoir une vision globale du tableau que nous brosse la science; nous ne pouvons donc pas négliger ce que la physique moderne nous a révélé de la nature du temps.

Notre conscience culturelle est présentement profondément remuée par l'idée de la mort. La thanatologie est une discipline respectée. «La mort et le mourir» sont des sujets populaires, même pour les professionnels de la santé. Les étudiants en médecine suivent des cours, donnés tant par des prêtres que par des psychiatres, sur les soins aux mourants. Les «centres de croissance personnelle» mettent à la disposition du public des personnes-ressources prêtes à partager leur sagesse à propos de la mort. L'éducation à la mort est le thème central de nombreux périodiques récents. Dans notre culture, on en est venu à trouver acceptable de parler de la mort. On a longtemps considéré que seul le clergé avait pour fonction de transmettre les connaissances en la matière; on se rend maintenant compte de la richesse que des personnes d'horizons divers peuvent apporter au savoir collectif sur la mort.

Cependant, presque toutes ces approches ne font que mettre du vin nouveau dans de vieilles outres, car elle sont bloquées dans une vision du monde dont l'attitude envers le temps est tout à fait archaïque. À l'heure actuelle, les recherches en thanatologie ne peuvent *pas* donner de résultats fructueux si elles ne tiennent pas compte de la découverte la plus merveilleuse et la plus étonnante de notre ère: le temps n'est pas une rivière.

La mort et l'asymétrie du temps

Nous avons habituellement tendance à enchaîner la naissance, la santé et la maladie dans un continuum qui aboutit à la mort, pour chacun de nous. Ce processus se déroule sur un fond de temps linéaire et engendre la notion communément admise que la mort suit inévitablement la naissance, et que la maladie et la dégénérescence entraînent invariablement la mort.

Il y a pourtant d'autres points de vue – celui de Alan Watts, par exemple:

[...] la sécheresse, la famine et la mort ne sont en fait que des façons différentes de décrire le même événement. Étant donné un organisme vivant, la sécheresse = la mort. La notion de causalité n'est qu'une façon boiteuse de relier les différentes étapes d'un événement qu'on n'a considéré distinct qu'aux seules fins de la description. De la sorte, trompés par nos propres termes, nous en venons à croire que ces étapes sont des événements séparés qu'on doit réunir avec la colle de la causalité. En fait, le seul événement isolé est l'univers lui-même[9].

L'idée de Watts est d'une ressemblance frappante avec celle que donne la physique moderne: essentiellement, cela revient à dire que le temps est soit symétrique, soit asymétrique – selon les termes de Davies (voir p. 244). Comme Watts, le physicien a enlevé la «colle de causalité» de la collection d'événements asymétriques que nous frappons continuellement dans le temps. «Le seul événement isolé est l'univers lui-même.» C'est un événement qui nous enveloppe tous, d'un seul coup, incluant notre naissance, la santé, la maladie, la mort – et le temps qu'on a perçu. Si on retire la colle causale, chacun des événements, qui semblaient se succéder dans la vie, se tient tout seul. Si on peut dire, avec Watts, que pour des organismes vivants, la sécheresse, *c'est* la mort, alors, la naissance, c'est aussi la mort – tout comme la santé et la maladie.

Le concept moderne du temps confirmerait donc ainsi une autre conception des étapes de notre vie et des événements qui les constituent.

La mort et le temps: un nouveau modèle
Quelle structure pourrait-on donner à un concept de la mort qui incorporerait une notion de temps non linéaire cohérente avec les postulats de la physique moderne? Le physiologiste LeShan a mis de l'avant une des approches les plus créatives qui soient. Commentant la possibilité de survivre à la mort biologique, LeShan[10] a formulé un point de vue sur la naissance, la vie et la mort, qui comporte un concept de temps non linéaire et qui est donc cohérent avec la physique moderne. Il observe que la naissance et la mort délimitent la vie aux deux bouts. Or le temps dans son sens moderne ne peut être limité.

LeShan conclut donc que la notion de mort vue comme quelque chose de définitif ne cadre pas avec une vision moderne du monde. Il a recours à d'autres concepts de la physique moderne, comme ceux de la théorie des champs, pour construire une démonstration logique de la possibilité de survivre à la mort. Jusqu'à maintenant, son traité reste un des plus clairs parmi ceux qui tentent d'appliquer les nouveaux concepts de temps, d'espace et de matière à la construction d'une idée fraîche de la mort.

Aussi cohérente que soit la logique de LeShan avec la nouvelle vision du monde matériel, elle est tout aussi *in*cohérente avec l'expérience humaine ordinaire. L'idée de survie après la mort biologique semble d'une absurdité flagrante. La mort est un fait évident et grotesque, et les machinations les plus intelligentes ne la feront pas être autrement. On ne peut pas la faire fuir à coup de raisonnements. Après tout, à coup de raisonnements, on peut bien rendre crédibles les idées les plus saugrenues: par exemple, l'idée ancienne selon laquelle la terre était supportée par un homme d'une force inimaginable debout sur le dos d'une tortue. La logique est trompeuse — aussi changeante que la mode. Tout compte fait, c'est plutôt de notre expérience personnelle qu'il faut s'inspirer. Et nous voilà de nouveau à recommander le bon sens comme guide pour construire des concepts sur la mort.

Ces objections à l'utilisation de la raison dans une approche de la mort ne suivent-elles pas une logique qui leur est propre? On se prend à faire inconsciemment des raisonnements tordus qui visent à démontrer que ce n'est pas en se fiant à la raison qu'on va comprendre un événement aussi irrationnel et insaisissable que la mort. Nous ne pouvons pas échapper à la raison, pas plus qu'à notre ombre. Dans *toute* tentative de comprendre quelque événement de notre vie, il faut — dans une certaine mesure — avoir recours à la logique, même si c'est pour conclure que de tels événements ne peuvent êtres approchés que d'une façon intuitive et irrationnelle. Que l'on tente de déchiffrer des événements complexes, comme la photosynthèse, ou que l'on réfléchisse au sens de la mort, on ne peut échapper à la raison.

Que peut-on raisonnablement dire, donc, d'une approche de la mort qui mettrait en jeu un concept de temps qui va plus loin que la vision linéaire ordinaire? Est-il raisonnable de vouloir fondre des idées issues de la physique moderne dans une conception de la mort? Ces idées nouvelles, contraires à l'intuition, ne devraient-elles pas rester au laboratoire? Peut-on espérer trouver une façon réaliste d'incorporer cette notion de temps non linéaire à un concept de la mort qui ait un sens pour les hommes, alors qu'elles sont si étrangères à notre perception du comportement du monde?

Ce sont là des questions pertinentes. Elles ont sans doute déjà été soulevées à toutes les périodes de l'histoire, chaque fois que des découvertes objectives ont semblé défier la raison des hommes. L'histoire – rappelons-le – est vraiment la chronique de l'irrespect flagrant de la science pour ce qu'on considère être le bon sens. L'histoire de la science est en fait l'histoire de l'étourdissant processus d'adaptation du bon sens aux données scientifiques. De nos jours, l'assertion d'une nouvelle conception du temps, qui est étrangère à nos sens, ne suscite sûrement pas plus d'étonnement et de déconvenue chez l'homme moyen que ne l'ont fait les affirmations de Copernic et Galilée, en leur temps. Le thème change, les réactions pas.

La plasticité de l'esprit humain, qui fait qu'il peut s'accommoder d'idées restées jusque-là incompréhensibles, est une caractéristique étonnante de notre conscience. Si on croit qu'on ne pourra jamais s'adapter à une nouvelle vision du temps qui implique une nouvelle conception de la mort, on n'a qu'à passer en revue les transformations tout aussi radicales qu'a vécues la pensée humaine: le passage du modèle du système solaire de Ptolémée à celui de Copernic; l'émergence et l'acceptation de l'évolution selon Darwin; la transition, au cours de notre propre siècle, d'une vision du monde classique, newtonienne, au tableau contraire à l'intuition, proposé par la mécanique quantique et la relativité. Devant des transitions aussi remarquables, il serait naïf de supposer qu'on est incapable d'accepter les nouveaux concepts radicaux du temps, de la vie et de la mort. La restructuration semble inévitablement devoir se produire. Tout comme la logique de l'évêque Wilberforce ne pouvait pas l'emporter sur l'évidence de l'évolution des espèces, nos propres conceptions du temps, de la vie et de la mort – encroûtées dans le mythe, la tradition et le bon sens – doivent être abandonnées et remplacées par des notions qui cadrent dans l'évidence du temps non linéaire.

Que le panorama historique de l'évolution des grandes idées nous serve de leçon: les concepts de ce qui est réel ne sont pas gravés dans la pierre. Héraclite avait raison: rien n'est permanent, sauf le changement. Nous n'avons jamais eu ni n'aurons jamais une image sûre, immuable, de la réalité.

La perception du temps linéaire: possibilité de changement

Dépendantes comme elles le sont du concept de temps, nos définitions de la vie et de la mort sont plus que mûres pour un changement. Le changement s'en vient à grands pas. On l'entend approcher. Le poète William Carlos Williams disait qu'un monde nouveau n'est qu'une idée nouvelle. Les concepts de la physique moderne nous ont donné un monde nouveau – et nous ont entraînés, à reculons, à faire nôtre une idée nouvelle. La nouvelle idée fleurit partout, et une partie du fruit nouveau est une autre variété de la rose de Coleridge, cueillie au paradis, pendant un rêve, et encore dans la main, au réveil. C'est une fleur incroyablement belle; une vision de la mort, nouvelle et libératrice.

Pourquoi la vision classique du temps linéaire exerce-t-elle une force psychologique aussi puissante? Pour la plupart des gens, toute autre vision du temps est inconcevable. Les parcelles de temps – passé, présent et futur – confèrent structure et signification à notre vie. Sans elles, nous serions perdus dans le chaos. Nous considérons même l'habileté à différencier le passé du présent et de l'avenir comme un critère de santé mentale, jugeant que ceux qui sont désorientés dans le temps souffrent d'une maladie psychologique. Et nous avons tendance, par surcroît, à considérer que les groupes culturels qui ont une vision du temps différente de la nôtre sont primitifs.

Même ceux d'entre nous qui ont tué la notion de temps absolu et linéaire – les physiciens – semblent, comme groupe, avoir une position très particulière face à la définition moderne du temps. C'est comme si la nouvelle vision du temps ne convenait qu'à leur laboratoire, et puisqu'une partie importante de leur vie se passe à l'extérieur du laboratoire, il faut employer une autre définition du temps: la notion ordinaire de l'homme moyen – le passé, le présent, le futur. On dirait bien que les nouveaux concepts n'exercent aucune influence sur la façon dont les physiciens ordonnent leur vie personnelle[11]. L'exception la plus importante à cette tendance est celle de Einstein. Ses données biographiques indiquent clairement que sa vision de la vie et de la mort a été profondément influencée par les nouveaux concepts d'espace et de temps. Pour Einstein, ces idées ont effectivement filtré hors du laboratoire pour s'intégrer à la vie courante, où elles concernaient les affaires les plus poignantes des hommes – affectant même la signification de la mort.

En 1905, Einstein publiait son traité sur la relativité restreinte. À la fin de son article, qui allait changer à jamais notre conception de l'espace et du temps, il remerciait son ami Michele Besso. C'est avec Besso, à l'époque où ils travaillaient ensemble au bureau des inventions techniques de Berne, qu'il s'était penché sur ces idées, alors qu'elles étaient encore embryonnaires. Leur amitié profonde dura toute la vie, et quand Besso mourut, en 1955 (tout juste avant Einstein), Einstein écrivit une lettre au fils et à la sœur de celui-ci:

Les bases de notre amitié ont été établies pendant nos années d'étudiants, à Zurich, où nous nous rencontrions régulièrement à des soirées musicales [...] plus tard, c'est le bureau des inventions techniques qui nous a réunis. Nos conversations, sur le chemin du retour, étaient d'un charme inoubliable [...]. Et maintenant, il me précède de peu dans son adieu à ce monde étrange. Cela ne signifie rien. Pour nous, physiciens croyants, la distinction entre le passé, le présent et le futur n'est qu'une illusion, même si elle a la vie dure[12].

Quelle est la différence? Pourquoi les nouvelles idées sur l'univers ont-elles pénétré l'esprit de Einstein jusqu'à modifier son attitude envers la mort, tandis qu'elles n'ont apparemment aucun effet sur les philosophies très personnelles de la plupart des physiciens qui travaillent avec elles? On ne peut que se livrer à des spéculations. Mais son engagement personnel sans précédent dans l'élaboration de ces concepts a sûrement influencé sa vie plus que tout autre. Pour lui, il ne s'agissait pas d'accepter simplement les nouvelles descriptions de la réalité. En fait, la mise en forme des nouveaux concepts est passée bien près d'avoir raison de lui:

Je dois confesser qu'au tout début, quand la théorie de la relativité restreinte commençait à germer en moi, j'ai été la proie de toutes sortes de conflits nerveux. Quand j'étais jeune, il m'arrivait de sombrer pendant des semaines dans un état de confusion: j'avais encore peine à surmonter la stupéfaction dans laquelle m'avaient jeté mes premiers accrochages avec ces questions[13].

Quel enseignement peut-on tirer de l'expérience de Einstein? Les nouveaux concepts d'espace et de temps n'ont pas épuisé leur potentiel de transformation dans notre vie quotidienne. Leur effet n'est pas simple, mais de proportions puissantes et belles. Comme pourrait le dire le Don Juan de Castaneda, il s'agit d'un «chemin qui a du cœur». Le point de vue spatio-temporel moderne recèle la possibilité de changer le spectre de la finalité de la mort pour chaque homme. La transformation spirituelle et philosophique personnelle de Einstein, qu'on peut attribuer à son intelligence remarquable des nouveaux concepts, est également possible pour chacun de nous. Aussi important qu'il soit, le cadeau que Einstein nous a fait en nous donnant le pouvoir sur l'atome est insignifiant comparativement à celui de nous avoir montré à exercer notre pouvoir sur la mort. La chose la plus importante que nous aura léguée Einstein est peut-être de nous avoir fait comprendre qu'en ce qui concerne la mort, tout comme en matière d'espace, de temps et de matière, nous étions totalement dans l'erreur.

Cependant, on compte quelques scientifiques qui anticipent les effets troublants de leurs idées, qui se rendent compte que leurs descriptions radicalement nouvelles de l'univers sont plus que des curiosités de laboratoire. Le physicien et mathématicien britannique Davies, par exemple, observait que

[...] comme toutes les formes d'activités intellectuelles, les percées expérimentales et théoriques dans la compréhension scientifique de la cosmologie et de la physique spatio-temporelle ont un effet sur la société. Elles n'ont pas toujours été assimilées sans faire de vagues dans le courant principal des connaissances humaines. Il est arrivé parfois que les implications des nouveaux modèles de l'univers aient semblé si difficiles à avaler que les autorités s'y sont fièrement opposées, comme c'est arrivé avec les idées révolutionnaires de Copernic, par exemple[14].

On ne peut pas s'attendre à moins de résistance envers la redéfinition de notions qui ont autant de connotations religieuses que celles de la vie et de la mort. Le fantôme de l'évêque Wilberforce court toujours, réapparaissant chaque fois qu'une notion consacrée est menacée. Mais dans le grand débat qui les opposaient sur la

234

question de l'évolution selon Darwin, Huxley a survécu aux attaques violentes de l'évêque Wilberforce, et aussi déconcertantes que soient les nouvelles idées sur la vie et la mort, elles survivront pour la même raison – parce qu'elles sont cohérentes avec la définition du monde la plus précise que nous ayons formulée jusqu'ici.

Le point de vue ordinaire sur la mort est vain parce qu'il est basé sur deux hypothèses fausses: que le corps occupe un espace particulier et qu'il dure un certain intervalle de temps linéaire. La première supposition – selon laquelle le corps peut être localisé dans l'espace comme on peut le faire pour une pierre ou un arbre – ne cadre pas avec ce qu'on sait de la relation dynamique entre les choses vivantes dans l'univers dont elles font partie. Nous avons déjà étudié cette relation: la biodanse, le courant de matière ininterrompu qui défie effrontément notre notion d'un corps bien délimité. De plus, les descriptions modernes de la corrélation des particules qui constituent le corps contredisent la notion d'objet indépendant, que ce soit un corps humain ou autre chose. On a vu qu'on ne peut décrire une particule, quelle qu'elle soit, qu'en fonction des relations qu'elle entretient avec toutes les autres particules. Rien ne tient tout seul. Bien que ce soit pour des particules subatomiques qu'on ait développé ces descriptions de phénomènes de corrélation, on peut difficilement concevoir comment des corps humains pourraient être tout à fait isolés, composés comme ils le sont de particules qui ne sont jamais elles-mêmes isolées ni circonscrites.

Nous avons vu que l'idée que la vie est un intervalle de temps borné d'un côté par la naissance et de l'autre par la mort est aussi fausse à la lumière des concepts spatio-temporels modernes que la notion d'un corps circonscrit dans l'espace. En effet, le temps n'est pas qu'une simple toile de fond sur laquelle se déroulent les événements. Ce n'est que dans notre tête que le temps «passe». C'est nous qui *introduisons* dans l'univers le concept du temps linéaire qui s'écoule. Or on n'a jamais réussi à détecter expérimentalement cette propriété dans le monde[15].

Alors, où sommes-nous – avec notre corps sans bornes qui n'occupe aucun intervalle de temps discret? Ces hypothèses semblent audacieuses, absurdes même; on est tenté de les écarter du revers de la main, comme quelque résidu de la science qui serait à peu près aussi utile que l'ancien concept des humeurs corporelles. La confusion qu'on éprouve au premier abord nous pousse à «tout laisser là» et à battre en retraite là où nous *savons* comment les choses se comportent.

La connaissance de la vie est indispensable à celle de la mort

Il existe peut-être des approches plus fraîches qui pourraient dissiper plus facilement la confusion que les nouveaux concepts suscitent en nous. Par exemple, on pourrait se demander ce qui fait que le corps humain est si spécial; qu'est-ce qui le distingue dans le monde? Autrement dit, ce que la *vie*? Quelle est la qualité qui nous distingue de la partie non vivante de l'univers? Qu'est-ce qui s'éteint quand on meurt, convertissant ainsi notre corps au royaume du non-vivant d'où on croit être issu? Quand on comprendra la vie, on aura moins de difficulté à comprendre la signification du temps et de la mort.

Qu'est-ce donc que la vie? Tant qu'on ne sait pas bien ce que la mort annule, ce qui cesse quand elle survient, nos réflexions sur ce qui constitue la mort ne sauraient être que prématurées et incomplètes. La mort – disons-nous – est la fin de *quelque chose,* et ce quelque chose a été le Graal des philosophes et des scientifiques de toutes les époques. On n'a jamais réussi à produire une analyse de la vie qui satisfasse les uns *ou* les autres. Nous avons vu plus haut comment le problème de l'interaction de l'esprit et du corps est le nœud de la question, l'énigme de la combinaison de matière apparemment sans vie en structures d'une infinie complexité pour engendrer la vie consciente.

236

N'ayant pas encore réussi à comprendre la vie, nous devrions être tentés de penser que nous avons erré – non pas de façon subtile, mais de façon tout à fait flagrante –, que nous avons mal perçu le comportement de l'univers lui-même. Peut-être sommes-nous simplement sur la mauvaise longueur d'onde, tâtonnant dans la nature avec des outils grossiers et inadéquats. Tout comme nous avons appris que, pour comprendre la nature, le bon sens newtonien ne collait pas aux révélations de la relativité et de la théorie quantique, nous devrons peut-être apprendre que des approches révolutionnaires à la question de la vie sont nécessaires avant qu'on puisse espérer comprendre.

Au début de notre siècle, alors qu'on commençait à élaborer la théorie quantique et la relativité, un étudiant défendait un article dans lequel il avait tenté d'élaborer une idée nouvelle et difficile. Ses explications semblaient rendre perplexes ses auditeurs; frustré, il s'adresse donc au professeur Niels Bohr, qui était dans l'assistance, lui demandant: «Croyez-vous que c'est une idée folle?» Bohr répondit: «Oui, mais je crois qu'elle ne l'est pas assez.»

C'est peut-être parce qu'elles ne sont pas assez folles que nos tentatives de comprendre la relation entre la matière non vivante et la vie elle-même ont échoué, elles aussi. Ce n'est pas que la folie va nous amener plus près des solutions, mais simplement qu'on devrait peut-être oser se démarquer carrément des préjugés sur la nature de la vie que le bon sens nous donne. De nouvelles tentatives sont en cours. Le physicien Evan Harris Walker suggère que l'«unité» de base de la conscience est le quanta. Le biologiste Delbruck a aussi proposé – nous l'avons vu – que des unités structurales fondamentales des créatures vivantes, comme les atomes et les molécules, sont également douées de vie. Ces propositions ne sont-elles que l'émergence du vitalisme dans un habit pseudo-scientifique? S'agit-il de tentatives désespérées pour trouver du sens où il n'en existe pas? Restons réservés dans la critique; n'oublions pas Bohr et son éloge de la folie: qualité fructueuse pour la conjecture scientifique.

Des tentatives pour comprendre la vie, pleines de créativité, seront encore nécessaires avant qu'on puisse aborder la compréhension de la mort. C'est un préalable absolu: pour comprendre le sens de la mort, il faut d'abord avoir compris ce qu'est la vie. Il faut être aventureux, et on peut être certain que l'adhésion au seul bon sens ne saura que nous faire tourner en rond. Notons la remarque du physicien Freeman Dyson: «Pour l'idée qui, à première vue, n'a pas l'air folle, il n'y a pas d'espoir.»

La stratégie de n'aborder la compréhension de la mort qu'après avoir compris la vie est logiquement séduisante, mais c'est une ligne de conduite difficile à tenir. Pour la plupart d'entre nous, la tâche de déchiffrer la vie, comme celle de comprendre la mort, semble aussi désespérée. Comment peut-on espérer faire mieux que tous les brillants scientifiques et philosophes qui ont vécu jusqu'ici? Ces questions sont demeurées sans réponse. Pourquoi?

C'est parce que nous défigurons toujours l'image du monde avant de commencer à l'examiner que les réponses aux questions sur la vie nous ont toujours échappé. Sans le savoir, nous en barbouillons la trame; pas étonnant que nous ne réussissions pas à y voir clair. Nous cherchons une image claire dans le brouillard. Comment se fait-il qu'on commette de telles erreurs? C'est parce qu'on s'obstine à considérer le monde autrement qu'il est. La naissance, la vie et la mort sont des événements qui surviennent dans la nature, dont on commence à peine à distinguer les caractéristiques spatio-temporelles. Ce n'est qu'à partir du moment où nous comprendrons la nature essentiellement spatio-temporelle du monde dans lequel ces événements ont lieu, et duquel on ne peut les extraire, que nous pourrons clairement comprendre ces grandes questions. En continuant à négliger le tableau que nous brosse la physique, on ne fait que s'attirer les mêmes frustrations, les mêmes échecs, qu'ont subis nos prédécesseurs. À réalité distordue, réponses distordues.

238

La santé et l'expérience de l'espace-temps

D'une image du monde plus vraie, on tirera une description plus vraie des événements qui s'y passent, comme la naissance, la vie et la mort. C'est là l'idée centrale du présent ouvrage. De plus, le sens de certaines propriétés de la vie qui nous préoccupent – comme la santé et la maladie – ne peut être appréhendé que d'un point de vue qui accorde la considération qui leur est due aux définitions du temps, de l'espace et de la matière que nous donne la physique moderne.

Qu'advient-il de notre santé quand on se met effectivement à conceptualiser le monde d'une nouvelle façon? Quand on va au-delà du temps linéaire, quand on cesse de partager le monde en passé, présent et futur, il n'est *pas* évident qu'on commence automatiquement à jouir d'une meilleure santé. Permettez-moi de relater un cas qui – je l'espère – illustre les problèmes qui risquent parfois de survenir.

Janet, une patiente de vingt-huit ans, était venue en consultation pour recevoir un diagnostic. Elle se plaignait de souffrir d'anxiété, de dépression et d'être victime de «visions». Depuis quatre ans, elle avait vécu des épisodes de faiblesse, avec des bouffées de chaleur et des palpitations. Il ne s'agissait pas de symptômes banals: elle avait déjà eu deux accidents d'automobile à cause de ses visions. Des neurologues l'avaient examinée en vain: il ne purent déceler aucun signe de désordre neurologique. Elle alla donc consulter différents autres spécialistes, dont un cardiologue et un interniste, avec les mêmes résultats négatifs. Elle avait fini par s'en remettre à un médecin de famille, qui avait l'impression que tout le syndrome était dû à ses «nerfs». Cette conclusion semblait raisonnable, compte tenu surtout de toutes les évaluations qui l'avaient précédée. À cette époque, elle était rendue excessivement déprimée, incapable de dormir, désespérée. On lui avait prescrit un antidépresseur qui, dans son cas, avait un effet paradoxal: il la rendait encore plus anxieuse et déprimée.

Elle venait donc me voir, les larmes aux yeux et

troublée, pour recevoir un diagnostic de plus. On comprenait facilement pourquoi son médecin précédent avait conclu qu'elle avait un problème de «nerfs». Toutefois, une histoire bien curieuse ressortit de l'examen de ses antécédents. Elle avait finalement décidé de révéler certains événements qui avaient peut-être rapport avec sa maladie. Elle n'en avait jamais parlé devant les médecins qu'elle avait consultés jusqu'alors, craignant qu'ils pensent qu'elle était «folle».

Elle m'a donc décrit comment, depuis l'âge de cinq ans, elle avait fait l'expérience de facultés qu'on qualifie communément de «paranormales». Elle pouvait prédire des événements avant qu'ils n'arrivent – des événements qui avaient le plus souvent rapport aux êtres chers: des maladies graves, des tragédies. À douze ans, elle était capable d'abolir la sensation de la douleur dans son corps. C'est comme ça qu'elle faisait avec les coupures, les éraflures et les visites chez le dentiste. Elle ne s'était confiée qu'à sa mère, qui la poussait sans cesse à «abandonner» tout ça, craignant qu'il n'en sortirait rien de bon. Elle n'avait jamais eu de problèmes avec ces talents inhabituels jusqu'au début de la vingtaine, alors qu'elle se mit à les considérer comme un fardeau, comme une menace même. Elle ne pouvait pas les désactiver. Il lui arrivait périodiquement de voir des événements futurs. Elle en vint à être très dérangée par ces phénomènes, et son syndrome se développa graduellement.

Essayant de canaliser ses facultés dans quelque direction utile, elle se fit engager par la police locale. On se fiait officieusement à elle pour appréhender des informations critiques. Elle a été particulièrement perturbée le jour où elle eut l'expérience marquante de «voir» la noyade d'un bébé dans une tour d'habitation – une heure avant que la tragédie ne se produise. Elle informa les agents de police que l'événement se produirait (ils s'étaient mis à prendre ses prédictions au sérieux), mais sa vision était incomplète: elle était incapable de préciser dans quel appartement cela allait arriver. Une heure plus tard, la police découvrait l'événement réel; Janet en a été fortement ébranlée. Peu après, ses symptômes se firent plus prononcés.

Janet avait une expérience extraordinaire de l'espace et du temps. Pour elle, ni l'un ni l'autre n'était borné. Ni l'un ni l'autre n'était fixe. Elle avait la faculté inexplicable de ressentir des événements distants – tant dans l'espace que dans le temps. Elle pouvait enfreindre à volonté le courant à sens unique du temps linéaire. Pour elle, le temps n'était pas du tout une rivière, à moins qu'on ne soit prêt à dire qu'il s'agissait d'une rivière très particulière, coulant simultanément vers l'aval, dans le futur, et vers l'amont, dans le passé.

Les personnes comme Janet ne sont pas rares. Comme Janet, plusieurs d'entre elles ont tendance à garder secrètes leurs facultés inhabituelles, par crainte qu'on les croie folles. Or il est fréquent que la tension interne qui résulte du fait de vivre dans un contexte socio-culturel où on considère que les visions sont carrément des hallucinations mine la santé. Psyché et soma cessent de fonctionner en harmonie et la personne paye ses facultés psychiques inhabituelles par des désordres physiques. Janet était prudente. Elle connaissait le danger potentiel d'être franche avec ses médecins, même si c'était pour solliciter de l'aide qu'elle allait les voir. Elle avait donc gardé secrètes des informations vitales, de crainte qu'on la croie folle.

À l'examen, Janet était physiquement tout à fait normale. Il ne semblait pas nécessaire de lui faire subir d'autres tests. Plutôt que de lui prescrire de nouveaux médicaments, on l'invita donc à s'initier aux techniques de la rétroaction biologique, pour contrôler ses sensations de palpitations, d'anxiété et de panique. Elle eut vite fait de maîtriser ces techniques et de recommencer à se sentir en harmonie avec son corps. Elle avait un talent naturel pour apprendre les techniques de rétroaction biologique: elle n'avait aucune difficulté à passer à l'état de relaxation profonde nécessaire à la maîtrise rapide de ces compétences. Pour elle, les dimensions spatio-temporelles dont elle avait l'expérience durant les séances étaient semblables à celles qu'elle avait connues par la méditation, des années auparavant. Elle voyait aussi des points communs entre ces dimensions et ses facultés de prémonition. Elle élimina donc ses symptômes, qui n'ont pas réapparu jusqu'à maintenant. Ses expériences psychiques continuent de se produire aussi fréquemment qu'avant, mais elles ne l'effrayent plus. Elle en est venue à les considérer comme l'expression naturelle de sa résonance particulière avec le monde. Elle se porte bien, dans l'espace-temps.

Si de la participation continuelle au temps linéaire classique peut résulter un sentiment chronique d'urgence et d'anxiété, conduisant à diverses formes de «mal du temps», il est également évident, d'après le cas de Janet, qu'entrer dans l'espace-temps sans préparation ne constitue aucun gage de santé. Ce n'est qu'à partir du moment où Janet sut que sa construction de la réalité était valide que sa santé s'est améliorée. Elle en est même venue à tirer avantage de son expérience spatio-temporelle, pour sa santé. C'est seulement lorsqu'elle décida de s'écarter de la façon classique d'effectuer des changements positifs pour sa santé – utiliser des médicaments et se fier à des professionnels de la santé pour qu'ils lui rendent celle-ci – qu'elle a été capable de guérir. Elle avait tenté l'impossible pour fonctionner comme patiente dans une construction du monde qui ne lui appartenait pas, tout en conservant une perspective spatiale et temporelle tout à fait différente de celle des médecins. Quand elle eut compris que sa notion de la réalité était correcte et valide, elle fut en mesure d'être son propre médecin. Elle s'est guérie elle-même.

Comment pouvons-nous saisir le modèle spatio-temporel de la santé? Faut-il être doué de certaines qualités spéciales sur le plan de l'intelligence et des perceptions? Il est presque certain que ce n'est pas le cas. Je suis sûr qu'on a tort de croire que seuls les scientifiques spécialisés, experts en mathématiques, peuvent comprendre la notion moderne de l'espace-temps. Sans y penser, nous avons tous fréquemment recours à ce mode de perception.

Considérons ce qui se passe dans notre conscience quand nous utilisons notre imagination. Nous visualisons – nous avons dans la tête l'image de quelque chose qui se passe. Le plus souvent, on est simplement spectateur de ce qu'on visualise dans sa conscience, on sent la distance entre soi et l'image qu'on fabrique, parce qu'on *sait* qu'on est en train de l'imaginer. Mais il arrive aussi qu'on forme une image mentale très prenante et qu'on y soit complètement absorbé. Une qualité étrange de ce processus a un rapport avec notre notion du temps. Dans les moments d'imagination, notre perception ordinaire du temps – celle d'un processus linéaire et qui se déroule, composé du passé, du présent et du futur – semble suspendue. À mesure que les événements se déroulent, les images changent dans notre tête, mais nous n'en avons pas pour autant l'impression que le temps passe. La notion d'urgence n'appartient pas au processus de l'imagerie. Bien qu'il soit clair que des événements «se passent» dans l'imagination, le temps semble suspendu. On pense communément que cela est impossible. Tout ce qui «se passe» implique nécessairement une expérience de temps linéaire. Comment des choses pourraient-elles se passer hors du temps?

Cette qualité du temps dont on fait l'expérience par le processus de l'imagination ressemble beaucoup à la description moderne du temps donnée par le mathématicien et physicien P.C.W. Davies et dont on a déjà parlé plus haut. Davies affirme que le passage du temps n'est pas une qualité du monde lui-même, mais une illusion psychologique – toute mystérieuse et persistante qu'elle soit. En physique moderne, il n'y a aucun concept pour lequel on ait besoin de postuler le passage du temps.

243

Le temps symétrique et le temps asymétrique

Comme l'explique Davies, la compréhension de la notion de symétrie et d'asymétrie d'un processus physique est la clef pour accéder à la vision moderne du temps[16]. Un processus est dit symétrique si, quand on le regarde à l'endroit ou à l'envers, il est impossible de faire la distinction – par exemple, le mouvement uniforme d'un pendule. Le mouvement du pendule subit certes des variations minuscules, mais elles sont imperceptibles à l'œil nu. Si on passait en marche arrière le film d'un tel phénomène, on ne ferait pas la différence. Cependant, la plupart des phénomènes naturels ne sont pas symétriques. Les étapes successives de la croissance des plantes et des animaux sont clairement identifiables. On ne voit jamais de fleurs retourner à l'état de graines, ni des êtres humains devenir plus jeunes. La plupart des phénomènes naturels sont à sens unique. On les dit asymétriques.

Supposons que l'on filme une personne à mesure qu'elle vieillit. On découpe maintenant la pellicule en segments qu'on empile. Même si on a démantelé le film, la pile elle-même conserve son «asymétrie temporelle». On est toujours en possession d'une collection d'événements à sens unique. Cependant – nous dit Davies –, il n'y a *rien* d'inhérent à la pile de bouts de pellicule immobiles, ni au film monté lui-même, qui soit l'équivalent du passage du temps. C'est quand on assiste au déroulement d'un processus asymétrique dans la nature – comme le film qui montre le vieillissement d'une personne –, qu'on sent le passage du temps.

C'est l'*asymétrie* du temps, pas son *passage,* qui est inhérent à la nature. La sensation du passage du temps appartient à l'esprit, pas à la nature.

Le temps et les images mentales

Durant une expérience de visualisation, on échappe à la sensation du passage du temps, et on voit des phénomènes asymétriques se dérouler dans les images mentales qu'on se fait. La notion du temps en cause dans ce processus rappelle la phrase de Weyl, qui affirmait que, dans la nature, il n'y a pas d'événements qui se passent, il n'y a que des événements qui sont.

Qui ne s'est jamais servi de son imagination? Qui n'a jamais fait de rêve éveillé, ou laissé son esprit errer? Tous les êtres humains pensants se livrent à cette forme d'exercice mental. C'est pourquoi je crois que la capacité de comprendre la vision moderne du temps est commune à toutes les personnes. Cela relève de nos sens, au même titre que le toucher, l'ouïe et la vue.

Le temps et la maladie

Nous commençons à entrevoir le fait que certaines maladies résultent d'un désordre de la perception du temps. Comme nous l'avons observé à plusieurs reprises depuis le début du présent ouvrage, la sensation que le temps presse est associée à une variété de problèmes physiques qui laisse à penser. Par exemple, l'anxiété, le stress et la tension sont des facteurs dans le développement de l'athérosclérose et de l'hypertension, les deux causes de mort les plus communes dans notre société. Il faudrait considérer les erreurs de jugements chroniques sur la nature du temps pour ce qu'elles sont vraiment: une maladie chronique. C'est un processus silencieux, mais pour beaucoup de personnes, c'est le chemin qui les mène inexorablement à la maladie – peut-être fatale. Évidemment, ce n'est pas dans ces termes que nous jugeons d'habitude notre sensation d'être pressé; trop souvent, c'est aux «nerfs» qu'on l'attribue. Comme on s'est trompé sur la cause de notre détresse, on se trompe aussi sur les solutions: les tranquillisants et l'alcool sont trop souvent les antidotes auxquels on se fie le plus communément.

Le temps et les thérapies

Un nombre de plus en plus grand de professionnels de la santé en viennent à reconnaître que la sensation d'être toujours pressé est une maladie. Des traitements prometteurs sont en développement. Il est intéressant d'observer que la plupart des nouvelles méthodes pour traiter «le mal du temps» – la rétroaction biologique, la relaxation, la méditation – incitent subtilement le sujet à adopter une nouvelle façon de percevoir le temps. Elles demandent au patient d'«arrêter» le temps. Elles l'invitent, bien que jamais explicitement, à entrer dans le monde de l'espace-temps.

Toutes les méthodes présentement utilisées pour enseigner ces techniques aux patients sont fondées sur une forme de visualisation. Les patients apprennent à se détendre en faisant des images dans leur tête. Un bon thérapeute apprend à personnaliser sa façon d'employer les images pour que le traitement soit le plus efficace pour un sujet donné. Mais peu importe quelle image particulière est utilisée, le processus employé est le même: le sujet échappe au temps qui passe pour accéder à un état où le temps est statique et dans lequel il voit des événements asymétriques se produire. Si on les pratique régulièrement, ces techniques sont extrêmement efficaces pour aider les sujets à s'adapter à une façon d'être qui rende leur temps de veille conscient et ordinaire moins trépidant, moins angoissant, moins pressé.

La plupart des personnes n'ont pas de difficulté à apprendre ces techniques. Pourquoi? La nouvelle façon de percevoir le temps fait qu'on se sent bien. C'est frustrant d'être submergé à jamais par l'impression que le temps presse. Pour la plupart d'entre nous, le stress et l'anxiété sont insupportables sans soulagement périodique. Adopter un nouveau mode de perception du temps, c'est donc contribuer à notre bien-être.

Nous avons vu plus haut que la participation à des états de conscience caractérisés par la sérénité, le calme et la détente engendre des changements physiologiques mesurables. Ces changements sont aussi réels que ceux produits par n'importe quel médicament. Tout effort de visualisation est accompagné par des changements dans les concentrations hormonales du sang, ainsi que dans le pouls et la pression sanguine, la tension musculaire et

246

l'irrigation de certaines régions du corps. Les images mentales pourraient donc être considérées comme de puissants agents thérapeutiques. Ce sont des «médicaments» dans le sens le plus vrai, aussi réels que les comprimés et les opérations chirurgicales.

Comment les techniques de visualisation fonctionnent-elles? Certains observateurs croient que les changements corporels que les images mentales suscitent dépendent absolument de leur contenu. Par exemple, une personne qui veut réchauffer sa main (une stratégie intéressante pour quelqu'un qui souffre de migraine ou de la maladie de Raynaud) imaginera que celle-ci est enveloppée dans une couverture de laine merveilleusement chaude, ou encore qu'elle est en train de se chauffer les mains devant un feu ronflant. Il semble cependant que le contenu des images ne soit pas aussi important qu'on est porté à le croire. Beaucoup de personnes sont capables de faire monter la température de leurs mains très efficacement, peu importe ce qu'elles imaginent – même en visualisant des mains blanches et gelées tenues dans l'eau glacée. Comment est-ce possible? Peu importe l'image, les sujets ont au moins une chose en commun: ils troquent leur façon usuelle de percevoir le temps pour un mode de perception dans lequel le temps cesse de passer. Ils sont témoins d'événements asymétriques, que l'image montre les mains exposées à la chaleur d'un feu ou immergées dans l'eau glacée. Ils voient les événements se dérouler dans leur imagination, mais ils ne les placent pas dans le courant du temps qui passe. Même si les événements changent séquentiellement, ils ne se passent pas dans le sens linéaire usuel: ils sont, tout simplement.

Dans cette perspective, l'expérience psychologique du temps linéaire est annulée. Le sujet est calme, tant physiologiquement que psychologiquement. Et dans la plupart des cas, la réaction physiologique qui accompagne cette expérience du temps est que les mains se réchauffent, peu importe l'image.

De ce point de vue, on peut dire que toutes les techniques de relaxation actuelles – rétroaction biologique, autorelaxation, relaxation progressive, méditation transcendantale, etc. – sont des thérapies temporelles. Elles mettent en jeu un mode psychologique spécifique de perception du temps.

Si on examine les techniques de méditation qui ont été pratiquées au cours des âges, on voit qu'elles sont en accord avec les concepts modernes du temps et de l'espace. Par la méditation, le temps peut être annulé d'innombrables façons. Une des techniques bouddhistes consiste à s'imaginer assis auprès d'une rivière. Quand se présente une pensée parasite, qui trouble la clarté d'esprit, la personne qui médite doit s'imaginer que la pensée encombrante est un billot, flottant loin en amont, qui arrive tout juste en vue. On garde l'attention sur le billot, on le regarde passer lentement avant qu'il disparaisse en aval. Cet exercice transforme les pensées parasites en un processus asymétrique qui se déroule doucement dans l'imagination. La personne qui s'y livre perd la conscience du passage du temps linéaire; elle passe hors du temps. Elle arrête le temps. Elle calme son esprit.

Une autre technique qu'on propose aux novices pour apaiser l'esprit et neutraliser les pensées parasites consiste à imaginer qu'avec chaque expiration, un chiffre descend dans le corps et s'arrête au fond de l'estomac. On voit donc un tas de chiffres posés doucement au fond de l'estomac. À la fin d'une séquence arbitraire – peut-être huit à dix expirations –, on recommence le processus. Cette simple technique a un effet surprenant et subtil. S'il ne s'agissait que de compter les respirations, on serait probablement entraîné dans un courant de temps linéaire. Mais le processus de visualisation empêche cela. Les chiffres, bien qu'on compte linéairement, gisent en tas, les uns sur les autres. Il ne semblent aller nulle part. Ce sont des chiffres, seulement des chiffres; ils n'appartiennent pas à la séquence temporelle qu'on sent quand on compte séquentiellement. C'est comme la pile de segments de pellicule. La pile de chiffres possède la propriété de l'asymétrie temporelle, mais celle du passage du temps s'est évanouie. C'est donc une technique qui permet à la personne qui la pratique d'échapper au temps linéaire de la conscience ordinaire. Quand on entre dans l'espace-temps, le sentiment d'urgence qui résulte de la compréhension du temps linéaire est désamorcé. L'esprit est centré et la méditation n'en est que plus puissante.

Beaucoup de passe-temps, de divertissements, ont cette propriété de «tuer le temps». C'est effectivement souvent pour «tuer le temps» qu'on les pratique. C'est une description adéquate du changement ressenti par rapport au passage du temps. En se livrant à une activité répétitive – par exemple, le tricot, la dentelle, etc. – on peut sortir du cours du temps, complètement absorbé par son projet. Bien que les mailles forment une séquence, chacune possède une existence propre. Une maille peut échapper à son rang; elle ne semble comporter aucun lien temporel avec la maille qui la précède ni avec celle qui la suit. Chacune est autonome. La personne qui est absorbée dans son tricot tue littéralement le temps; elle est passée dans le monde de l'espace-temps.

Le temps et l'accomplissement athlétique
Beaucoup d'athlètes ont relaté avoir eu des expériences temporelles non linéaires semblables à ce qui se passe dans l'espace-temps. Dans son livre remarquable, *The Ultimate Athlete,* George Leonard rapporte beaucoup de telles expériences qui sortent de l'ordinaire:

Tous les jours, des milliers d'événements semblables ont lieu – tant dans les rues et les parcs que dans les stades géants. Ces événements ne sont habituellement pas rapportés; on en a donc une perception bien incomplète. Dans notre culture, les gens passent leurs loisirs devant des spectacles extravagants dont ils sont les témoins passifs, dans la consommation effrénée de biens inutiles et dans des voyages marathons, demeurant tout ce temps dans l'ignorance des vastes richesses de leur propre expérience. Ces richesses ne se limitent pas au domaine du sport, mais elles y sont particulièrement abondantes. L'intensité des expériences, la complexité des relations, l'engagement total du corps et des sens, s'y conjuguent pour créer les conditions favorables à ces événements extraordinaires que, dans notre culture, on qualifie de «paranormaux» ou «mystiques»[17].

Un cas d'immersion spatio-temporelle bien connu est celui de John Brodie, l'ancien quart-arrière du 49e de San-Francisco. Interrogé par Michael Murphy, fondateur de l'institut Esalen, Brodie décrit sa façon extraordinaire de percevoir l'espace et le temps:

Murphy: Pouvez-vous me donner quelques exemples des aspects qu'on ignore habituellement, quelques exemples du côté psychologique du jeu ou de ce que vous appelez le «courant d'énergie»?

Brodie: Souvent, dans le feu de l'action, la perception et la coordination d'un joueur s'améliorent nettement. Il m'arrive, de plus en plus souvent maintenant, de ressentir une sorte de clarté dont je n'ai jamais encore lu de description adéquate. *Par exemple, il arrive que le temps semble ralentir mystérieusement, comme si tout le monde se déplaçait au ralenti. On dirait que j'ai tout le temps du monde* pour observer la course des receveurs, et pourtant je sais que la ligne défensive fonce sur moi, toujours aussi vite. Je sais parfaitement bien que ces types s'en viennent à toute vitesse et pourtant, *tout cela a l'air d'un film ou d'un ballet au ralenti.* C'est beau[18]. [C'est nous qui soulignons.]

En 1972, Duane Thomas, alors arrière pour les Cow-boys de Dallas, permit à son équipe de remporter le Superbowl. Plus tard, Thomas a décrit ses facultés spectaculaires dans des termes presque mystiques. Il était capable de voir des stratégies se développer au ralenti. Il pouvait sentir le mouvement complexe qui l'entourait avec une notion du temps qui lui permettait de choisir une option plutôt qu'une autre.

En 1973, les alpinistes Beverley Johnson et Sibylle Hechtel ont été le premier groupe composé uniquement de femmes à escalader une des formations granitiques les plus formidables du monde: El Capitan, dans la vallée de Yosemite. Cinq ans plus tard, Johnson répétait cet exploit en solo: une première encore inégalée. À l'arrivée, une équipe de télévision l'attendait. Dans un reportage diffusé à l'échelle des État-Unis, on lui demanda à quoi elle pensait durant les longues heures passées à escalader la paroi verticale. Elle répondit qu'elle n'avait cessé de se dire: «Comment est-ce qu'on mange un éléphant? Une bouchée à la fois.»

Une bouchée à la fois. C'est une stratégie temporelle employée par beaucoup d'athlètes. Les coureurs de fond parlent souvent de «rester dans le moment», de rester centré dans le présent, de concentrer son attention sur ce qui se passe *maintenant,* de ne pas se préoccuper de la distance qui reste à parcourir. Une telle stratégie permet d'échapper au combat linéaire qu'on mène pour gravir une montagne ou pour courir un marathon. Pour l'athlète, cela diminue l'anxiété et la dépense d'énergie qui ne pourraient qu'être augmentées s'il passait son temps à se demander «quelle distance dois-je encore parcourir?».

Les stratégies temporelles comme celle qu'on vient de mentionner semblent diviser le temps en segments non linéaires à l'intérieur desquels les événements ne se passent pas dans le sens usuel mais *sont,* tout simplement. Cette façon de ressentir le temps ressemble beaucoup à celle des mystiques et des personnes qui méditent. Elle ressemble aussi à la description spatio-temporelle donnée par la physique moderne. On y reconnaît une *asymétrie* temporelle qui permet d'identifier la direction des événements, mais qui nie toute possibilité de passage du temps lui-même.

Beaucoup d'athlètes ont déjà décrit de tels événements. Il s'agit de phénomènes courants; ils ne sont pas réservés aux athlètes professionnels. La concentration de l'athlète amateur complètement absorbé dans ses exercices ou l'exaltation du marathonien professionnel ont peut-être une origine similaire. Ces expériences indiquent qu'on peut trouver au fond de soi une autre façon d'appréhender l'espace et le temps.

Pat Toomay, qui a passé plusieurs années comme ailier défensif pour les Cowboys de Dallas, est l'auteur de propos des plus provocants sur les hautes performances des athlètes. Toomay est un athlète non seulement exceptionnel mais éloquent: il a décrit le football professionnel en termes irrévérencieux mais pénétrants[19]. Les rares moments de la vie de la plupart des athlètes où tout fonctionne parfaitement le fascinent – ces moments où on sait d'avance comment le jeu va se dérouler, où le porteur du ballon va courir, où le ballon va être lancé. Au base-ball, la balle et le bâton ne font plus qu'un; le frappeur ne peut pas la manquer. Pour le lanceur, la balle courbe a une trajectoire parfaite, la balle rapide est vivante, et les frappeurs sont retirés l'un après l'autre, sans effort. Pour le joueur de basket-ball, le ballon et le filet sont unis en un arc, dès que le ballon est lâché. Dans tous ces moments, on sent une perfection, une fluidité, inexplicables et ineffables.

Toomay propose un modèle de ces performances extraordinaires, basé sur l'idée des ordres implicite et explicite du physicien David Bohm (voir le chapitre 5 de la troisième partie). C'est l'ordre implicite, invisible et indéfinissable, qui enveloppe et sous-tend tout. Ses qualités sont l'unité et la perfection. D'autre part, l'ordre explicite est le monde des sens, inharmonieux et à plusieurs facettes, le monde de l'ordinaire et du quotidien. Toomay affirme que des moments de perfection prolongée surviennent quand l'athlète transcende le niveau explicite pour participer à la perfection du monde implicite où tout s'enchaîne pour ne faire qu'un. Dans cet état, la perfection de perception et d'exécution sont moins une question de *faire* que d'*être*.

C'est un fait bien connu que les enfants sont capables

de s'absorber complètement dans une tâche. Dans certaines situations, ils peuvent faire un usage thérapeutique de cette faculté. Pour illustrer ce propos, voici l'histoire de Mark, un garçon de six ans qui avait été envoyé à mon laboratoire de rétroaction biologique pour le traitement de son hyperactivité. Les enfants hyperactifs sont littéralement une personnification du «mal du temps». Ils ne sont pas capables de rester tranquilles bien longtemps. Leur activité incessante est déconcertante pour leurs proches. Parce qu'ils ne cessent de bouger, ils sont incapables de concentrer leur attention. Bien qu'ils soient souvent intelligents, la grande difficulté qu'ils ont à rester «attelés» à une tâche fait qu'ils en viennent rarement à bout et laisse croire à de la lenteur intellectuelle.

Comme la plupart des enfants, Mark n'a eu aucune difficulté à maîtriser les techniques de rétroaction biologique. (Les enfants ne savent pas que les humains ne sont pas supposés être capables de contrôler des choses telles que le pouls, la pression sanguine, la tension musculaire et la température de la peau!) Ses performances l'intriguaient, et il semblait faire le lien entre sa réussite avec les instruments et le fait d'être calme et en plein contrôle de son corps. Il disait qu'il se sentait la plupart du temps «tout nerveux en dedans», mais cela cessait quand il était détendu et qu'il réussissait bien dans sa séance de rétroaction biologique. On put observer un changement marqué dans son comportement, tant à la maison qu'à l'école. Non seulement ses résultats scolaires changèrent-ils, mais ses relations avec ses parents et camarades s'améliorèrent aussi.

Après une séance de rétroaction biologique, le technicien lui demanda: «Mark, qu'est-il arrivé de toute ta nervosité?» Il répondit: «Elle est partie. Quand je me sens comme ça, je la laisse juste sortir par mes gros orteils!» Avec l'imagerie magnifique qui semble naturelle pour la plupart des enfants, il décrivit comment il avait imaginé que la nervosité était une substance qu'il pouvait laisser sortir par le bout de ses gros orteils. Pourquoi les orteils?

«Parce qu'ils sont dans mes chaussures; comme ça, personne d'autre ne peut me voir faire ça!»

L'image de Mark est typique du processus de visualisation en général. Il s'est distancié de l'événement qu'il voyait. Son image évoluait dans son imagination comme un événement asymétrique qu'il regardait de l'extérieur, hors du temps. Cette thérapie temporelle, cette imagerie, était efficace pour neutraliser son mal du temps: l'hyperactivité.

Monica est une patiente qui était venue me voir pour le traitement d'une douleur intense du côté gauche de son cou. La douleur avait commencé à la suite d'un accident de ski dans lequel elle s'était blessée à l'épaule gauche. L'épaule avait guéri, mais Monica restait la proie de douleurs récurrentes dues au spasme du muscle trapèze et d'autres muscles clefs de la région de l'épaule et du cou. Après avoir enduré la douleur pendant plusieurs heures, elle développait invariablement une migraine généralisée. Son orthopédiste et son neurologiste lui firent subir un examen extensif qui ne révéla rien d'anormal. Ayant les analgésiques en aversion, elle s'en remit donc à la rétroaction biologique, espérant régler son problème par ses propres moyens.

Il existe toute une variété d'images qui peuvent être utilisées efficacement pour manipuler les sensations douloureuses. Pour éliminer son inconfort, Monica avait choisi de visualiser le site de sa douleur comme une petite boule incandescente[20]. Elle concentrait toute son attention sur cette image, et quand celle-ci était extrêmement prenante, elle commençait à déplacer la boule, lentement, jusqu'à la sortir de son corps. Elle la plaçait ensuite à environ deux mètres devant elle. C'est alors que cette petite boule de douleur rougeoyant intensément se mettait à grossir pour atteindre la taille d'un ballon de basket-ball, suspendu dans l'espace et dans le temps. Monica disait que le temps s'était immobilisé. Même si des événements continuaient à «se passer» – le ballon rouge luisait toujours –, le temps avait cessé de s'écouler.

C'était le temps de l'espace-temps. Des événements asymétriques continuaient à se passer – le ballon luisait toujours, et Monica le faisait chatoyer. Quand il passait finalement au blanc, il cessait de briller et se mettait à rapetisser. Quand il était revenu à sa dimension originale, elle le replaçait dans son corps, au site de la douleur, qui avait nettement diminué, sinon complètement disparu. Durant ces séances de visualisation, elle avait appris à garder sa tension musculaire à un niveau extrêmement bas, mesuré par l'appareil de rétroaction biologique. Son passage dans le monde de l'espace-temps a été pour elle un voyage thérapeutique. Après quelques semaines, sa douleur ne se reproduisit plus.

Nous avons vu, dans la deuxième partie, comment la perception de la douleur était liée à notre perception du temps. Pour la personne qui souffre, le temps se traîne. Les minutes semblent des heures. Mais le temps ne s'*arrête* jamais complètement; il coule inexorablement, et tellement lentement, quand on a mal. L'expérience indique que l'*arrêt* du temps serait une clef pour manipuler la perception de la douleur. Le médecin, l'infirmière ou le thérapeute qui aide le patient qui souffre peut être plus qu'un distributeur d'analgésiques. Il peut être un guide, quelqu'un qui accompagne la personne qui souffre, le long des couloirs du temps jusqu'au point tranquille où le temps cesse de s'écouler et où la douleur s'évanouit. Et le patient, le patient souffrant – comment éviter la conclusion? – devient un voyageur dans le temps.

Comme l'illustrent les cas que je viens d'exposer, tout le monde peut tirer profit de la description du temps que nous offre la physique moderne. La portée de la nouvelle définition du temps va bien au-delà du laboratoire de physique. Elle rejoint la vie de quiconque souffre d'un désordre lié au temps qui presse – ce qui, malheureusement, nous concerne presque tous.

La maladie et l'expérience de l'espace-temps

De quoi a l'air un modèle spatio-temporel de la santé

pour quelqu'un qui est malade? De quelle façon s'y prend-on pour mettre ces concepts en œuvre, alors qu'on est effectivement souffrant? Ces questions nous rappellent un fait qu'on oublie trop aisément quand la santé va bien: il y a quelque chose d'absolument oppressant à être malade. C'est un état tellement éloigné de l'expérience ordinaire qu'on n'a pas vraiment de termes adéquats pour le décrire.

Ce fait m'est venu à l'esprit récemment, alors que je m'étais enrhumé. J'ai été doté d'une excellente constitution; c'est pourquoi je tolère très mal de souffrir d'un rhume, aussi banal soit-il. Le malaise général, les maux de tête, la gorge douloureuse et la toux m'ont complètement déséquilibré. J'étais déprimé de me sentir si mal. Et comme les douleurs et la fièvre s'installaient, je me pris à penser à des maladies plus sérieuses – de quoi est-ce que je souffre *réellement*? De quoi cette maladie est-elle en train de se compliquer? Je me sentais tellement mal que je ne pouvais pas faire mon travail. Je me suis finalement mis au lit, me disant qu'il était temps de cesser de me débattre; qu'il valait mieux me fier à la sagesse de mon corps. Je pensais aux conseils que j'avais déjà donnés à des patients, et *aucun* d'entre eux ne m'apportait le moindre réconfort. Pendant deux jours, non seulement j'ai été physiquement misérable, mais psychologiquement, j'étais impuissant.

Mon expérience a été enrichissante. Qu'est-ce qu'une personne peut faire pour améliorer son état, quand elle est en pleine maladie? En tant que thérapeutes, est-ce qu'on se leurre quand on suppose qu'en plus de prendre les médicaments qu'on leur donne, les malades sont capables de mettre en œuvre des processus faisant intervenir le corps et l'esprit, et qui soient propres à les mettre sur la voie de la guérison? Si un rhume banal a un effet aussi démolissant sur le moral, que penser du patient affligé d'une maladie chronique? Au moins, je pouvais supposer que ma maladie n'allait pas durer plus de quelques jours. Je n'étais pas incurable, ma maladie ne menait pas à la mort.

Je n'ai pas de réponse certaine sur les capacités d'auto-guérison qu'on peut effectivement attendre d'un malade, de quelqu'un qui se *sent* malade avec son esprit *et* son corps. Mais j'en suis venu à croire que la maladie est une cause de distorsion dans la perception effective du monde – cette construction spatio-temporelle qu'on appelle la réalité. Quand on est malade, on a une vision du monde tout à fait différente de celle qu'on a quand on est bien. La notion de la durée change nettement: le temps ralentit, on a l'impression que ça fait une éternité qu'on est malade, qu'on ne guérira jamais. La notion de la place qu'on occupe dans le monde change également. On se sent isolé de ceux qui vont bien. On sent une différence profonde dans la «qualité de l'espace» – l'impression que chaque chose est reliée à toutes les autres s'évanouit et nous nous sentons enfermés, déconnectés d'avec ceux qui nous entourent. Quand on est malade, on devient un objet newtonien: une épave abandonnée par le cours du temps.

Peut-on développer, même quand on est malade, une notion spatio-temporelle moderne? Peut-on conserver la vision claire de notre unité spatio-temporelle avec tout le reste? D'après nos observations, cette conscience vient effectivement à certains stades de la maladie, comme une percée de soleil dans un jour nuageux. C'est une vision commune, par exemple, aux personnes qui sont revenues à la vie après être passées très près de la mort. Au moins, la vision est *possible*.

Enfin, pouvons-nous aider nos patients et nos amis malades à accéder à cette vision rassurante? C'est une tâche dont la médecine du futur devra s'occuper. Il faudrait, à mon avis, lui accorder la plus haute priorité, car sa mise en œuvre frapperait l'aspect le plus ennuyeux de la maladie: l'isolement, la solitude et la crainte de la mort.

Le point de vue spatio-temporel du processus de la guérison suggère par lui-même un cadre théorique dans lequel commencer cette tâche. Après tout – nous l'avons vu – le nouveau concept nous oblige à nous rendre compte que la santé, et non seulement la maladie, peut se propager. Dans le cadre du nouveau modèle, la santé et la maladie sont considérées comme des processus. Il s'agit d'un phénomène de champs, un événement qui se propage dans l'espace-temps, qui va au-delà des corps individuels. Comme tel, le message de guérison *peut* passer de celui qui se porte bien à celui qui est malade, il peut pénétrer l'isolement et l'impression de solitude morbide qui fait partie de l'expérience de la maladie. Par surcroît, la transmission de ce message est obligatoire. On n'a pas à décider si on *peut* aider nos patients et nos amis malades. Cette question ne relève pas de nous.

L'aspect le plus hideux de la maladie est la distorsion qu'elle fait subir à l'espace et au temps que perçoivent les malades. Cette distorsion accentue la douleur, la souffrance et l'angoisse. Dans le cadre du modèle spatio-temporel de la santé et de la maladie, un objectif primordial de tout thérapeute est d'aider le malade à réorganiser sa vision du monde. Il faut l'aider à se rendre compte qu'il est un processus dans l'espace-temps – pas une entité isolée, un fragment détaché du monde des bien-portants, qui s'en va lentement à la dérive dans le cours du temps, vers son anéantissement. Dans la mesure où on accomplit cette tâche, on peut se dire guérisseur.

La perception de l'espace et du temps

Il n'est pas facile de se mettre à voir l'espace et le temps d'une nouvelle façon. C'est excessivement difficile d'imaginer le temps statique, le temps qui ne s'écoule pas. Il n'est pas facile de saisir le temps de l'espace-temps, le continuum dans lequel il n'y a pas d'événements qui se passent, mais que des événements qui *sont*. Dans le cadre de la physique moderne, l'espace et le temps sont couplés. C'est frustrant de ne pas pouvoir les connaître séparément tant il est évident qu'on les perçoit *effectivement* séparément.

Un paradoxe se pose donc: si le temps et l'espace sont réellement indissociables, pourquoi avons-nous toujours l'impression que le temps passe sans jamais avoir la sensation similaire du passage de l'espace? La différence de perception est flagrante. Le temps passe, mais l'espace est statique. Si ces deux phénomènes naturels sont vraiment unis, comme le prétend la physique moderne, pourquoi en avons-nous des expériences qualitatives aussi dissociées?

Peut-être que nos sensations de l'espace et du temps diffèrent pour une bonne raison – une raison qui, dans le langage de la biologie, est la meilleure de toutes: la survie. Il est fort probable qu'au cours de notre évolution, nous ayons développé des façons de juger de l'espace et du temps qui soient favorables à notre survie.

Peut-être même qu'au cours de notre évolution, nous avons développé *beaucoup* de façons de percevoir l'espace et le temps. Lesquelles avons-nous conservées? Celles qui ont favorisé la survie des individus par la perpétuation de leur bagage génétique au moyen de la procréation. Ces facteurs de survie étaient aussi valables qu'un œil ou une oreille, ou que la capacité de voler ou de courir vite. Ils conféraient un avantage dans la lutte pour la survie.

Considérons que l'expérience psychologique qui résulte de la sensation du passage du temps est le sentiment d'*urgence* – le temps fuit, il y a quelque chose d'imminent qui va se passer. Dans le cadre du temps linéaire, on *anticipe* l'arrivée des événements. Dans ce courant d'événements, j'agis pour assurer ma propre survie, je me comporte de certaines façons pour rester en vie. Le sentiment de l'urgence engendre la préparation – pour tuer et chasser, pour cueillir et semer. La chance de tuer tel bison pour la nourriture, pour ma survie, va passer si je n'agis pas maintenant. Il semble donc vraisemblable que la survie physique de nos ancêtres ait été favorisée par la perception du passage du temps et par le sentiment d'urgence qui en résulte, même si – comme nous l'avons vu – la notion du temps mythique traditionnel des cultures primitives ne possède pas de durée (voir le chapitre 3 de la deuxième partie). Il n'est pas évident que la sensation du temps comme quelque chose de statique aurait pu être de quelque avantage pour la survie.

De la même façon, la perception de l'espace comme quelque chose de statique peut avoir influencé la survie. Un espace immobile, statique, nous donne un terrain sur lequel agir. En fait, on a peine à l'imaginer autrement. Si on percevait l'espace comme quelque chose qui s'écoule, qui ne reste pas en place, le résultat serait chaotique – quiconque a déjà souffert du vertige l'admettra d'emblée. Un espace toujours en mouvement aurait sûrement été aussi dangereux pour nos prédécesseurs que ce l'est pour nous, car cela rend difficile d'agir avec précision. La survie semble à peine possible dans un monde en mouvement.

Donc, si on avait à concevoir pour nos ancêtres les modes de perception temporel et spatial propres à les aider dans leur montée évolutive, on choisirait vraisemblablement ceux qui nous sont parvenus: ceux du temps qui passe et de l'espace statique.

Quand on replace dans son contexte évolutif notre lutte pour comprendre la définition moderne de l'espace-temps, on voit qu'elle reflète notre héritage biologique. Notre vision de l'espace et du temps n'est pas une question d'intelligence ni de compréhension. S'il nous fallait percevoir l'espace et le temps de toute autre façon, nous ne serions probablement pas là pour le faire: nous n'aurions vraisemblablement pas survécu comme espèce.

Notre façon de percevoir l'espace et le temps aurait donc facilité notre évolution. Peut-être lui doit-on l'existence. Mais ce mode de perception ne garantit aucunement que notre vision du monde soit *exacte*. Nous n'avons aucune assurance de percevoir l'espace et le temps correctement – seulement *naturellement,* c'est-à-dire que nos perceptions sont le reflet de notre propre nature. Quand on est aux prises avec les fantaisies des nouveaux concepts de l'espace-temps, on devrait considérer que c'est dans notre *nature* de ne pas comprendre. Il y a quelque chose en nous qui résiste à ces nouvelles idées.

«Comprendre» l'espace-temps

La première fois qu'on aborde les définitions de l'espace-temps, une réaction courante est de se sentir dépassé: «Je ne suis pas assez intelligent pour comprendre; ces concepts sont pour les physiciens et les mathématiciens.» Ce sentiment est sûrement impropre: il n'y a en effet *aucune preuve que la capacité de conceptualiser les idées modernes de l'espace-temps ait quoi que ce soit à voir avec l'intelligence.* Ces idées sont plus fermement ancrées dans notre partie irrationnelle, intuitive, que dans notre moi verbal et rationnel. En fait, l'intellect peut constituer une entrave à la compréhension de l'espace-temps, tellement ces idées sont étrangères à la logique et au bon sens.

C'est là une question cruciale. Ceux qui rejettent toute référence aux idées modernes de l'espace-temps, en prétendant qu'il n'y a que les scientifiques doués qui peuvent les comprendre, ne peuvent être plus loin de la vérité. La quintessence de ces idées est très ancienne. Le cœur de la relativité restreinte avait déjà été décrit dans les cultures orientales, des milliers d'années avant Einstein[21]. Comme nous l'avons vu dans la deuxième partie, des sociétés entières vivent confortablement et efficacement avec une notion de temps non linéaire. Peut-être que les cultures qui ont le plus facilement adopté ces idées l'ont toutes fait sans aucune notion de mathématiques, mais en se fiant à l'intuition et aux modes de penser irrationnels.

La notion moderne de l'espace-temps n'a pas nécessairement à être enveloppée dans du jargon mathématique et physicaliste indéchiffrable. Le langage de la science n'est pas nécessaire pour apprécier la signification essentielle des nouvelles définitions de l'espace et du temps. Cela est évident, non seulement d'après les données culturelles qu'on a observées, mais de par les affirmations de Einstein lui-même: il affirme que ce ne sont pas des percées de raisonnement logique qui l'ont guidé dans ses descriptions, mais la certitude intérieure de la beauté et de l'harmonie intrinsèques de ses théories. C'est l'intuition, pas le raisonnement linéaire, qui a permis à des cultures entières d'appréhender l'espace-temps, bien avant l'ère moderne.

La double nature du temps et de l'espace

C'est peut-être pour sa valeur dans la lutte pour la survie que nous avons conservé dans notre nature biologique la notion du temps linéaire, fluide. Mais l'histoire ne s'arrête sûrement pas là. Je crois que la perception d'un temps statique, immobile, non linéaire, est aussi un facteur de survie. Nous avons observé qu'un sentiment d'urgence est associé à la perception du temps comme un processus linéaire composé du passé, du présent et du futur. Notre façon moderne d'exprimer ce sentiment d'urgence est l'impression qu'il n'y a pas assez de temps. On va en manquer. Pour chacun de nous, la rivière du temps va s'assécher. Cette rivière en mouvement se traduit pour la plupart de nous comme un tapis roulant sur lequel on tente de faire de plus en plus de choses en prenant de moins en moins de temps. Le prix à payer: stress, tension, anxiété.

Comme nous l'avons vu dans la deuxième partie, on a beaucoup de faits probants qui indiquent que les effets psychologiques de l'urgence – stress, anxiété, tension – ne restent pas localisés à la psyché. Ils s'expriment aussi dans le corps, sous la forme de maux physiques. Le sentiment d'urgence engendre des infirmités, des maladies et la mort. Ce sentiment nous a sans doute permis de nous comporter de façon à favoriser notre survie, dans les stades antérieurs de notre évolution; mais de nos jours, c'est sûrement une épée à deux tranchants. Par contre, le sentiment psychologique qui accompagne la perception du temps comme quelque chose d'immobile et de statique est la tranquillité, la sérénité, la paix. C'est cette perception que décrivent si bien les poètes et les mystiques. C'est le sentiment d'unité avec tout ce qui est, la sensation de calme et de soulagement. C'est le contraire de l'urgence.

C'est peut-être pour une bonne raison que l'évolution nous a laissé ces deux façons complémentaires de percevoir le temps. La présence de deux modes de perception, qui agissent en différentes circonstances, semble un meilleur facteur de survie que celle d'un seul des deux modes. On peut tirer parti du sentiment d'urgence à la chasse ou au combat. Et quand le temps de l'action est passé, on peut avoir recours au temps immobile, à l'unité et au calme, pour accomplir les restaurations physiologiques nécessaires.

Ces deux modes de perception du temps, intervenant alternativement, ont du sens. Ils permettent un équilibre que ni l'un ni l'autre ne pourrait conférer seul. C'est peut-être parce qu'on a besoin de ces deux facultés de percevoir le temps qu'on les trouve en soi.

NOTES:

1. Owen Barfield, *The Rediscovery of Meaning and Other Essays,* Middletown, Connecticut: Wesleyan University Press, p. 182.
2. J.A. Wheeler, «Is Physics Legislated by Cosmogeny?» *The Encyclopedia of Ignorance,* R. Duncan et M. Weston-Smith, réd., New York: Pergamon, 1977, p. 23.
3. E.H. Walker, «Consciousness and Quantum Theory», *Psychic Exploration, A Challenge for Science,* E.D. Mitchell, réd., New York: G.P. Putnam's Sons, 1976, p. 544.
4. K. Pelletier, *Toward a Science of Consciousness,* New York: Dell, 1978, p. 123.
5. H.P. Stapp, «S-Matrix Interpretation of Quantum Theory», *Physical Review,* D3, 1971, p. 1303 seq.
6. P.C.W. Davies, *Space and Time in the Modern Universe,* Cambridge: Cambridge University Press, 1977, p. 221.
7. Hermann Weyl, *Philosophy of Mathematics and Natural Science,* New York: Athenium, 1963, p. 116.
8. L. Barnett, *The Universe and Dr. Einstein,* New York: Bantam, 1968, p. 58.
9. Alan Watts, *Tao: The Watercourse Way,* New York: Pantheon, 1975, p. 54.
10. L. LeShan, «Human Survival of Biological Death», *The Medium, the Mystic, and the Physicist,* New York: Viking, 1966, p. 232.
11. Capra, *Le Tao de la physique,* p. 311-312.
12. B. Hoffman, *Albert Einstein, Creator and Rebel,* New York: Plume, 1973, p. 257.

13. J. Schwartz et M. McGuinness, *Einstein for Beginners,* New York: Pantheon, 1979, p. 82.
14. Davies, *Space and Time in the Modern Universe,* p. 200.
15. *Ibid.,* p. 201.
16. Davies, *Space and Time in the Modern Universe,* p. 56.
17. G. Leonard, *The Ultimate Athlete,* New York: Viking, 1974, p. 34.
18. M. Murphy, *Intellectual Digest,* janvier 1973.
19. Pat Toomay, *The Crunch,* New York: Norton, 1975.
20. Je dois cette image à O.C. Simonton, S. Matthews-Simonton et J. Creighton, *Getting Well Again,* p. 205.
21. Capra, *Le Tao de la physique.*

CHAPITRE 2

La santé et l'ordre implicite

Tout est vivant; ce qu'on considère comme mort est une abstraction.
David Bohm[1]

Qu'est-ce que la santé? Il n'y a pas de réponse généralement admise. Une des choses qui embarrassent la médecine moderne, c'est son incapacité à définir exactement ce qu'elle promeut. La plupart des personnes ont tendance à se représenter la santé en termes négatifs – je ne fais *pas* de haute pression; mon taux de cholestérol n'est *pas* trop élevé; je n'ai *rien* d'anormal. Si mon médecin ne peut rien trouver d'anormal, je *dois* être en bonne santé. Cette façon très répandue de concevoir la santé ne nous dit pas, cependant, ce qu'elle est. Même les tentatives de la définir avec des termes positifs ont des défauts. L'Organisation mondiale de la santé a défini la santé comme le bien-être physique, psychologique et spirituel total d'un individu – mais ces concepts sont trop vagues pour être utiles. On ne sait pas clairement ce qu'est ce bien-être, ni ce qu'on entend par le fonctionnement adéquat de nos parties spirituelle, physique et psychologique.

Nous sommes même impuissants à définir clairement ce que la maladie signifie. On dirait qu'il n'y a pas d'absolu. Considérons, par exemple, la maladie appelée déficit en G6PD. Ce désordre est dû à un défaut génétique. La G6PD (glucose-6-phosphate-déshydrogénase) est une enzyme nécessaire au bon fonctionnement des globules rouges. Dans certaines situations de stress physiologique, la déficience de la G6PD peut mener à l'hémolyse: la dissolution effective des globules rouges. Dans certaines régions de l'Afrique, cette maladie accompagne parfois l'anémie falciforme. On a découvert que les indigènes qui faisaient de l'anémie falciforme résistaient mieux à ses effets s'ils avaient en même temps cette deuxième maladie: le déficit en G6PD[2]. Dans ce cas, le fait d'avoir une «maladie» rendait le patient en meilleure santé – du moins dans le sens qu'une maladie lui conférait une résistance relative contre une autre. Mais comment une maladie peut-elle être un facteur de santé? On voit bien que la maladie, tout comme la santé, ne se laisse pas définir facilement.

Nous supposons d'habitude que, d'une certaine façon, la santé émane de l'intérieur de nous-même. Cette supposition reflète bien notre réflexe d'attribuer toutes nos propriétés physiques, comme la santé – et même la vie –, au comportement de nos molécules constituantes. Mais il n'est pas tout à fait clair qu'il en va bien ainsi. David Bohm, quand il parle du monde vivant, a souvent recours à l'exemple d'une graine qui germe. Presque toute la matière et l'énergie qui émergent à mesure que la graine croît viennent de l'environnement. «Qui osera dire que la vie n'était pas immanente, même avant que la graine n'ait été plantée?» Et si la vie était immanente avant même que la graine ne s'ouvre, alors la plante qui pousse devient plus que la simple matière dont elle est issue, elle se charge de vie. La plante devient plus que le seul comportement de ses molécules constituantes.

Cette énergie de vie, comme le dit Bohm, appartient à l'ordre implicite – cette totalité invisible qui sous-tend le monde extérieur des choses et des événements (qui appartiennent à l'ordre explicite; voir le chapitre 5 de la troisième partie), et dans laquelle toutes les choses sont enracinées. Bohm a également avancé que la santé est le résultat de l'interaction harmonieuse de toutes les parties analysables comprises dans l'ordre explicite – les cellules, les tissus, les organes, et tout le corps physique – avec l'environnement externe. Pour Bohm, la santé est harmonie, une qualité dont le fondement est, comme pour toute chose, dans la totalité de l'ordre implicite, et non pas dans les choses considérées pour elles-mêmes.

Dans l'idée d'ordre implicite, le concept de flux est sous-entendu. Tout est flux et mouvement, dit Bohm. Ce mouvement, ce dynamisme, est fondamental, et ce n'est que dans l'ordre explicite de notre expérience sensorielle ordinaire que nous le divisons, tranchant dans la pureté du mouvement jusqu'à ce qu'il semble ne plus y avoir que des parties séparées. Ces divisions apparentes sont cependant illusoires puisque l'intégrité fluide et implicite ne peut être analysée ni divisée. La seule fonction de l'ordre explicite, dit Bohm, est de diviser en parties ce monde d'unité. C'est de cette manière que notre bon sens ordonne le monde.

L'essence du mouvement fluide, indivisible et libre, de l'ordre implicite est l'harmonie – ce qui pour Bohm est la signification de la santé lorsque cette harmonie est traduite dans le monde explicite. Mais puisque, chez les organismes vivants, la pureté de mouvement est imparfaite (il y a effectivement des défaillances), l'harmonie – et donc la santé – est aussi imparfaite. Les choses se mettent parfois à aller mal. Le résultat est la maladie, une rupture de l'harmonie. Tous les organismes vivants changent et meurent.

Vue de cette façon, la santé possède une qualité *cinétique*. Elle a ses racines dans ce que Bohm dit être l'ordre implicite sous-jacent, dont les propriétés d'intégrité et de mouvement ont suggéré le terme *holomouvement*. La santé n'est pas statique. Pourtant, notre conception ordinaire de la santé est tellement différente! Pour beaucoup d'entre nous, l'image de la santé est celle qu'on possède à un certain âge, pendant notre jeunesse, et qu'on souhaiterait conserver intacte jusqu'à un âge avancé. On voudrait capturer cet état et le conserver sous une forme statique, cristallisée. Mais il ne peut en être ainsi, parce que la santé est harmonie, et l'harmonie n'a pas de sens sans un mouvement fluide de parties inter-dépendantes. Comme un ruisseau qui devient stagnant quand il cesse de couler, l'harmonie et la santé laissent la place à la maladie et à la mort, quand la stagnation survient. Nous voilà revenus au concept de la biodanse, le courant ininterrompu, la marée des corps.

Il est bien triste que nous ayons perdu le contact avec cette qualité cinétique de la santé. Nous voyons la santé comme une peinture figée, comme une collection d'unités d'information: des électrocardiogrammes, des relevés de pression sanguine, des résultats d'analyses sur les enzymes du foie, le taux de sucre dans le sang ou le fonctionnement des reins. Même les centres de santé qui encouragent manifestement les aspects cinétiques des soins – par la pratique de sports de mouvement comme le jogging – convertissent fréquemment la distance qu'un client a parcourue en courant en une donnée informatisée qui indique le nombre de «points» obtenus, de sorte que l'expérience cinétique est finalement réduite à l'immobilité des nombres. L'expérience de la santé, de son principe de mouvement, est réduite. On la traduit en données mortes qui, ironiquement, semblent nous rassurer plus que l'expérience de la santé en elle-même.

L'harmonie du mouvement des parties constituantes du corps implique plus que leur simple interaction fluide. Nous avons vu, dans le chapitre sur la biodanse (chapitre 2 de la troisième partie), qu'il n'y a pas de corps borné. Le concept de corps-composé-de-parties est une contra-diction dans les termes, puisque les «parties» elles-mêmes viennent des vastes étendues de l'univers et que leur séjour dans le corps est toujours temporaire. En outre, celles-ci sont en relation avec toutes les autres parties de l'univers. Dans son dynamisme essentiel, le corps reflète l'holomouvement de Bohm. L'harmonie de ses parties est l'harmonie de celles de l'univers, qui sont momentanément localisées sous la forme d'un corps physique.

De ce point de vue, il émerge de nouveaux concepts de corps, d'harmonie et de santé. Alan Watts a déjà dit que comme un pommier produit des pommes, l'univers produit des hommes. Peut-être avait-il poétiquement tout à fait raison. Nous sommes une cristallisation de l'univers, bien que temporaire – un fruit, comme dirait Watts –, l'expression explicite d'une harmonie implicite.

Comme nous l'avons vu, l'idée de la santé vue comme une harmonie, de l'harmonie vue comme la qualité du mouvement parfait des pièces, suggère que la santé possède une qualité cinétique. S'agit-il seulement d'une construction intellectuelle? Peut-être pas. La pratique nous livre beaucoup de faits probants en faveur de ce principe. Par exemple, la sagesse populaire dit que l'inactivité engendre la maladie. Les personnes âgées n'en mènent plus bien large, à partir du jour où elles se résignent à leur fauteuil berçant. À tous les âges, rester actif favorise la santé. Bien qu'on n'ait pas de preuve claire à l'effet que l'activité physique prolonge effectivement la durée de la vie, peu de médecins (sauf ceux qui sont eux-mêmes sédentaires) nieront qu'elle ajoute à la qualité de la vie. Comme on dit «la fonction crée l'organe», inversement, «ce qui ne sert pas s'atrophie et disparaît». Le mouvement serait donc un élément clef d'un concept de la santé-harmonie pratique et cohérent, puisqu'on semble le retrouver même dans l'expérience quotidienne.

C'est peut-être de notre obstination à vouloir considérer la santé en termes absolus que vient la confusion sur ce qu'elle est effectivement. Comme la maladie – disons-nous –, elle a un statut fondamental qui lui est propre. Mais là encore, Bohm suggère que ce n'est peut-être pas le cas:

Quand on suit une notion particulière jusqu'à ce qui semble être sa conclusion logique, on trouve qu'elle est identique à son contraire. Le dualisme s'effondre, comme l'avait observé Hegel. La raison montre d'abord que les contraires s'engendrent l'un l'autre, puis on découvre que l'un est le reflet de l'autre, et finalement, on se rend compte qu'ils ne sont pas vraiment différents, qu'en fait, ils sont identiques. Les deux opposés peuvent d'abord être considérés indépendants, mais on découvre vite que chacun est le principe de mouvement de l'autre[3].

A priori, cette idée semble tout à fait absurde. Comment des absolus peuvent-ils se fondre les uns dans les autres? Mais la science nous a montré que cela est effectivement possible. Il y a un siècle, l'espace et le temps étaient considérés absolus; mais la découverte de la relativité a permis de révéler qu'il en était autrement. On les a vus se fondre dans l'espace-temps, de sorte que l'un est devenu le «principe de mouvement» de l'autre. On ne peut percevoir l'espace sans une perception concomitante du temps, et vice versa. Les absolus se sont fusionnés.

Le concept d'opposé – en fait, *n'importe quel* concept – est lié à la pensée. Pour Bohm, la pensée pure est enracinée dans l'ordre implicite, le domaine du tout qui englobe, qui enveloppe tout le reste. Il n'y a qu'*un* tout; donc, tout ce qu'il contient est un. Ceci inclut – bien sûr – les pensées portant sur des contraires. La proposition de Bohm – il prend bien soin de l'étiqueter comme telle – est que dans le domaine implicite, toutes les pensées sont finalement une seule et même chose. Dans ce territoire, qui est au-delà de ce qui est analysable, tous les contraires fusionnent.

Bohm remarque en outre que:

[...] en musique, comme dans les arts visuels ou autres expériences sensorielles, l'ordre implicite est fondamental dans le sens que la notion de mouvement fluide est ressentie *avant* d'être analysée en éléments qui expriment ce mouvement. On peut écouter la musique, puis la décomposer en notes qu'on peut visualiser soit sur papier, soit dans l'imagination. En fin de compte, il en est de même pour les perceptions visuelles, mais on est tellement habitué à fixer son attention sur des objets qu'on ne perçoit pas cela. C'est parce qu'on revient toujours aux mêmes choses (cet arbre-ci, ce rocher-là) qu'on a tendance à voir chaque objet comme quelque chose de fixe et séparé du reste. Le courant de mouvement régénère sans cesse les mêmes choses, de sorte qu'on ne voit plus le mouvement lui-même, sauf peut-être quand on regarde un ruisseau ou le ciel, où il n'y a pas vraiment d'objet où fixer l'attention. Mais toute notre expérience, y compris les pensées, commence par la conscience immédiate de ce mouvement fluide[4].

Nous connaissons tous des moments où nous ressentons l'harmonie de ce mouvement que nous appelons la vie. Ce sont des expériences transcendantes, des expériences paroxystiques, dans lesquelles on peut oublier non seulement son soi-objet, mais également le monde-objet, alors qu'on devient un avec l'expérience elle-même. Dans ces moments, l'espace et le temps sont perçus d'une façon inhabituelle. On cesse de se considérer comme un objet distinct flottant à la dérive, avec les autres objets, dans un océan d'espace; et le temps ne s'écoule plus linéairement. Ce sont des moments de conscience implicite.

Ce sont aussi des moments de santé, dans le sens qu'on y fait l'expérience d'une harmonie parfaite. Mais ces moments changent invariablement, et notre attention en vient à être attirée par les événements inharmonieux qui les suivent. Aux plus néfastes d'entre eux, on accole le terme de «maladie». Cette distinction est aussi naturelle que l'analyse qu'on fait d'une fugue de Bach en ses notes séparées, après s'être absorbé dans l'écoute initiale. Et la fixation répétée sur les événements inharmonieux fait qu'on se met à croire qu'ils ont quelque statut fondamental, alors qu'on oublie qu'on les a d'abord abstraits de l'intégrité de l'expérience. L'harmonie devient de plus en plus rare, à mesure qu'on fige ces moments authentiques en événements-pièces.

Toujours est-il que la santé *est* un mouvement fluide. On n'a *aucune* référence qui permette de dire où finit la santé et où commence la maladie. La santé et la maladie sont le «principe de mouvement» l'une de l'autre. Comme le suggère Bohm, puisque c'est la pensée consciente qui les perçoit, et puisque la pensée est enracinée dans l'ordre implicite qui enveloppe tout, la santé et la maladie sont nécessairement une seule et même chose.

Bien sûr, l'*expérience* de l'une n'est pas la même chose que l'expérience de l'autre. L'expérience de l'une, comme celle de l'autre, a lieu dans ce que Bohm appelle l'ordre explicite, le monde du quotidien, qu'on a l'habitude de disséquer en objets et événements séparés. Le fait qu'on détaille ainsi le monde a pour conséquence qu'on le divise en expériences incompatibles, comme la santé et la maladie.

Y a-t-il une façon de saisir empiriquement l'ordre implicite de sorte que nos propres préoccupations morbides soient transcendées? Peut-on ressentir la santé et la maladie comme des impropriétés? C'est presque sûr. Des cas semblables sont abondamment décrits dans la littérature mystique. Les mystiques s'entendent tous pour dire qu'on peut transcender les considérations ordinaires sur la santé et la maladie, même celles sur la mort. On interprète souvent de travers cette affirmation – en disant, par exemple, que les mystiques ont «renoncé» à leur corps. Je crois que cette idée est fausse: ce n'est pas tant la répudiation de la chair qui caractérise l'état auquel parviennent les mystiques, mais l'expérience de l'union implicite des contraires – le corps et le non-corps, l'esprit et la matière, la santé et la maladie, la naissance et la mort.

Quand on commence à faire l'*expérience* du domaine dans lequel les questions de santé et de maladie cessent d'être des absolus, on peut envisager les stratégies de santé dans une perspective différente. Les soins médicaux ne sont plus que participation arbitraire à un seul niveau de la réalité: l'ordre explicite. L'urgence sinistre des soins préventifs («Défiez la mort: faites prendre votre tension!») change de couleur. Si on néglige sa santé, il n'est pas dit qu'elle *ne va pas* laisser la place à la maladie: cette évolution ne décrit les événements qu'au niveau explicite.

TABLEAU II

La santé et l'ordre implicite

Point de vue classique	*Point de vue de l'ordre implicite*
1. Le monde sensoriel des objets et des événements est fondamental.	1. Le monde sensoriel des objets et des événements n'est pas fondamental. Les objets et les événements appartiennent à l'ordre explicite qui est enraciné, ou enveloppé, dans la totalité sous-jacente indivisible: l'ordre implicite.
2. La santé est l'absence de maladie.	2. La santé n'est pas que la simple absence de maladie, mais la manifestation de l'interaction harmonieuse de toutes les parties apparentes qui habitent le domaine explicite.
3. La santé et la maladie sont des absolus et des opposés incompatibles.	3. La santé et la maladie ne sont pas des opposés incompatibles. Chacun est le «principe de mouvement» de l'autre.
4. Toute matière vivante est potentiellement morte. Tout attend de pourrir.	4. Toute matière appartient à l'ordre implicite, où tout est vivant. «Ce qu'on considère comme mort est une abstraction.» – Bohm

5. La vie est caractérisée par le mouvement, et la mort, par l'immobilité.

5. L'ordre implicite enveloppe tout dans son mouvement fluide; donc, la vie et la mort sont *tous deux* mouvement. Rien n'est statique.

6. On peut conceptualiser la santé comme étant le fonctionnement adéquat des parties du corps.

6. Les «parties du corps» n'existent que dans le domaine explicite. La santé transcende donc leur fonctionnement, puisque toutes ces parties, qui se composent de matières, sont finalement enveloppées dans l'ordre implicite, et constituent donc un tout indivisible.

7. Le but ultime des soins médicaux est de prévenir la maladie et, donc, la mort.

7. Puisque la mort est une abstraction («tout est vivant»), sa prévention est un but qui ne convient pas aux soins médicaux.

8. La santé peut s'exprimer en fonction de mesures objectives – tests de laboratoire, examen physique, rayons X, etc.

8. Les mesures renvoientt à des objets qui appartiennent à l'ordre explicite; elles ne sont donc pas fondamentales. Elles défient l'intégrité indécomposable de la totalité sous-jacente dans laquelle tous les corps matériels sont enracinés. Comme telle, toute mesure est arbitraire; c'est un bien faible indicateur de santé.

9. Les soins médicaux se concentrent sur le corps physique. La conscience est un facteur secondaire et non pertinent.

9. La matière et la conscience sont toutes deux enveloppées dans l'ordre implicite, où toutes les choses sont une. Donc, toute matière est consciente, dans une certaine mesure. Les soins médicaux ne peuvent donc pas ignorer la conscience. Se concentrer sur la matière revient à se concentrer sur la conscience.

10. Les soins médicaux se concentrent sur des individus.

10. C'est un souci arbitraire et illusoire qui relève du domaine explicite. Toute la matière est enveloppée dans l'ordre implicite; donc, tous les corps le sont aussi. Concentrer des soins sur une seule personne revient à les concentrer sur toutes les personnes, puisque tous les corps (toute la matière) constituent un tout dans l'ordre implicite.

11. Les soins sont essentiellement réalisés par des moyens mécaniques, par de la matière agissant sur de la matière – par exemple, les médicaments et la chirurgie.

11. Tout est vivant. En principe, il n'y a donc rien qui empêche l'emploi de la conscience comme une forme fondamentale d'intervention à tous les niveaux de la matière – depuis les particules subatomiques, en passant par les molécules, les cellules, les tissus, les organes, etc.

12. Les soins médicaux ont une valeur indiscutable.

12. Dans la mesure où les soins médicaux classiques affectent l'intégrité du corps en se bornant à n'agir que sur le fonctionnement de ses parties, ils peuvent être destructifs. Les soins médicaux n'apportent donc qu'un bénéfice restreint, puisqu'ils sont susceptibles de créer des distorsions dans la conscience corporelle, qui pourraient s'avérer nuisibles et causer effectivement la maladie.

13. La transcendance du souci de sa santé est une aberration mystique conduisant d'habitude à la négligence et au rejet du corps.

13. La transcendance du souci de sa santé peut effectivement faire qu'on considère que la santé n'a pas d'importance, mais elle peut aussi susciter la conscience du fait que le corps est

matériellement vivant à tous les niveaux. Cette conscience peut engendrer un respect spirituel pour le corps, le sentiment d'identité avec la matière dont il est composé, et conduit donc à des soins de meilleure qualité.

Je n'entends pas du tout approuver l'abus de soi et la négligence de la santé. Au contraire, je crois que la compréhension empirique de la relativité des notions de santé et de maladie suscitera un respect accru pour notre corps matériel et qu'il s'ensuivra une santé plus épanouie. Transcender les soins médicaux, considérer que la santé n'est pas quelque chose dont on doit se soucier, n'est pas la négliger. C'est plutôt considérer que toute la matière, y compris son propre corps physique, est vivante et au-delà de la santé, qu'elle est enracinée avec la pensée consciente dans l'ordre implicite. Plutôt que de susciter le mépris de la chair, ce point de vue a plus de chances de promouvoir les soins réfléchis – pas par crainte de la dissolution et de la mort, mais par le respect né de la conscience (comme l'affirme Bohm) que la mort n'est qu'une abstraction et que tout est vivant[5].

L'application de la cosmologie de Bohm à la question des soins médicaux soulève un problème immédiat. Si sa proposition sur l'existence des ordres explicite et implicite est exacte, il est clair que les efforts de la médecine moderne ratent la cible, et de beaucoup. Ils ne se concentrent que sur la réalité de l'ordre explicite – le domaine qu'on habite, où le monde est constitué d'objets et d'événements séparés. La médecine n'a aucun souci du domaine implicite, où le *sens* de la santé, de la maladie et de la mort change du tout au tout. Elle ignore la totalité qui enveloppe tout.

Si Bohm a tort, le dilemme ne se pose pas. A-t-il tort? On ne le sait pas. Ses propositions ont été faites avec le plus grand sérieux, mais il dit explicitement qu'elles ne sont que des propositions, comme il considère que sont toutes les suggestions scientifiques. Non seulement est-il prêt à admettre qu'il est impossible de prouver sa proposition, mais il fait remarquer qu'*aucune* «preuve» scientifique n'est absolue. Nous savons, par exemple, que les preuves scientifiques ne s'appliquent qu'à certaines parties de l'univers, et qu'elles sont fondées sur l'hypothèse que, dans tout l'univers, les choses fonctionnent de la même façon que dans notre sphère locale. De plus, dit Bohm, d'après les théorèmes de Gödel (voir le chapitre suivant), pour toute supposition dont nous avons conscience, il doit en exister d'innombrables autres qu'on ne reconnaît pas. Certaines d'entre elles sont certainement vraies, d'autres fausses. Ainsi, les critiques qu'on voudrait faire à l'endroit des tentatives de propositions de Bohm devraient aussi viser les données scientifiques les plus rigoureuses.

Le physicien Shimony[6] a peut-être raison dans son appréciation des idées de Bohm sur l'ordre implicite. Il fait remarquer que cela fait trente ans que Bohm apporte des contributions importantes pour les fondements de la physique moderne: on devrait donc l'écouter.

Comment pourrait-on réorienter le cours de la médecine? Au lieu de «garder les parties en état de fonctionner» («soins explicites»), comment pourrait-on mettre en œuvre des «soins implicites»? Je ne crois pas que ce soit une tâche sans espoir. En fait, on assiste à l'émergence d'un paradigme qui tend à favoriser une conscience empirique de l'ordre implicite. On a fait allusion à de nouvelles méthodes, tout au long du présent ouvrage. Elles sont basées sur la compréhension sous-jacente que l'esprit et le corps sont intrinsèquement unis, et que la conscience est le centre de la santé.

NOTES:

1. D. Bohm, «A Conversation with David Bohm», *ReVision* 4:1, 1981, p. 26.
2. M.H. Steinberg et B.J. Dreiling, «Glucose 6-phosphate dehydrogenase deficiency in sickle cell anemia», *Annals of Internal Medicine* 80:217, 1974.

3. Bohm, «A Conversation with David Bohm», p. 31.
4. *Ibid.*, p. 33.
5. *Ibid.*, p. 26.
6. A. Shimony, «Meeting of physics and metaphysics», *Nature* 291:435, juin 1981.

CHAPITRE 3

La science, la logique et le mythe: traces d'unité

[...] la Nature elle-même révèle bien peu de ses secrets à ceux qui ne font que regarder et écouter avec leurs oreilles ou leurs yeux externes. La condition pour qu'une perception soit valide, sur tous les plans de la conscience, n'est pas d'avoir des sens aiguisés, mais plutôt une attitude particulière: une attitude d'attention désintéressée, de concentration profonde, de fusion, qui réalise une communion réelle entre l'observateur et l'objet de son observation [...]

Evelyn Underhill[1]

Les médecins et les chercheurs ont toujours été réticents envers les questions soulevées par les considérations déjà citées. Il est presque embarrassant de devoir admettre aujourd'hui l'importance des facteurs humains dans la genèse des maladies, quand cela fait si longtemps qu'on s'attend à voir les réponses jaillir des profondeurs secrètes de la biologie moléculaire. Mais c'est finalement un paradoxe qui en ressort: les scientifiques impartiaux, qui insistaient pour que la science soit absolument libre de toute valeur, de tout sentiment, ont mis au jour des faits qui nous forcent à croire qu'au contraire, les émotions humaines sont d'une importance capitale dans la genèse des maladies!

Dans beaucoup de cercles scientifiques prestigieux, on considère encore qu'il est carrément ignoble de laisser tremper le monde objectif de la biologie moléculaire dans des spéculations sur l'esprit et le corps. Cette attitude est le reflet du préjugé selon lequel il faut expurger la «vraie science» de tout ce qui relève de l'esprit. Le «mentalisme» et l'incorporation de valeurs dans la science sont ainsi considérés comme des malédictions. C'est bien l'attitude qu'exprimait le grand biologiste français Jacques Monod, qui insistait âprement sur le fait qu'une science objective ne pouvait cohabiter avec des valeurs, quelles qu'elles soient[2].

Malgré toute l'obstination corrosive qui veut nier qu'il y ait place pour des valeurs dans la science, les preuves à l'effet que les valeurs humaines sont importantes dans la genèse des maladies ne céderont pas. Ce conflit qui anime la biologie rappelle les luttes monumentales qui ont caractérisé le passage révolutionnaire de la mécanique classique à la mécanique quantique. Au tournant du siècle, les physiciens étaient à l'aise avec une description objective du monde. Mais, à la fin des années vingt, alors qu'on venait de mettre au point une théorie complète de la physique quantique, on a abandonné l'objectivisme pur au profit d'une vision du monde dans laquelle l'observateur ne peut plus se séparer complètement de ses observations. On avait besoin de nouveaux concepts pour expliquer comment se passaient les observations, ce qui a exigé, dans certains cas, des explications tout à fait contraires au bon sens. Bien qu'en apparence illogiques, ces nouvelles idées *étaient nécessaires pour expliquer les données* issues d'expériences atomiques de plus en plus raffinées.

Maintenant, c'est notre investigation de la genèse des maladies qui se raffine de plus en plus. Il en résulte qu'on met au jour des données qui sont en conflit avec les idées reçues. Quelle est l'origine de ce conflit? Nous examinerons ses racines et tenterons de suggérer une solution aux disputes entre les biologistes-objectivistes classiques, qui s'intéressent aux molécules, et les nouveaux biologistes de l'esprit et du corps. Nous soulèverons quelques questions cruciales habituellement évitées: Qu'entend-on par méthode scientifique? Peut-on exiger de la biologie une objectivité rigoureuse, alors que cette exigence a déjà été abandonnée par la physique moderne? Est-ce que la capacité de la logique humaine est illimitée – c'est-à-dire combien *peut*-on avoir de connaissances? L'interaction de la conscience et du monde physique est-elle réelle ou imaginaire? Finalement, existe-t-il un terrain d'entente propre à réconcilier les biologistes qui courtisent librement les «facteurs humains» – les émotions, les sentiments, les valeurs – et les scientifiques qui considèrent de telles activités comme la ruine de la science classique?

Je crois qu'il est possible de réunir ces deux points de vue. Je crois qu'il est possible de montrer que non seulement des preuves du rôle central de la conscience humaine et de l'unité de l'esprit et du corps découlent assez naturellement de la science telle qu'on la connaît, mais qu'il existe aussi un principe d'unité global, implicite dans *toute* pensée humaine et dans *toute* perception.

Les observations suivantes sont tirées de sources extrêmement diverses. À ceux qui pensent qu'elles semblent incompatibles, j'offre ci-dessous un commentaire de Heisenberg:

Il est probablement vrai qu'en général, dans l'histoire de la pensée humaine, les développements les plus féconds naissent à l'intersection de deux courants d'idées. Les courants peuvent avoir leur origine dans des domaines totalement différents de la culture, à des époques et en des lieux culturels divers. Dès lors qu'ils se rencontrent effectivement et entretiennent une relation suffisante pour qu'une réelle interaction puisse s'exercer, on peut espérer des développements nouveaux et intéressants[3].

La méthode scientifique

La façon scientifique moderne d'aborder la compréhension est basée sur la pensée rationnelle. En fait, la pensée scientifique est rationnelle par définition. On croit que la science est l'outil le plus puissant qui permette de comprendre la nature, et sous cette notion répandue se cache l'idée que la pensée rationnelle est puissante en elle-même. Si la vision du monde que nous donne la science est incomplète, ce n'est pas le processus de la pensée rationnelle qu'on met en cause, mais la science, qui n'a pas réussi à rassembler assez de données auxquelles on puisse appliquer la méthode de l'analyse logique.

En science, on fait des observations, puis on énonce des hypothèses qu'on met ensuite à l'épreuve en les confrontant à de nouvelles observations. S'il arrive que des observations répétées ne cadrent pas avec une hypothèse donnée, on révise l'hypothèse, ce qui mène à une meilleure vision du monde. En gros, les scientifiques croient qu'avec ce procédé, si rien ne vient l'entraver, ils vont obtenir une vision parfaite de l'univers. Pas étonnant que les observations qui remettent cette croyance en question semblent noyer de désespoir toute la science. C'est justement le cas des théorèmes de Gödel, qui demeurent virtuellement ignorés de la communauté scientifique.

Les théorèmes de Gödel

En 1931, un jeune mathématicien autrichien, Kurt Gödel, a prouvé deux théorèmes étonnants. «Le premier dit que dans tout système logique assez complexe pour inclure, au moins, de l'arithmétique simple, on peut exprimer des assertions vraies qu'on ne peut néanmoins déduire de ses axiomes. Et d'après le second théorème déduit par Gödel, il est impossible de prouver d'avance que les axiomes d'un tel système, avec ou sans vérités additionnelles, ne se contredisent pas entre eux[4].» Bref, un système logique le moindrement riche ne peut jamais être complet, et on ne peut même pas garantir qu'il soit cohérent.

Pendant les années qui suivirent, on a établi d'autres théorèmes déconcertants. Turing, en Angleterre, et Church, aux États-Unis, ont démontré qu'«il n'existe pas de procédure mécanique qui, dans un système logique, puisse tester chaque assertion et prouver, dans un nombre fini d'étapes, qu'elle est soit vraie, soit fausse[5]». Autrement dit, il est impossible de tester rigoureusement un système logique. «Et en 1936, le Polonais Alfred Tarski a prouvé qu'il ne peut exister de langage précis qui soit universel; tout langage formel qui est au moins aussi riche que l'arithmétique contient des phrases signifiantes dont on ne peut pas dire si elles sont vraies ou fausses[6].»

Pour ceux qui ne sont ni logiciens ni mathématiciens, ces preuves logiques peuvent sembler d'une complexité impossible. Mais cela fait maintenant presque cinquante ans que des mathématiciens et des logiciens de la plus grande envergure les mettent à l'épreuve, et ils n'y ont toujours pas décelé d'incohérences. Qu'est-ce que ces affirmations extraordinaires signifient?

Comme Bronowski l'a remarqué, toute science espère établir un ensemble d'axiomes fondamentaux, les confronter à des observations du monde, et en faire des déductions dans un langage exact – celui de la physique, par exemple, ou celui de la neurophysiologie. C'est cela, l'idéal scientifique. Or, les résultats de Gödel, Tarski, Turing et Church montrent qu'*on n'a aucun espoir d'atteindre cet idéal*. Ces théorèmes montrent que le but que poursuit la physique depuis Newton ne peut être atteint. Il est impossible de réduire les lois de la nature de façon déductive, axiomatique et formelle, de façon qui soit simultanément non ambiguë et complète. Ils vont encore plus loin: si jamais, dans une recherche scientifique, on se trouve à une étape où on a l'impression que les lois de la nature forment un système complet et non ambigu, il faudrait conclure qu'on a fait des erreurs de raisonnement, qu'on s'est nécessairement trompé, d'une façon ou d'une autre. En effet, selon ces théorèmes, il est impossible de décrire parfaitement le monde, même abstraitement, à l'aide d'un système axiomatique.

Pourtant, on continue toujours à faire de la science en supposant que la nature obéit à un ensemble de lois complètes, précises et cohérentes, qui lui est propre. Après tout, elle marche, la nature. Mais si ses lois sont cohérentes, alors «leur formulation interne doit être assez différente de tout ce qu'on connaît; et, à présent, nous n'avons aucune idée de la manière dont on peut la concevoir[7]». Tout système scientifique est donc incomplet.

Les théorèmes de Gödel, Turing, Tarski et Church forment une famille: ils établissent des limites. Ils renvoient tous à des difficultés inhérentes à tous les langages symboliques. Le problème est le suivant: on utilise le langage non seulement pour décrire des parties du monde mais également pour décrire le langage lui-même. Pour chacun de ces théorèmes, «la preuve s'articule par une construction dans laquelle une proposition *à propos de* l'arithmétique est exprimée comme une proposition *dans* l'arithmétique[8]». Ce qui donne des énoncés récursifs, dont le plus célèbre est peut-être le commentaire d'Épiménides de Cnossos: «Tous les Crétois sont menteurs.» Si cet énoncé est vrai, il est faux; et s'il est faux, il est vrai.

Tous les systèmes formels sont affligés de ce problème. En science, on veut faire plus que décrire simplement ce qu'on observe. On veut savoir si les descriptions sont vraies ou fausses. Mais les preuves dont on vient de parler disent que chaque fois qu'on dit «c'est vrai» ou «c'est faux», le système logique se met à parler de lui-même – et à cause de ces énoncés récursifs, il devient victime des limites dont nous venons de parler.

La conscience, le cerveau et les théorèmes de Gödel
Peut-être que les problèmes qui accompagnent les énoncés récursifs sont répandus partout dans la nature, qu'ils éclosent chaque fois que la pensée humaine et le langage entrent en jeu. Considérons, par exemple, le problème le plus épineux de tout ce qui concerne la

philosophie et la neurophysiologie: la relation entre la conscience et le cerveau. Comment la conscience jaillit-elle du cerveau? On peut affirmer sans craindre de se tromper qu'en fait, personne ne le sait. Et peut-être que la réponse restera toujours cachée, parce qu'en pensant à ce problème, on se met immédiatement en position de penser à ses propres pensées. Ce faisant, on fait des énoncés qui portent sur soi-même. L'homme, quand il se met à penser à ses propres pensées, à son cerveau, est peut-être sujet au dilemme de Gödel: être voué à faire des énoncés récursifs, à parler de lui-même. Peut-être ne comprendrons-nous jamais pleinement notre propre conscience, parce que nous sommes incapables de faire abstraction de notre propre esprit.

L'observation scientifique: point de vue moderne

Jacques Monod a énoncé succinctement la position de la science: «La pierre angulaire de la méthode scientifique est le postulat de l'objectivité de la Nature[9].» Pour le scientifique moyen, toute autre possibilité est assez inconcevable. On trouve naturelle l'idée que le monde a une existence séparée de la nôtre. Les scientifique sont capables d'aborder ce genre de monde, de l'observer à distance, d'en extraire des données valides et significatives, puis de se retirer pour trouver le sens de toutes ces observations. C'est le monde objectif qui rend la science possible.

Cependant, c'est une idée qui appartient au XVIIe siècle, pas au nôtre. À notre époque, la physique quantique constitue un défi à cette croyance. La notion que la science est une entreprise objective a été fortement ébranlée par le principe d'incertitude de Heisenberg. Celui-ci a montré que la seule tentative d'obtenir des informations au niveau atomique entraîne des changements inévitables dans ce qui est observé. Il a prouvé, par surcroît, que cette incertitude n'était pas due à l'imperfection des instruments, mais qu'elle était plutôt le résultat de propriétés intrinsèques de la matière. Il est donc impossible, même en principe, d'avoir une vision complète et certaine des plus petits domaines de la matière. C'est cette situation que décrit le physicien John A. Wheeler:

À propos du principe des quanta, rien n'est plus important que le fait qu'il détruit le concept du monde extérieur, dont l'observateur serait séparé [...]. Pour décrire ce qui s'est passé, il faut biffer le vieux terme d'«observateur» et le remplacer par celui de «participant». Étrangement, l'univers est en quelque sorte un univers de participation[10].

Intuitivement, il semble que plus on pénètre profondément dans la nature, plus les choses devraient devenir mécaniques[11]. Par exemple, quand on passe des organes aux cellules, les événements semblent plus mécaniques, tout comme c'est le cas quand on va des cellules aux molécules. Mais à partir de ce point, la situation se renverse. La méthode réductionniste défaille. La physique du XXe siècle a montré que si on subdivise une molécule d'ADN – ou n'importe quelle molécule – les divisions ultérieures ont des effets imprévisibles. Au-delà du niveau des molécules, la diminution de taille n'entraîne plus d'augmentation du comportement mécanique. À ce niveau, les choses se mettent à être *moins* mécaniques. On passe dans le monde du quantum, un monde gouverné par les seules probabilités et le non-déterminisme. Où cela nous laisse-t-il?

– La physique moderne impose des limites à ce qu'on peut observer. On ne peut obtenir, même en principe, toutes les données, parce que le procédé de collecte des informations et d'observation n'est pas purement objectif. On ne peut ni isoler ni extraire les données. Nous interférons. Des expériences ont montré que nos propres efforts conscients fonctionnent étrangement pour circonscrire, dans une certaine mesure, ce qu'on appelle le monde extérieur. (Nous en reparlerons.) Donc, bizarrement, nous *devenons* l'information même que nous essayons d'observer. C'est parce que nous ne sommes pas séparés de la nature qu'elle n'est pas objective.

— D'après les théories des limites de la logique, non seulement sommes-nous incapables d'obtenir toutes les données que nous voulons, mais il y a aussi des limites à la manière dont on peut traiter les informations qu'on *peut* obtenir. Il n'est pas possible de penser aux données que nous possédons d'une manière logiquement cohérente et libre de toute ambiguïté.

Le théorème de Bell

Nous avons déjà étudié le théorème de Bell dans la troisième partie du présent ouvrage. Nous nous limiterons donc ici à en reparler brièvement.

C'est en 1964 que le physicien John S. Bell a prouvé, dans un article décisif, un théorème révolutionnaire. Depuis son élaboration, ce théorème a été sujet à plusieurs raffinements, un des plus clairs étant celui de Henry P. Stapp: «Si les prévisions statistiques de la théorie quantique sont vraies, un univers objectif est incompatible avec la loi de la causalité locale.» Un univers objectif est simplement un univers qui existe séparément de notre conscience. Il reste là quand on ne regarde pas, quand on ne le mesure pas. La loi de la causalité locale implique que les choses se passent «localement» – c'est-à-dire que rien ne peut aller à une vitesse plus grande que celle de la lumière, que l'énergie ne peut se déplacer plus vite que la lumière.

Pour tester le théorème de Bell, John Clauser a conduit une expérience, qu'on a depuis répétée à maintes reprises, avec les mêmes résultats. Cette expérience visait à prouver que les prévisions statistiques de la mécanique quantique sont effectivement vraies, et à présent, on considère que le théorème de Bell est vrai.

Les implications du théorème de Bell sont étonnantes; Stapp dit que ce sont là les résultats les plus importants de l'histoire de la science. Sans trop de complexité, comme le dit le physicien français D'Espagnat, le théorème de Bell prouve que la notion ordinaire d'un monde objectif, non affecté par la conscience, s'oppose non seulement à la théorie des quanta, mais à des faits établis empiriquement[12].

Ces conclusions constituent un affront pour tout scientifique qui voudrait s'accrocher à une vision strictement objective du monde extérieur. Des expériences, comme celle de Clauser, montrent que ce qu'on considère être le monde objectif dépend, dans une certaine mesure, de nos propres processus conscients. Il n'y a pas de réalité extérieure fixe.

La transcendance remise en question

Au cours des âges, les traditions mystiques ont accordé plus de valeur aux qualités spirituelles de l'homme qu'à ses qualités physiques. L'accent a été mis sur la transcendance de la matière. La plupart des traditions mystiques incorporent l'idée que, d'une certaine façon, le corps est en conflit avec l'esprit. Une guerre bat son plein. Il faut purifier les âmes et accéder à un niveau de conscience supérieur en allant au-delà du physique.

Dans un sens, toutes les «philosophies transcendantales» sont douteuses. Il appert qu'elles contreviennent aux théorèmes de Gödel. Elles exigent de sortir de soi, de quitter le système dans lequel on est, et conduiraient ainsi, semble-t-il, à la progression infinie d'avoir à inventer des systèmes toujours plus grands pour les transcender les uns après les autres. Cela peut mener à un progrès analytique ou spirituel, mais aussi à l'infinité, comme l'a montré Gödel. L'illumination vient, peut-être, quand on se rend compte que la tentative de se transcender soi-même est non seulement inutile, mais impossible – non seulement parce qu'on ne peut pas se soulever par les lacets de ses propres chaussures, mais aussi pour les raisons démontrées par Gödel.

C'est une leçon qui est au cœur du bouddhisme zen. Il appartient au maître zen de guider son disciple jusqu'au point où il abandonne. L'étudiant se rend alors compte qu'il ne peut réussir par la pensée à se sortir de sa situation et qu'en fait, cette situation est, dans un sens, illu-

288

soire. Les célèbres koans zen, des énigmes qui sont proposées aux disciples pour les aider dans leur quête de la lumière, sont un exemple parfait des théorèmes de Gödel en action – l'esprit discursif, pensant à lui-même, se frustrant dans des essais toujours répétés pour comprendre les choses. Le rôle du maître zen est de faciliter ce processus, d'aider son disciple à se rendre compte que ce n'est pas par la pensée rationnelle qu'on peut accéder à la compréhension véritable.

Peut-être conviendrait-il de repenser le but spirituel de transcender la matière. Le secret des accomplissements spirituels les plus importants est peut-être l'intégration totale des qualités spirituelles et physiques – se rendre compte que le spirituel et le physique ne sont pas deux aspects de nous-même, mais un seul. Le but spirituel ultime est peut-être de ne *rien* transcender, mais de prendre plutôt conscience de l'unité de notre être, comme l'implique Gödel.

On a traditionnellement construit les systèmes de pensée religieuse en fonction du point de vue classique d'un univers objectif. On poursuit sa quête spirituelle en fonction d'un modèle basé sur des lignes classiques. Cela inconsciemment, bien sûr. On construit un modèle dans le cadre duquel nous sommes une unité individuelle occupant un espace donné, à un moment donné, à la poursuite d'un but futur extérieur à nous – que ce soit le salut, le satori, l'illumination, l'accomplissement personnel, ou la renaissance – et nous sommes influencés dans ce processus par des forces extérieures, selon le mode typique de cause à effet. Qu'est-ce que cela a donné? Nous avons conçu un modèle de quête spirituelle en fonction d'une optique du XVIIe siècle, en fonction d'une vision mécanique de l'univers.

Mais, une à une, ces caractéristiques d'un monde objectif sont renversées par le point de vue de la physique moderne. Les notions d'espace et de temps fixes ont laissé place à la notion relativiste de l'espace-temps. Il n'y a plus d'unités fondamentales, et chacun des «morceaux» de l'univers est en relation dynamique avec tous les autres. La notion même de particule s'est diluée jusqu'à n'être plus qu'une métaphore. Et la physique moderne a abandonné l'idée traditionnelle de la causalité; c'est une vision probabiliste, et non causale, qui est désormais acceptée comme seule explication des phénomènes subatomiques qui soit cohérente avec l'expérience.

Les modèles classiques habituels constituent probablement un obstacle important au but spirituel éternel. Ce genre de modèles nie la structure organique, le sens de l'unité et de l'appartenance, qui sont au cœur des expériences mystiques de pratiquement toutes les cultures qui ont laissé des traces écrites de leurs traditions spirituelles.

Les chroniques de beaucoup de grandes traditions religieuses, y compris les traditions mystiques de l'Église chrétienne, du taoïsme, de l'hindouisme et du bouddhisme, laissent une impression très forte à l'effet que l'illumination se produit quand on se met à penser de façon *non* classique, comme à l'aide de modèles conçus en fonction de la physique moderne, quand on est libre de sentir les qualités dynamiques des corrélations qui font justement partie de la nouvelle vision du monde physique. La philosophie de Plotin, du IIIe siècle, reflète cette vision:

> Vois toutes les choses, non dans leur devenir, mais dans leur être, et vois-les dans l'autre. Chaque être contient en lui-même tout le monde intelligible. Ainsi, le Tout est partout. Chacun est le Tout, et le Tout est chacun. L'homme, tel qu'il est maintenant, a cessé d'être le Tout. Mais quand il cesse d'être un individu, il s'élève à nouveau et pénètre dans le monde du Tout[13].

Du fait qu'on soit coincé
Quand elles découvrent le théorème de Bell, certaines personnes sont frappées de désespoir devant l'espèce de «super-déterminisme» qu'il suggère – tout ce qui se passe en nous serait influencé par toutes les autres choses qui

se passent dans tout l'univers*. Si tel est le cas, comment pouvons-nous avoir le contrôle? Ainsi, tout serait déterminé, et il n'y aurait rien à faire contre cela. Plus encore: d'après les théorèmes de Gödel, il n'y a aucune façon dont on puisse espérer se sortir de cette situation par la *pensée,* peu importe avec quelle énergie on s'y essaye.

Le déterminisme suggère que je suis incorporé dans le monde, dans l'univers, que j'y suis coincé, qu'il n'y a pas de façon de s'en sortir, que ce que je pense, ce que je fais, ce contre quoi je lutte, ne fait aucune différence. À notre époque, ce point de vue a donné lieu à un très lourd sentiment de défaite. La tradition mystique nous dit cependant que face à cette situation, il existe d'autre réactions émotives légitimes pour l'homme. Il semble que quand on se rend compte de la «situation», le fait même de s'en rendre compte peut être la source d'une extase indicible. Il s'ensuivrait un sentiment d'appartenance – une sensation d'intégrité, l'impression qu'on n'a pas besoin de *faire* quoi que ce soit, ni de *penser* quoi que ce soit. Je suis dans l'univers et l'univers est en moi. *Et cela me suffit!*

Plutôt que de sonner le glas des aspirations spirituelles de l'homme, les théorèmes de Gödel et celui de Bell contribuent beaucoup à confirmer les expériences des grands mystiques de l'histoire écrite. Cependant, le point de vue moderne de la science ne permet pas ce genre de comparaison. C'est absolument abominable de mélanger ainsi la science et les valeurs spirituelles. L'idéal classique, c'est que la science soit impartiale et libre de toute valeur. Mais il faut pourtant concevoir sa propre philosophie en fonction d'*une* physique, quelle que soit

---

* Cette nuance du théorème de Bell a rapport à une expérience antérieure sur la pensée qui avait été suggérée par Einstein, Rosen et Podolsky. Cette expérience, originalement conçue comme une réduction à l'absurde de la mécanique quantique, a été l'occasion de phénomènes des plus étranges, comme des changements simultanés et instantanés dans des objets éloignés les uns des autres. Voir le chapitre 4 de la troisième partie.

celle qu'on adopte: la physique moderne, la physique classique, ou bien une autre sorte de physique. On ne peut pas se passer de la physique. Cela fait peut-être partie de la philosophie scientifique que de dire qu'il ne convient pas de mêler les valeurs scientifiques et les valeurs spirituelles mais, en soi, cela ne constitue pas un énoncé scientifique. Comme l'a fait remarquer Huston Smith, c'est un énoncé *sur* la science, mais ce n'est pas de la science[14]. (La raison la plus impérieuse qui motive la résistance que les scientifiques éprouvent à mêler les valeurs scientifiques et spirituelles est peut-être simplement la crainte de baisser dans l'estime des autres scientifiques.) L'opinion de Einstein est sans doute plus convenable: «Sans la religion, la science est boiteuse; sans la science, la religion est aveugle[15].»

Comme l'élaboration des philosophies spirituelles, celle des mythes doit faire intervenir une *certaine* vision du monde. On ne peut pas y échapper. Sur quoi se basent nos mythes? Sur des notions appartenant au bon sens du XVIIe siècle ou sur les descriptions déconcertantes de la physique moderne?

Les théories qui traitent des limites de la logique ont un corollaire en psychologie: de même qu'on ne peut sortir d'un système de pensée axiomatique, il nous est impossible de faire abstraction de notre esprit. On ne réalisera sans doute jamais la transcendance de soi, pas plus qu'un système rationnel complet et non ambigu. Dans cette situation, je suis porté à conclure que je suis «coincé». Cependant, la conclusion la plus compatible avec les données mystiques serait que je suis Un.

Ces découvertes s'appliquent aussi au point de vue de la physique moderne qui dit que je ne peux pas m'abstraire de la nature, et que l'objectivité pure est impossible en science. Ici, la conclusion pessimiste et désespérée est que ma science est limitée, que je suis noyé dans l'incertitude. Mais la conclusion qui cadre le mieux dans la chronique mystique est que la nature et moi sommes Un.

La mythologie et la science

Du point de vue qui nous intéresse, on voit donc une interaction du mysticisme, de la mythologie et de la science. Mais de quoi a l'air la science, teintée de mythe et de mysticisme? Ceux qui considèrent que les mythes et les symboles sont parmi les forces les plus vivifiantes de l'humanité frissonnent peut-être à l'idée de les voir courtiser la science: un mythe rabaissé au niveau de la science est un mythe émasculé, un mythe profané. Mais cette conclusion est aussi fausse qu'inutile. *En fait, c'est la science, et non les mythes, qu'on redéfinit.*

Qu'est-ce que la science? On s'est peut-être toujours trompé sur son compte. Sans doute ne pourra-t-on jamais plus la considérer comme la reine de l'intellect, maintenant qu'on a abandonné la vision classique du monde en faveur d'une notion *qui échappe à l'entendement de la pensée rationnelle*. En outre, les théorèmes qui définissent les limites de la pensée logique laissent entrevoir une certaine unité qui caractériscrait nos consciences respectives. *Donc, le point de vue de la science moderne et l'aspect de la conscience qui lui sert de support, la pensée rationnelle, prennent tous deux une allure presque mythique.*

La science a perdu tout pouvoir de démystification. C'est comme si le Créateur de tous les mythes avait transformé la science, qu'il l'avait changée en mythe. C'est bien ce que laissait entendre Bohr:

> [...] quand on arrive aux atomes, le langage ne peut plus être employé que comme en poésie. Le poète n'est pas non plus aussi soucieux de décrire les faits que de créer des images et d'établir des associations mentales [...]. La théorie des quanta [...] fournit une illustration frappante du fait qu'on *peut* parfaitement comprendre une association, bien qu'on ne puisse en parler que par des images et des paraboles [...][16].

La science moderne a dépassé le bon sens, et ce faisant, elle s'est jetée la tête la première sur notre moi métaphorique, notre moi poétique, cette partie du corps qui élabore les mythes. À notre époque, la science s'est faite mythe, et le mythe s'est fait vie.

La science et la mythologie, comme la panthère et le chevreau, s'entendront peut-être un jour. C'est alors qu'on sera libre de la terrible nécessité historique d'avoir à faire de l'unité de l'univers un mythe. Coleridge a dit: «Et alors, si tu dormais, et si pendant ton sommeil tu rêvais, et si dans ton rêve tu allais au Paradis et y cueillais une fleur étrange et magnifique, et qu'au réveil tu avais encore la fleur dans la main? Ah, et alors?» Le mythe de l'unité est vivant. C'est la rose de Coleridge, et elle est dans notre main.

NOTES:

1. Evelyn Underhill, *Mysticism*, New York: Dutton, 1961, p. 300.
2. Monod, *Le Hasard et la Nécessité*, p. 191.
3. Capra, *Le Tao de la physique*, p. 7.
4. Bronowski, *A Sense of the Future*, p. 56-73.
5. *Ibid.*
6. *Ibid.*
7. *Ibid.*
8. *Ibid.*
9. Monod, *Le Hasard et la Nécessité*, p. 32.
10. John. A Wheeler et J. Mehra, réd., *The Physicist's Conception of Nature*, p. 244.
11. Freeman Dyson, «The Argument From Design», *Disturbing the Universe*, New York: Harper and Row, 1979.
12. D'Espagnat, «The Quantum Theory and Reality», p. 158-181.
13. Zukav, *The Dancing Wu Li Masters*.
14. Huston Smith, «The Sacred Unconscious», *ReVision*, Été-automne 1979, p. 3-7.
15. A. Einstein, *Ideas and Opinions*, cité par Edgar Mitchell, *Psychic Exploration, A Challenge for Science*, New York: Capricorn, 1976, p. 13.
16. Judith Wechsler, *On Aesthetics in Science*, Cambridge: MIT Press, 1979, p. 4.

CHAPITRE 4

L'unité, le langage et les découvertes

Mais que sont les concepts, sinon des formulations, des créations de l'esprit, qui au lieu de nous donner la vraie forme des objets, nous montrent plutôt la forme des pensées elles-mêmes? En conséquence, tous les schémas produits par la science pour classifier, organiser et résumer les phénomènes du monde réel s'avèrent n'être que des schèmes arbitraires – structures impalpables de l'esprit, qui expriment non pas la nature des choses mais celle de l'esprit.

Ernst Cassirer[1]

Au cours de la troisième partie du présent ouvrage, nous avons examiné des preuves de notre unité avec la nature. Nous avons montré, de plusieurs points de vue, que nous avions tort de nous considérer comme des objets indépendants, isolés de l'univers que nous habitons. Et c'est à la science, pas à l'intuition des poètes et des mystiques, que nous avons demandé ces preuves.

Cependant, il peut s'avérer que même les données les plus rigoureuses qu'on puisse introduire dans la description de notre unité avec l'univers soient «contaminées» par une subjectivité inévitable. Les événements ont pris un tour bien curieux: en utilisant la méthode supposée *objective*, qui consiste à se distancier de l'univers qu'on veut observer (la méthode classique), nous avons trouvé des données qui montrent qu'en raison de notre unité avec l'univers, *on ne peut pas* s'en distancier.

Il s'agit là d'une caractéristique primordiale de la science moderne. Comme l'affirmait Bronowski, ce qui distingue la science contemporaine de celle du siècle dernier, c'est la découverte du fait que le scientifique ne peut pas se dissocier de ce qu'il veut mesurer. Il est prisonnier de la nature; *il en fait partie*. Chaque fois qu'on essaye de mesurer quelque chose dans la nature, on se retrouve en train de se mesurer soi-même – et c'est aussi inévitable que si on pointait carrément vers soi le microscope ou le télescope.

L'expression la plus étonnante de cette caractéristique de la science moderne est sans doute le célèbre principe d'incertitude de Heisenberg, qui a montré que même les tentatives les plus subtiles d'obtenir des connaissances au niveau subatomique sont inévitablement limitées par les changements suscités par le simple fait d'observer. L'observation change les choses – l'observateur devient donc une partie de ce qu'il veut mesurer. On en vient lentement à reconnaître que la quête de la «réalité» se poursuit dans un labyrinthe inextricable qui, à un certain point, se replie vers l'intérieur pour aboutir sur la conscience elle-même. Comme l'a dit Heisenberg, ce qu'on observe, ce n'est pas la nature elle-même, mais la nature exposée à nos méthodes d'interrogation.

Et comment nous posons-nous les questions? Toutes nos méthodes pour interroger la nature dépendent du langage – et il est dans la nature du langage de référer aux choses. On pense donc en fonction de choses. Comment pourrait-on bien penser à des «nonchoses», à des «antichoses», à rien? Dans la *forme* même de nos pensées, on divise instinctivement le monde en sujets et objets, pensées et choses, esprit et matière. Cette division a l'air tellement naturelle qu'on a supposé que c'était une notion fondamentale de la science objective. Cependant, la physique moderne clame que la dichotomie de l'esprit et de la matière viole l'intégrité du monde. Pour exprimer cette intégrité, John A. Wheeler affirme que l'univers est un univers de participation; Henry Margenau dit que le physicien crée son monde; et selon sir Arthur Eddington, la substance du monde est «matière pensante».

C'est parce qu'il véhicule l'idée d'une correspondance entre les pensées et les choses, entre les sujets et les objets, que le langage ordinaire est impropre à exprimer l'unité de l'esprit et de la matière. Mais comme l'illustrent les termes employés par les spécialistes de la physique moderne, le langage s'est lancé à fond dans cette discipline, ce qui laisse croire qu'il n'y a rien à nommer en dehors de soi-même.

S'il n'y a rien à mesurer hors de mon moi incommensurable, alors qu'est-ce que la science mesure? C'est là le cœur de ce qu'on appelle, en physique moderne, le paradoxe de la mesure. D'après le physicien David Bohm, la source de cette futilité apparente est la sensation d'emprisonnement qu'on ressent à l'intérieur du langage. C'est avec le langage qu'on exprime l'idée que si, en tentant de mesurer objectivement le monde, on se retrouve en train de se mesurer soi-même, c'est qu'il y a un problème. Or ce «problème» est enraciné dans le langage – qui nous force à exprimer des relations de sujet à objet avec des termes qui présupposent qu'on est a priori séparé de la nature. L'existence de ce problème dépend du fait qu'on choisit d'utiliser le langage.

Tout comme on supposait que l'observateur était indépendant de ce qu'il observait, on croyait aussi que la science était indépendante du langage qu'elle employait. La physique moderne est venue remettre en question ces deux suppositions. Einstein a vite perçu que le *contenu* de la physique classique de Newton était lié au langage plus vieux qu'on y utilisait, et il a contribué à construire une nouvelle forme de langage qui a rendu possibles de nouvelles descriptions comme celle de la corrélation organique de l'espace et du temps. C'est grâce à de nouveaux termes tels que «signal» et «champs» que de nouveaux concepts ont pu voir le jour.

Le principe de complémentarité de Niels Bohr a également posé un défi au langage, qui présupposait qu'une chose donnée doit posséder une identité donnée. Bohr affirmait qu'une chose peut avoir de multiples identités (par exemple, qu'un électron peut être une particule *et* une onde), sans souci de la violence que cette forme de pensée se trouvait à faire subir à un langage jusqu'alors bien enraciné dans le bon sens. Bohr admettait tout à fait que les nouvelles descriptions des événements physiques constituaient des agressions envers les formes classiques du langage, et afin de se soustraire aux limites du langage ordinaire, il a proposé que, pour décrire les atomes, il était non seulement permis mais *nécessaire* d'utiliser le langage comme en poésie[2].

Le langage et les découvertes ont des interactions très riches. Rappelons d'ailleurs que le langage précède souvent la découverte. Ou peut-être est-il plus exact de dire que les nouvelles découvertes dans le langage stimulent de nouvelles découvertes dans la nature. Comme Barfield le souligne, le processus de sélection des expériences qu'on décide d'entreprendre et la conception des machines qu'on va utiliser pour les réaliser sont noyés dans la forme du langage[3]. De nouvelles formes langagières entraînent donc de nouvelles formes de découvertes, qui à leur tour peuvent faire naître de nouvelles visions du monde.

Alors, dans quelle mesure avons-nous raison de nous en remettre à la science pour chercher des preuves de notre unité avec le monde? Sommes-nous irrémédiablement voués à dévisager notre propre esprit, à cause du miroir du langage qui fait dévier notre regard? Peut-être pas. Il existe peut-être certaines formes de langage qui permettent une reconnaissance plus complète de la relation de sujet et d'objet, de la pensée et de la chose. David Bohm suggérait qu'on *peut* aller au-delà du langage ordinaire dont la structure orientée de sujet à objet est impropre à exprimer le «caractère holiste du processus qu'est la réalité[3]». Bohm a proposé un nouveau modèle de langage, appelé le «rhéomode», insistant sur la racine grecque qui signifie «couler». Il a suggéré qu'on donne un rôle primaire au verbe plutôt qu'au nom, ce qui réduirait l'emphase mise sur le sujet et l'objet. Cette suggestion rappelle une remarque antérieure de Buckminster Fuller. Ressentant cette même déficience qu'ont les formes ordinaires de langage à véhiculer une relation vraie avec le monde, Fuller s'était exclamé: «Je crois que je suis un verbe!»

William Carlos Williams a écrit: «Un monde nouveau n'est qu'une idée nouvelle!» Son point de vue est fort semblable à celui de Henry Margenau: «Je suis tout à fait prêt à admettre que la réalité change effectivement au fur et à mesure qu'une découverte avance. Je n'ai fondamentalement rien à objecter à un monde réel qui soit sujet à des modifications dans le courant des expériences[5].»

Pourtant, la plupart des scientifiques sont toujours restés réticents à admettre l'idée du flux des pensées, du langage, des découvertes et de la «réalité». Pour la plupart des hommes de science, une réalité changeante est une contradiction dans les termes. Comment la science pourrait-elle rester sur sa position d'objectivité des mesures et des observations tout en admettant l'idée de la «matière pensante» qui, selon Eddington, constitue la substance du monde?

C'est aussi une préoccupation de Bohm. Même s'il croit que c'est une erreur fondamentale que de déranger l'«intégrité inanalysable» du monde en s'obstinant à distinguer des observateurs et des objets d'observation possibles, il soutient néanmoins que la façon occidentale de mesurer le monde contribue effectivement à augmenter notre sagesse à son sujet. Mais, dit-il, même si cette sagesse permet de comprendre un aspect nécessaire de la réalité, cet aspect est secondaire et dépendant[6]. Avec ses concepts d'ordres «implicite» et «explicite», Bohm a justement tenté d'utiliser de nouvelles expressions pour stimuler la compréhension des multiples niveaux de réalité qu'il proposait.

Dans les chapitres précédents, nous avons exploré diverses idées scientifiques – la théorie des structures dissipatives, la théorie des hologrammes, la biodanse. Il convient de leur associer une mise en garde. Dans la mesure où ces idées sont issues de preuves qui appartiennent à une science plus vieille, leur message risque nécessairement d'être biaisé. En effet, aucune science articulée en sujets et objets n'est susceptible de contribuer de façon authentique et convaincante à un concept d'unité avec la nature, puisque son mode de fonctionnement même présuppose que l'observateur est *séparé* du reste du monde. Il appartient encore à la science de compléter ses descriptions des relations entre les pensées et les formes, entre les sujets et les objets. Pour le moment, dans notre quête de preuves de l'unité dans la nature, nous ferions bien de nous rappeler les paroles de Niels Bohr: «[...] quand on cherche de l'harmonie dans la vie, il ne faut jamais oublier que sur la scène de l'existence, nous sommes nous-mêmes tant acteurs que spectateurs[7].»

NOTES:

1. Ernst Cassirer, *Language and Myth,* New York: Dover, 1953, p. 7.
2. Wechsler, *On Aesthetics in Science,* p. 4.
3. Barfield, *The Rediscovery of Meaning and Other Essays,* p. 138.
4. Shimony, «Meeting of Physics and Metaphysics».
5. Henry Margenau, *The Nature of Physical Reality,* New York: McGraw-Hill, 1950, p. 295.
6. Bohm, *Wholeness and the Implicate Order,* p. 23.
7. P. Schilpp, réd., *Albert Einstein: Philosopher-Scientist,* (La Salle, I11.: The Open Court Publishing Co., 1949, p. 236.

CHAPITRE 5

La conscience et la médecine en perspective

[...] la science a été affectée par un point de vue qui essayait d'être libre de toute valeur. Ce n'était évidemment qu'un préjugé.
David Bohm[1]

La conscience, la médecine et le monde matériel
On a sérieusement sous-estimé le rôle de l'activité mentale consciente dans l'évolution de la santé et de la maladie. Les raisons de cette négligence découlent principalement de la croyance selon laquelle la conscience humaine est un phénomène secondaire, un sous-produit de processus physiologiques – c'est-à-dire qu'elle ne dépend que de ce qui se passe dans le corps. Carl Sagan a bien résumé ce point de vue: «Le travail [du cerveau] – ce qu'on appelle parfois l'esprit – est une conséquence de son anatomie et de sa physiologie, et rien d'autre[2].»

Cette définition ne peut pas prendre en considération certains résultats qui mettent en évidence des caractéristiques particulières de l'esprit. Par exemple, Robert Jahn, le doyen de l'école de génie de Princeton, a démontré qu'un sujet qui observe une figure d'interférence optique à l'aide d'un interféromètre de Fabry-Perot peut faire changer l'espace qui sépare deux images parallèles. De même, des sujets se sont montrés capables d'influencer l'intensité du champ magnétique enregistré sur un magnétomètre blindé[3]. Impossible? Oui, si on s'en tient à une définition restreinte de la conscience, comme celle du modèle réductionniste auquel adhèrent Sagan et la plupart des scientifiques. Dans le jargon de la parapsychologie, on parle de psychokinésie. De tels phénomènes, communément décrits comme des manifestations du pouvoir de l'esprit sur la matière, sont traditionnellement considérés comme frauduleux du point de vue de la science classique. Cependant, des faits probants en leur faveur ne cessent de s'accumuler. Ces manifestations ne sont pas du même genre que les phénomènes plus spectaculaires comme les esprits qui communiquent en frappant sur une table, la lévitation ou les cuillers qui se plient. Le fait que des scientifiques de premier ordre comme Jahn s'aventurent dans les eaux troubles de la parapsychologie, une aventure qui, à une époque antérieure, aurait sonné le glas d'une carrière scientifique, est peut-être prophétique. Maintenant, le climat change.

De quoi la conscience humaine est-elle vraiment capable? Considérons les études de Ullman et Krippner au laboratoire de recherche sur les rêves de l'hôpital Maimonides de la ville de New York[4]. Un «émetteur» «envoyait» des images spécifiques pendant une étape donnée du sommeil d'un sujet profondément endormi dans une chambre éloignée. On réveillait ensuite le sujet et on lui demandait de raconter son rêve. Un groupe témoin indépendant comparait cette description avec ce qu'on avait envoyé au sujet. Dans bien des cas, la corrélation était renversante et, d'après le groupe de juges, il ne pouvait pas s'agir d'une simple coïncidence.

Les physiciens Puthoff et Targ, de l'Institut de recherche de Stanford, ont conduit des expériences de télépsychie, dans le cadre desquelles ils demandaient aux sujets de voir une cible donnée. Les résultats? Là encore, les sujets doués semblent extraordinairement précis dans leurs descriptions.

La médecine moderne est également le cadre d'événements tout aussi incroyables. De tels phénomènes surviennent régulièrement – dans les laboratoires de rétroaction biologique, par exemple. Dans une séance de rétroaction biologique, le sujet est relié à divers appareils – habituellement des instruments électroniques – qui mesurent des événements physiques dont on n'a pas l'habitude d'être conscient, et qui retournent cette information au sujet au moyen d'un cadran à aiguille, d'une lumière clignotante ou d'une tonalité variable. Le sujet utilise cette information pour créer d'autres changements dans ce qui est mesuré. Par exemple, il peut apprendre à augmenter ou à diminuer son pouls ou sa pression sanguine, à augmenter l'irrigation de certaines parties du corps, ou à modifier l'activité électrique dans certains groupes musculaires. Le contrôle et la spécificité de ces compétences est assez remarquable; beaucoup de sujets sont capables d'apprendre à augmenter l'afflux sanguin vers un seul doigt ou vers une partie circonscrite de l'avant-bras. Certains sont capables de contrôler l'activité des cellules musculaires desservies par un seul nerf moteur! Ce qui se passe dans les laboratoires de rétroaction biologique ne cadre pas vraiment dans les théories classiques en matière d'apprentissage. La plupart des sujets n'ont jamais vécu d'expériences comparables. Ils arrivent cependant à contrôler certains processus physiques à un point qu'on croyait impossible à atteindre il y a seulement dix ans.

Tous ces événements – l'influence qu'on peut exercer sur des magnétomètres blindés, sur des figures d'interférence; la télésuggestion; la télépsychie; les performances de rétroaction biologique – nous forcent à reconsidérer nos conceptions des interactions de l'activité mentale de la conscience humaine avec le monde matériel. La façon classique de traiter ces découvertes a été de les rejeter, en les considérant soit comme carrément trompeuses, soit comme le produit des activités de chercheurs bien intentionnés mais dénués de jugement – une attitude qui s'impose effectivement *si* on s'en tient à la notion classique selon laquelle la conscience est dérivée *du* monde matériel, mais ne peut pas elle-même l'influencer.

Il est de plus en plus difficile d'ignorer les faits qui tendent à prouver que l'activité mentale consciente peut exercer des changements dans le monde. Il est vrai que, quand il arrive que ce qu'on observe n'a rien à voir avec ce qu'on s'attendait à trouver, certains scientifiques préfèrent peut-être encore ignorer les découvertes objectives pour sauver leurs précieuses théories. Cependant, beaucoup de scientifiques sérieux osent maintenant s'aventurer au-delà des idées reçues sur les relations entre l'esprit et la matière, et tentent de formuler de nouvelles théories qui puissent prendre en considération le genre d'observations dont on vient de parler.

Ironiquement, c'est de la science elle-même – depuis longtemps la citadelle du réductionnisme rigoureux – que vient l'impulsion pour changer de point de vue. À ce propos, l'éminent neurophysiologiste Roger Sperry, celui qui a découvert le fonctionnement différentiel des hémisphères cérébraux, ne mâche pas ses mots. Il affirme que l'esprit, c'est quelque chose qui «déplace de la matière dans le cerveau[5]». Il attribue à l'activité mentale humaine un pouvoir indépendant. Cette position est une hérésie pour les réductionnistes, qui considèrent la conscience comme rien de plus que l'issue d'événements physiologiques du corps.

Le plus important, peut-être, c'est que ce point de vue se retrouve dans les idées de beaucoup de spécialistes de la physique quantique. Commentant la relation qui existe entre la conscience humaine et le monde physique, le physicien et prix Nobel Eugene Wigner affirme que si l'esprit ne pouvait *pas* affecter le monde matériel, mais ne pouvait qu'être affecté par lui, cela serait le seul exemple connu en physique moderne d'une telle relation à sens unique. De fait, en physique moderne, on ne connaît pas de relation à sens unique.

Récemment, des physiciens ont eu à s'interroger sur les interactions de la conscience et du monde matériel. Dans le monde de la physique quantique, on a beaucoup parlé du théorème de Bell. Les conséquences de ce théorème et les découvertes expérimentales qui en découlent sont renversantes. Elles nous forcent à considérer que toute la notion d'un monde purement objectif est en conflit, non seulement avec la *théorie* de la mécanique quantique, mais avec les faits issus d'expériences réelles[6]. Ces découvertes suggèrent toutes avec insistance que l'activité mentale consciente et le monde matériel entretiennent des interactions profondes.

En raison de l'accumulation de faits qui tendent à prouver l'interaction fondamentale de l'esprit et de la matière, l'American Association for the Advancement of Science s'est intéressée formellement à cette question dans le cadre de son congrès annuel de 1979, en présentant une conférence intitulée «Le rôle de la conscience dans le monde matériel». Malgré la tempête de controverse à laquelle on s'était attendu, il est peut-être prophétique que les scientifiques les plus prestigieux des États-Unis se soient entendus pour reconnaître cette question vitale. Un des porte-parole pour la nécessité d'une nouvelle attitude envers l'activité consciente de l'esprit humain était Willis Harman, de l'Institut de recherche de Stanford. Formulant une nouvelle approche, il a décrit ce qu'il considérait être les qualités de la conscience humaine nécessaires pour expliquer les observations connues:

1. l'extension spatiale de l'esprit,
2. l'extension temporelle de l'esprit,
3. la prédominance de l'esprit sur la matière,
4. la liaison des esprits entre eux.

Ces qualités de la conscience caractérisent un point de vue fondamentalement différent de la vision réductionniste de Sagan et de la plupart des médecins d'aujourd'hui. Qu'est-ce que ces nouvelles idées laissent présager pour la médecine? Elles permettent d'affirmer sans perdre contenance que l'activité mentale consciente exerce des effets mesurables sur le monde matériel – y compris les corps humains, les organes, les tissus et les cellules. L'esprit devient un facteur admissible dans le déroulement de la santé et de la maladie.

L'objectivité est-elle possible en médecine?

Le pouvoir sur la matière attribué à la conscience humaine suscite une question inattendue: toute la recherche médicale – passée et présente – est peut-être irrémédiablement défectueuse. Pourquoi? Parce qu'elle a été poursuivie sur la base d'une supposition qui serait erronée: on croyait pouvoir éliminer de l'expérience les effets des attitudes conscientes et des biais de l'expérimentateur. Les chercheurs en médecine ont cru que les intrusions de la conscience humaine n'auraient pas de conséquences sur des expériences scientifiques adéquatement conçues et exécutées. On pouvait gérer l'esprit; on pouvait faire qu'il soit sans effet dans la conception des expériences. On pouvait donc garantir l'objectivité dans la recherche médicale.

Mais maintenant, on met en doute la supposition dont on vient de parler. On envisage la possibilité que l'objectivité pure soit effectivement impossible. Car si le monde objectif est une illusion – ainsi que le laissent entendre les spécialistes de la physique quantique comme D'Espagnat –, alors tout ce qu'il contient, y compris les expériences, les expérimentateurs et les sujets d'expérience, participe à cette réalité subjective. La médecine objective est donc peut-être une illusion.

En médecine, des indices de cet état de fait ont peut-être toujours été visibles, mais on a toujours essayé de les ignorer et de les chasser à coup d'explications. Considérons, par exemple, ce que les médecins appellent «la volonté de vivre». La plupart des médecins ont déjà eu sous leurs soins des patients qui semblent défier leur maladie. Ces patients sont souvent difficiles à soigner; ce sont des individus agressifs, tenaces, truculents, qui tiennent à leurs idées personnelles. Ils ont typiquement de mauvaises relations avec les médecins et le personnel infirmier, ils ne suivent pas toujours les instructions qu'on leur donne, et sont tout le contraire de cette personne passive, résignée et accommodante qu'on considère comme le type du bon patient. La personne qui a la volonté de vivre survit souvent à son pronostic. Elle ne meurt pas à l'heure prévue.

Est-ce que cette volonté de vivre est une preuve de l'effet de la conscience sur le monde matériel? Est-ce un phénomène annoncé par le théorème de Bell et par la réalité non objective de la physique quantique? Il conviendrait d'être au moins ouvert à cette idée.

Quand nous aurons admis dans notre vision du monde le rôle de la conscience, il s'ensuivra forcément des changements radicaux dans notre façon de voir même les transactions les plus banales entre médecins et patients. Considérons l'attitude la plus répandue envers le simple examen médical. Une conception étendue de la conscience nous mène à la conclusion qu'il n'existe rien de tel: l'erreur du patient qui croit soumettre *son* corps à un examen n'a d'égale que celle du médecin qui croit être en train d'examiner le corps de son patient. En raison du continuum corps-esprit qu'on a déjà étudié, il est impossible – même en théorie – d'examiner seulement le corps physique. Toucher au corps, c'est toucher à l'esprit – et tous les examens, analyses de laboratoire et autres diagnostics ouvrent une fenêtre sur la psyché tout comme sur le soma.

L'effet placebo est un phénomène courant en médecine. C'est un fait connu depuis longtemps que beaucoup de patients réagissent à n'importe quel traitement – même à un médicament inerte comme un comprimé de sucre. Ce genre de réaction a toujours été détesté des chercheurs en médecine qui la considèrent presque comme une calamité. Quand on administre un «vrai» médicament à un patient, on ne sait jamais si sa réaction est due à l'effet du remède ou si ce n'est qu'une manifestation de l'«effet placebo». Les chercheurs ont dû concevoir des artifices ingénieux pour isoler cet effet indésirable. La principale supposition est que toute réaction due à l'effet placebo est signe que le problème traité n'est pas réel. Ce problème existe dans l'imagination du patient et n'a pas vraiment d'importance par rapport à la santé globale de celui-ci. Autrement, dit-on, le patient ne réagirait pas au placebo. Ce qu'on peut guérir *par* l'esprit n'existe forcément que *dans* l'esprit.

Cependant, du point de vue d'une réalité subjective, l'effet placebo acquiert un nouveau statut. Dans ce cadre, la conscience peut intervenir dans le monde matériel. Donc, ses effets peuvent être aussi réels que ceux de n'importe quelle pilule, et le fait qu'un symptôme soit affecté par le jeu des attitudes conscientes de la part du patient n'est pas une raison pour dire qu'il est imaginaire. Il convient donc de considérer que l'effet placebo constitue peut-être une preuve de la réalité non objective déterminée par l'interaction de la conscience et du monde matériel*.

Voici un autre euphémisme qui a toujours été populaire chez les médecins: «La maladie a suivi son cours.» Pour une maladie donnée – disons un cancer du sein qui s'est propagé dans tout le corps –, il existe toute une gamme de durées de survie. Certains patients vont mourir en quelques semaines, tandis que d'autres vivront encore plusieurs années. On rapporte même des cas de cancers métastatiques qui ont complètement régressé, au point de ne plus présenter aucun signe ni symptôme, et ne sont jamais revenus. De telles guérisons spontanées sont certes rares, mais ce n'est absolument pas un phénomène nouveau. Quand ils parlent du cours normal des maladies, les médecins et les chercheurs englobent ces phénomènes.

---

* Le support de cette interaction particulière serait peut-être réalisé par les endorphines: en effet, l'effet placebo peut être empêché par l'administration préalable de naloxone, une substance qui inhibe l'action des endorphines.

On utilise aussi cette approche générale pour interpréter la réaction des patients à toute intervention thérapeutique. Là encore, il existe toute une gamme de réactions. Si, par exemple, on administre un puissant médicament anticancéreux pour un cas de cancer du sein généralisé, certaines femmes n'auront aucune réaction, d'autres auront une réaction très marquée, mais la plupart auront une réaction située quelque part entre ces deux extrêmes. Étant donné une population de patients, l'effet de toute forme de thérapie – même les placebos – est réparti de la même façon. C'est la distribution de Gauss que tous les statisticiens connaissent, avec sa courbe «en cloche». Le théorème de Bell rendrait compte de la réalité subjective qui se manifeste par cette distribution observée tant pour les temps de guérison que pour l'intensité de l'effet des soins.

Quand on dit que «la maladie a suivi son cours», on utilise en fait une expression fourre-tout, dont le sens est surtout statistique. On attribue ce phénomène à la variabilité physiologique des êtres humains – mais cette explication est encore un immense fourre-tout qui en fait n'explique rien. On élude la question quand on se contente d'attribuer à la physiologie des patients la dispersion des réactions thérapeutiques humaines et le cours variable des maladies. Cette explication néglige par exemple le fait que la variabilité de beaucoup de réactions physiologiques humaines est très sensible à l'influence de la conscience – conclusion familière à quiconque est le moindrement au courant des événements quotidiens des laboratoires de rétroaction biologique.

À la lumière du théorème de Bell et des caractéristiques irréductibles de la conscience décrites par Harman, nous sommes forcés de regarder au-delà des euphémismes aveuglants que sont la «variabilité humaine», «l'effet placebo» et «le cours des maladies», pour tenter d'analyser l'effet de la conscience humaine sur les processus spécifiques des maladies. À moins de vouloir ignorer les considérations théoriques et les données expérimentales de la physique quantique, on est aussi forcé d'envisager sérieusement la possibilité que les patients puissent effectivement influencer le cours de leurs propres maladies et leur réaction aux soins par l'effet de leur conscience sur le monde matériel – qui contient leur propre corps.

Les soins holistes: quelques petits reproches

Considérons l'influence que les nouvelles idées peuvent avoir sur notre concept de responsabilité personnelle en matière de soins médicaux. Ce concept est devenu le cri de ralliement de ce qu'on appelle le mouvement holiste. Plus que tout autre facteur, le fait de se fier à soi-même et de dénoncer l'insistance que certains mettent sur l'autoritarisme des soins médicaux caractérisent le mouvement holiste. C'est à juste titre que les membres de ce mouvement ont critiqué le rôle classique du patient considéré comme un personnage infantile et suppliant, ainsi que l'approche coûteuse, dépersonnalisée et technologique de la médecine moderne. Ce n'est pas à cause de ces objections au système actuel qu'on a mis au point les nouvelles méthodes d'autoguérison, mais surtout en raison de l'éclosion des nouveaux concepts de responsabilité personnelle. Aussi fertile que soit l'influence du mouvement holiste, dans son insistance criarde sur le concept de *soi,* ce mouvement contrevient au sens le plus profond du mot.

Au cours des chapitres précédents, nous avons vu que l'idée d'un moi isolé est une illusion. L'interaction des corps n'est pas optionnelle, elle est obligatoire. Peu importe à quel niveau on l'examine – que ce soit au niveau macroscopique des relations humaines, au niveau microscopique du moi biochimique, ou au niveau subatomique – l'idée d'un moi isolé et qui n'a aucune interaction avec le reste est impossible à défendre; au mieux c'est une illusion psychologique (comme le passage du temps).

Sous sa forme philosophique actuelle, le mouvement holiste ne réussira jamais à transcender le système médical, parce qu'il a recours au même modèle du monde, où les êtres humains sont vus essentiellement comme des entités distinctes qui existent séparément les unes des autres. Ce n'est donc pas une question de genre mais de degré qui distingue le modèle du monde proposé par le mouvement holiste de celui de la médecine classique. La question n'est pas de savoir qui détient le pouvoir dans le jeu des soins médicaux, ni même quelles sont les règles du jeu. Ce n'est pas avec l'autorité que les distinctions cruciales ont à voir, mais avec rien de moins que le comportement de l'univers – et donc, comme nous avons tenté de le mettre en évidence au cours des précédents chapitres, avec le sens de l'idée de soi.

La confusion sur le sens des notions de «soi» et d'«autre» est répandue partout dans le mouvement holiste. Par exemple, dans certains cercles, on considère que c'est un signe de faiblesse ou un échec que de «prendre une pilule» ou de se soumettre à quelque manœuvre thérapeutique qui vienne de l'institution médicale établie. Idéalement, dit-on, on devrait rester en santé par ses propres moyens, et ne se fier à la médecine classique qu'en dernier ressort (et encore!). Certaines pratiques seraient donc acceptables, alors que d'autres sont condamnables. Le credo se fait chaotique. Par exemple, les vitamines ne sont pas valables en elles-mêmes – cela dépend de leur source: selon qu'elle est «biologique» ou pas. De plus, le dosage est crucial. On a érigé un système complexe de croyances au sujet de *tous* les produits chimiques, y compris l'eau et les aliments que nous ingérons et même l'air que nous respirons.

Bon nombre des reproches que je veux adresser ici vont sans doute s'avérer valables, tandis que d'autres ne le seront pas. Cependant, peu importe ce qu'il adviendra des principes thérapeutiques auxquels adhère le mouvement holiste, c'est tout son système de valeurs qui semble défectueux à la lumière des nouvelles idées que nous avons déjà examinées: somme toute, le fondement de son credo est que les soins sont un objet – quelque chose à prendre, à ingérer ou auquel participer. Une tisane (quelque chose d'acceptable pour les adeptes du mouvement holiste) est un objet aussi réel qu'une injection de pénicilline ou une radiographie. Une vitamine d'extraction biologique est un objet aussi réel que celles qu'on produit massivement à partir d'ingrédients chimiques. Les aliments naturels sont des objets au même titre que les pesticides.

En mettant l'accent sur l'*objectivité* des soins, le mouvement holiste commet la même erreur que le système de soins médicaux classique. Que l'on préfère être traité en «client» plutôt qu'en «patient» (c'est une pomme de discorde dans certains cercles), on reste un objet – *à* qui et *pour* qui les soins sont prodigués. Peu importe si on évite les pilules ou si on préfère prendre des médicaments de source naturelle: il en reste que l'un comme l'autre sont des objets. Du nouveau point de vue, cependant, on ne fait pas de distinction fondamentale entre ces deux systèmes de santé: tous deux restent ancrés dans des visions du monde similaires, caractérisées par une multitude confuse de personnes séparées entourées d'une mer d'objets, le tout englouti dans un univers typiquement newtonien, avec ses causes et ses effets, ses actions et réactions.

Malgré la sympathie profonde que j'éprouve personnellement pour beaucoup des influences transformatrices qu'exerce le mouvement de santé holiste, je dois lui adresser affectueusement quelques reproches et lui souhaiter de parvenir un jour à la maturité philosophique. On peut dire que de bien des façons, le mouvement holiste a rejeté le moucheron et avalé le chameau. Aussi longtemps qu'il recréera les mêmes erreurs philosophiques fondamentales que le système médical actuel, son pouvoir transformateur ne pourra pas fleurir.

Tout compte fait, les questions fondamentales ne s'articulent pas sur des pilules, des pesticides, des rayons

X, ou sur qui fait quoi à qui. Je crois que j'ai exprimé clairement dans les chapitres précédents que nous sommes tous enracinés dans l'univers, que l'interpénétration de toute la matière est la règle, et que la frontière entre les vivants et les non-vivants est arbitraire et illusoire. Il n'y a donc qu'une seule façon de prendre part à l'univers – qu'il s'agisse d'un partage de nourriture, d'eau, de l'amour d'un autre, ou, en fait, d'une pilule. Cette façon est caractérisée par la vénération – née d'un sentiment de participation dans l'univers, d'un sentiment de parenté avec tous les autres êtres et avec toute la matière. Placées dans le contexte de l'interpénétration universelle, les discussions sur des questions de pilules et de tisanes, de thérapies écologiques ou artificielles, prennent des allures d'enfantillages.

Une attitude de vénération qui annonce notre unité avec l'univers peut transformer l'acte le plus banal. Dans certains cercles holistes, on décrie l'ingestion de caféine. Pourtant, depuis des siècles, les Japonais ont élevé le simple acte de consommer de la caféine au statut de la cérémonie du thé, qui est devenue une forme magnifique d'expression de la spiritualité. Durant la cérémonie du thé, le sens de l'espace, du temps et celui de la personne subissent les modifications dont on a déjà parlé. Durant la cérémonie du thé, personne ne trouve à redire à la caféine. Est-ce que l'analogie est tirée par les cheveux? Qu'est-ce que la cérémonie du thé a à voir avec le bien-fondé des actes médicaux? D'après moi, la comparaison est justifiée: on peut prendre part de la même façon à toute prescription de médicament ou à toute autre forme de soins. Les grands chamans l'ont toujours su. Et nous bouclons la boucle: nous revenons à mon collègue Jim, qui avait donné une tournure de cérémonie à un acte tout simple – celui de couper une mèche de cheveux et de la faire brûler – pour sauver un mourant. L'important, ce n'est pas l'acte lui-même, mais l'attitude consciente qui l'entoure. Comme l'a démontré l'étude des lapins aimés et caressés, ce qu'on mange n'est pas aussi important qu'on

313

le croit; car les lapins les mieux traités ont échappé à la maladie qui a ravagé les rangs de leurs semblables moins favorisés – même si tous avaient la même diète riche en cholestérol. Administrer un médicament, de quelque sorte soit-il, tout comme boire du thé ou partager la nourriture – ou comme couper une mèche de cheveux de la tête d'un mourant ensorcelé –, peut être fait avec révérence. C'est ce sentiment et le sens de l'unité qui rendent possible l'épanouissement des pouvoirs de guérison. Je crois que ce sont ces pouvoirs que tous les vrais guérisseurs invoquent. Ce sont les pouvoirs que notre époque a perdus, mais que nous pourrons nous réapproprier grâce à une nouvelle compréhension de l'espace, du temps, de la matière et du moi.

Le corps-esprit total

Dans notre corps, où est localisée la conscience? Presque tout le monde l'associe au cerveau. Notre sens du «je» est quelque part au-dessus des clavicules, et le reste du corps est relégué à une catégorie inférieure, non pensante. Cependant, on aurait tort de croire que tout le monde suppose que c'est le cerveau qui est le siège de la conscience. Les différences culturelles ont une influence profonde sur cette association. Dans des cultures différentes, on attribue le sens du «je» à diverses parties du corps – par exemple, au cœur ou au centre de l'abdomen. Même au sein de notre propre culture, l'idée du site de la conscience varie parfois. Un jour qu'on lui avait demandé où, dans son corps, était localisée sa conscience, l'anthropologue Margaret Mead réfléchit un moment et répondit: «Partout, voyons!»

Par ses travaux bien connus sur les «cerveaux clivés», le neurophysiologiste Roger Sperry a fourni les données les plus dérangeantes à propos du lieu de la conscience et de ce qu'on entend par l'intelligence en général. Dans le cadre d'une thérapie destinée à des patients affligés d'une forme d'épilepsie impossible à traiter, on interrompait, par chirurgie du corps calleux, la communication

314

entre les hémisphères droit et gauche du cerveau. Après coup, Sperry a découvert que ces patients faisaient un usage différent des deux moitiés du cerveau – un fait difficile à déceler chez les personnes dont le pont anatomique entre les hémisphères cérébraux est intact. Il a pu démontrer que l'hémisphère gauche traitait les informations de façon logique, verbale et linéaire. Par contre l'hémisphère droit fonctionnait de manière non logique et non linéaire. Il était capable de traiter des structures ou des processus entiers dans un mode non verbal, intuitif. Et, étonnamment, quand on présentait à l'hémisphère droit des informations visuelles, il pouvait les traiter et avoir des réactions très complexes et intelligentes *sans que rien de tout cela ne parvienne à la conscience.*

À la lumière des découvertes de Sperry (pour lesquelles il a partagé le prix Nobel de médecine en 1981), un problème immédiat se pose. Notre façon habituelle d'établir une relation d'équivalence entre la conscience et l'intelligence semble erronée. Notre cerveau peut penser et agir intelligemment sans la moindre lueur d'expérience consciente. Il est donc évident qu'on ne peut comparer l'intelligence, la pensée et la conscience.

Mais il survient un autre problème curieux. Si tout un hémisphère cérébral peut fonctionner en dehors de notre conscience, comment peut-on savoir si les autres organes de notre corps, qui fonctionnent aussi sans que notre conscience en soit informée, *ne pensent pas aussi?* Prenons par exemple l'unité fonctionnelle élémentaire du rein: le néphron. On le conçoit ordinairement comme un filtre microscopique passif à travers lequel passe le sang. Le sang est ainsi dépuré des déchets métaboliques qui sont finalement excrétés dans l'urine. Apparemment tout simples, les processus physiologiques du néphron sont d'une complexité renversante. Ils réagissent avec une précision silencieuse à toute une gamme de signaux changeants. Des phénomènes hormonaux, neurologiques et osmotiques mettent en branle les mécanismes homéostatiques du rein sans déclencher la moindre étincelle de conscience.

Quelle différence y a-t-il entre le comportement des néphrons et celui de l'hémisphère droit du cerveau? Nous n'avons conscience ni de l'un ni de l'autre. Dans les deux cas, des informations sont traitées en deçà du seuil de notre conscience. On attribue pourtant une qualité «mentale» à l'un et pas à l'autre. Pourquoi? Les cellules pariétales de l'estomac pensent-elles? Les éléments formés dans le sang – les globules rouges, les globules blancs et les plaquettes – ont-ils des propriétés mentales? Nous devons rester ouverts à cette idée. Si nous attribuons des propriétés mentales à notre cerveau droit, dont l'activité de «penser» est souvent tout à fait inconsciente, peut-être devrions-nous hésiter à reléguer toutes les autres parties de notre corps au statut d'«organes inférieurs» simplement parce que nous sommes inconscients de leur fonctionnement.

Évidemment, cela fait longtemps que les biologistes ont supposé que le fonctionnement automatique de certaines parties du corps était un mécanisme de survie que notre espèce avait développé durant sa longue évolution. S'il fallait que nous traitions consciemment la variété incroyable de stimuli chimiques, neurologiques et mécaniques qui assaillent chacune de nos millions de villosités intestinales, nous serions bien vite débordés d'informations. Nous ne savons rien de la plupart des événements qui surviennent dans notre corps, et nous n'avons pas besoin d'en savoir quoi que ce soit. Mais peut-être – seulement peut-être – que notre peau pense effectivement – et nos cellules musculaires, nos glandes sudoripares et nos tympans aussi. Maintenant qu'on se rend compte que des formes de pensée complexes animent notre «cerveau droit» inconscient, on ne peut plus écarter la possibilité que tout l'organisme humain fourmille de pensées.

Notre concept du cerveau comme centre de la pensée est peut-être tout à fait faux – une espèce de cérébralisme chauvin qui ne survivra pas à l'examen sous l'éclairage de notre nouveau savoir. Il vaudrait mieux encore, peut-être, considérer le corps entier comme un cerveau – si par cerveau on entend le siège de la pensée humaine. Comment est-ce que j'acquiers l'information en provenance de mon petit doigt? Comment puis-je me mettre à percevoir la quantité de sang qui afflue à mon pied? (Ces habiletés sont cultivées par tous les sujets qui s'entraînent aux techniques de rétroaction biologique.) Il existe évidemment des ponts anatomiques réels entre ces parties du corps et le cerveau – le réseau de nerfs périphériques qui monte aux hémisphères cérébraux via la moelle épinière. Les phénomènes neurochimiques qui caractérisent la transmission de l'information, depuis les parties du corps les plus reculées jusqu'au cerveau, sont bien connus. Mais l'électrochimie n'est pas la pensée. Et, comme nous l'avons vu, la pensée n'est pas toujours consciente. Qu'est-ce qui relie les phénomènes électrochimiques du corps et l'expérience consciente humaine? On ne le sait pas. Cela relève du vieux «problème de l'esprit et du corps» qui, d'après Brown, serait peut-être insurmontable:

Il y a deux questions gigantesques sur la conscience et la pensée qui n'auront peut-être jamais de réponse. La première est de savoir comment les processus physiques du corps – depuis les récepteurs de sensations dans les orteils jusqu'aux inextricables échanges d'informations avec le cerveau, durant la pensée – se traduisent en expérience consciente. La deuxième question qui semble devoir défier à jamais toute explication est de savoir comment les changements électrochimiques dans les cellules nerveuses transmettent des informations signifiantes, c'est-à-dire comment les informations perçues par les récepteurs nerveux du corps convergent sous la forme de substance cérébrale pour devenir le contenu de la pensée[7].

Comment le stimulus que reçoit ma main droite devient-il le contenu de ma conscience? Comment est-ce que je rends compte de ma notion du «je»? Ce sont là les deux questions sans réponse de Brown. S'il y a des questions, en science, qu'on devrait examiner périodiquement, ne serait-ce que pour stimuler l'humilité qui convient aux scientifiques, ce sont sûrement celles-là.

Nous savons que la frontière entre le conscient et l'inconscient est dynamique – elle glisse constamment d'un côté ou de l'autre sans jamais s'arrêter. Je ne me rappelle peut-être pas ce que j'ai mangé mercredi soir, mais si je me forçais un peu, je finirais bien par m'en souvenir. Pour le moment, je n'ai peut-être aucune idée de l'état de la plante de mon pied gauche, mais si je fais attention, je commence à recevoir des signaux en provenance de cette partie de mon corps. Les informations conscientes et inconscientes sont toujours en mouvement. Mais jusqu'à quel point la frontière entre le conscient et l'inconscient est-elle effectivement dynamique? Dans quelle mesure les processus corporels peuvent-ils être portés à la conscience, et jusqu'à quel point peut-on les contrôler consciemment? Il semble y avoir des limites. Par exemple, on peut montrer que l'esprit inconscient possède des facultés qui ne parviennent *jamais* à la conscience[8]. Mais pour la plupart des événements physiologiques, nous devons confesser notre ignorance profonde quant aux limites de la conscience et du contrôle conscient. La question est ouverte.

Dans les laboratoires de rétroaction biologique, il est courant que les sujets développent la capacité de contrôler consciemment la forme de certaines ondes cérébrales, la contraction des sphincters ou la sécrétion d'acide dans l'estomac – des fonctions corporelles qu'on a toujours considérées hors de la portée de la conscience. Ces phénomènes montreraient pourtant que la fixité rigide n'est pas une caractéristique de la frontière entre le corps et l'esprit. Pour chaque fonction physiologique, on a vu des sujets en développer la conscience et la capacité de contrôle conscient. Beaucoup de fonctions du corps se comportent donc comme un cerveau à deux modes de fonctionnement: bien que, d'habitude, elles réagissent intelligemment à des stimuli complexes sans jamais éveiller notre conscience (comme le fait l'hémisphère droit), elles peuvent être «capturées» et dirigées intentionnellement par des efforts logiques de volonté consciente (selon le mode de fonctionnement de l'hémisphère gauche).

On commence à voir émerger une nouvelle vision du corps. On peut dire que les parties du corps, loin de n'être composées que d'organes inférieurs, pensent inconsciemment − *si* on désire continuer à croire que l'hémisphère droit pense effectivement. De plus, le fonctionnement de beaucoup d'entre elles (sinon toutes) peut être influencé par la conscience. L'interaction entre le contrôle autonome et celui exercé par les centres cérébraux supérieurs est tellement forte que le concept même de «parties» du corps est douteux, et la tentative de construire une image du corps à partir d'un tas de petites pièces introduit automatiquement des imprécisions dans la description du fonctionnement de celui-là. Quelle vision est la plus précise? Peut-être celle d'un processus non segmenté et indivisible, ou peut-être celle du «corps-esprit total». Cependant, on résiste toujours à l'idée que d'autres organes puissent avoir un statut égal à celui du cerveau. Après tout, il faut bien que *quelque chose* ait le contrôle! C'est par crainte de voir les processus physiologiques se déchaîner dans un accès de folie furieuse, s'ils n'ont pas de contrainte hiérarchique ultime, qu'on attribue la prépondérance au cerveau, le siège supposé de la conscience.

Notre tendance à penser ainsi reflète bien les préjugés qui nous portent à construire notre monde en fonction des lois de la causalité. Rien dans l'univers − ni dans le corps − ne peut se passer sans cause; c'est du moins ce que nous croyons. Partout où on regarde dans le corps, on voit des faits qu'on interprète de la même façon. Par exemple, dans le cerveau, la région hypothalamique sécrète une substance qui agit sur l'hypophyse en lui faisant sécréter à son tour la thyréostimuline, qui excite la thyroïde, qui sécrète finalement la thyroxine qui active le métabolisme – la théorie des dominos appliquée à la physiologie.

D'autres interprétations que celles qui mettent l'accent sur les relations de cause à effet sont pourtant possibles. Comme l'observait le mathématicien français Henri Poincaré: «L'homme moderne invoque les relations de cause à effet de la même façon que les anciens invoquaient les dieux: pour conférer un ordre à l'univers – pas parce que c'est plus vrai, mais plutôt parce que c'est plus commode[9].»

Pourquoi le modèle du fonctionnement du corps conçu en fonction de la causalité est-il plus commode? Simplement parce que cette explication est pour nous ce que la croyance dans les dieux était pour les anciens: elle confirme notre vision du monde. Notre vision de l'univers dicte notre vision du corps; rien ne survient donc sans cause préalable. Nous sommes aveuglés par le fait que nos visions du monde et du corps ont été choisies pour des raisons qui ont plus à voir avec leur côté pratique qu'avec la vérité. Notre préférence pour une vision causaliste du fonctionnement du corps est le résultat de ce que Koestler a appelé «la plus grande superstition de notre époque – l'univers matérialiste et mécanique de la physique du début du XIXe siècle[10].» Cette superstition est tellement répandue que nous sommes aveugles aux schèmes qui auraient un plus grand pouvoir explicatif.

La nuit précède invariablement le jour; pourtant, nous ne croyons pas que la nuit cause le jour. L'été suit invariablement le printemps; pourtant, nous savons que la causalité n'y est pour rien. Pourquoi? Après tout, on n'a jamais observé d'exception à cette séquence. C'est juste parce que nous avons des modèles plus puissants qui tiennent compte de perspectives plus larges – les mouvements planétaires et la dynamique du système solaire. Nous percevons des structures enracinées dans des processus universels. La causalité est tout simplement devenue *moins pratique* pour expliquer l'enchaînement du jour et de la nuit, ou du printemps et de l'été.

Sommes-nous capables de passer outre à nos habitudes causalistes, pour expliquer le fonctionnement du corps humain? Réussirons-nous à transcender notre tendance à mettre le cerveau en charge de tout, à n'attribuer l'intelligence qu'au cerveau, et à reléguer le reste du corps au statut d'organes inférieurs? Si on ne s'y résout pas, on risque de continuer à croire des histoires aussi incongrues que «Mon cerveau a fait écrire ce mot à ma main» – cette construction n'est pas moins absurde que la notion selon laquelle la nuit causerait invariablement le jour.

Nous commencerons à saisir le potentiel du corps humain le jour où nous nous permettrons d'adhérer à la vision plus large, celle qui transcende la causalité en mettant l'accent sur les structures, les processus, les touts; quand nous nous donnerons la permission de goûter à l'unité qui constitue la trame de l'univers.

La médecine et la seconde révolution

La possibilité que la conscience humaine puisse exercer des effets mesurables dans le monde risque fort de laisser la plupart des chercheurs stupéfaits. On peut s'attendre à ce qu'ils se disent impuissants – car si le monde des laboratoires, le monde de l'investigation médicale contrôlée, est non pas objectif mais sujet aux caprices de l'activité mentale, toute l'entreprise scientifique est sans espoir. Une réalité qui change au gré des fantaisies conscientes de l'expérimentateur n'en est pas une du tout. C'est une panoplie d'événements instables à laquelle on ne peut pas vraiment appliquer les techniques scientifiques. La science a besoin d'un monde objectif.

Pourtant, cette conclusion est sûrement fausse. Malgré que beaucoup de spécialistes de la physique quantique s'entendent sur le fait que la réalité comporte d'importantes facettes non objectives, la mécanique quantique se porte toujours aussi bien. Elle n'a pas cessé d'exister le jour où on a reconnu l'existence d'un monde non objectif. Les fusées vont encore sur la lune et on peut toujours faire des prévisions. Pareillement, l'insistance avec laquelle les biologistes affirment que la conscience n'affecte pas la réalité médicale et qu'elle ne peut pas l'affecter est le reflet d'une peur profondément ancrée. On n'a pas de raison de croire que la médecine en tant que discipline scientifique va cesser d'exister si on admet que la conscience est un facteur important dans la recherche sur la santé et la maladie. En fait, elle en serait d'autant plus riche. Si toutes les expériences réalisées en médecine jusqu'à ce jour recelaient des effets de l'activité consciente des expérimentateurs et des sujets, si on montrait que les réactions à toutes les formes de soins étaient en principe non objectives, et si le cours de toutes les maladies humaines était influencé par des facteurs liés à la conscience, nous viendrions de découvrir à la médecine une force assez puissante pour rendre insignifiant tout ce qu'on a accompli dans l'ère scientifique moderne. Il n'y a pas de quoi se désespérer devant la perte de l'objectivité en médecine. On devrait plutôt se réjouir, d'une joie née d'une vision plus claire.

Le rejet d'un principe qui n'a jamais existé et dont on n'a jamais vraiment eu besoin a toujours été une étape importante pour la croissance de la science. À une époque antérieure, c'est avec peine qu'on a cessé de croire à l'existence de l'éther, du calorique et du phlogistique, mais cela a fait le plus grand bien à la science. Or ces révisions ne concernaient que le *contenu* de la science, et si on a eu tellement de difficulté à s'en défaire, ce sera bien plus atroce quand on voudra en redéfinir le caractère et l'essence. Cependant, peu importe si la mise au rancart de la notion d'objectivité en médecine risque d'être chaotique, perdre cette illusion équivaudra en fait à libérer la médecine de ses chaînes. En exigeant que la médecine soit objective, on s'est forcé à nier l'existence d'un facteur de santé très puissant: celui de l'activité mentale consciente. Nous sommes maintenant devant la possibilité d'employer l'intervention consciente de façon admissible et intelligente. On est prêt à développer des thérapies entièrement nouvelles, qui nous libéreraient des formes de traitement basées seulement sur un réductionnisme inhumain.

Les règles sur lesquelles se guidera la nouvelle médecine non objective seront peut-être d'un genre différent, mais on pourra encore les mettre en œuvre et les formuler avec une discipline rigoureuse. Tout n'est pas perdu. Il n'y a pas de panneaux indicateurs dans le cosmos, pourtant les astronomes s'y retrouvent toujours avec la plus grande précision. Et dans une réalité non objective, la discipline médicale existera encore; mais c'est grâce à un nouveau sens de l'orientation – dont on commence à peine à saisir la puissance – qu'on y trouvera son chemin.

Dans *A Sense of the Future,* Bronowski affirme:

Ainsi, la seconde révolution scientifique a abandonné les principes cachés de la première. Son modèle de la nature ne suppose plus qu'elle doive être causale, continue et indépendante. Ces suppositions avaient été idéalisées à partir de l'expérience quotidienne. Elles étaient justes et fonctionnèrent parfaitement durant les deux siècles où la physique travaillait et mesurait en fonction de l'échelle de la vie quotidienne. Mais on a vu qu'elles étaient fausses à l'échelle des atomes ainsi qu'à celle des nébuleuses; et elles ne sont pas adéquates pour l'étude de la vie[11].

En médecine, les modèles classiques en viennent au même point que les modèles de la première révolution scientifique: ils sont tristement inadéquats pour l'étude de la vie. Tout comme, en physique, les anciens modèles de l'univers lui attribuaient à tort des qualités de causalité et d'indépendance, les modèles actuels sur lesquels se base la médecine attribuent ces mêmes qualités à l'homme. Et tout comme, sous l'assaut de données nouvelles, on a été forcé d'abandonner l'image mécanique de l'univers qui découlait de ces propriétés, nos conceptions mécaniques

323

de la santé et de la maladie céderont la place à de nouveaux modèles, qui seront aussi plus cohérents par rapport au vrai visage de l'univers.

La seconde révolution scientifique a enfin commencé à remuer la médecine. Espérons qu'elle apporte tout ce qu'on n'a jamais eu: un modèle médical qui soit enfin approprié pour l'étude de la vie.

Un dernier coup d'œil, tourné vers le futur, sur le réductionnisme

Un tel nouveau modèle se caractérisera notamment par sa capacité de combler l'immense lacune qui séparait jusqu'ici la médecine humaniste et la biologie réductionniste. Tout nouveau modèle devra s'attaquer sans détour aux suppositions selon lesquelles nous ne sommes rien de plus que la conséquence de notre anatomie et de notre physiologie, comme le prétend classiquement la science mécanique et réductionniste. En médecine, la plupart des adeptes de l'humanisme ou de l'holisme ont essayé indirectement de chercher une façon élégante de contredire cette triste possibilité – sans avoir toutefois réussi à convaincre les réductionnistes de leur erreur. Pour la médecine, il n'y a pas de perspective plus enivrante que la résolution potentielle de ce débat sans âge.

Peut-être pourrait-on donner une nouvelle orientation aux vieux arguments usés. Les deux parties – ceux qui luttent pour la prépondérance de la conscience humaine et ceux qui maintiennent que c'est notre chimie cellulaire aveugle qui domine – ont encore à faire avec les hypothèses clefs que certains secteurs de la science moderne commencent à laisser filtrer. Pendant qu'on se demande quel tour va prendre le débat, considérons certains des points qu'on a observés jusqu'ici:

– En physique moderne, la matière s'est fait «dématérialiser». L'accent ne porte plus sur les objets mais sur les processus, les champs, les touts.

– Dans la nature, aux niveaux les plus fondamentaux

324

où les événements individuels ont lieu, on ne peut plus ⌐
identifier de causes ni d'effets.

— Dans la nature, les lignes de démarcation entre le
domaine microscopique et le domaine macroscopique,
entre le monde vivant et le monde non vivant, et entre le
conscient et l'inconscient, paraissent de plus en plus
arbitraires, sinon impossibles à définir.

Nous pouvons maintenant nous poser la question
suivante: si les réductionnistes *ont* raison, et si l'esprit, la
conscience et toute activité humaine peuvent être ramenés
au comportement de la matière, *pour les humanistes, où
est donc le drame?* En fait, avec la redéfinition moderne de
la matière, le drame s'évanouit. Le débat est retourné sens
dessus dessous, et il se pourrait que *les humanistes
gagnent la lutte en la perdant.* Parce que la matière n'est
plus ce qu'on entendait avec l'ancienne définition, sur
laquelle le débat entre les humanistes et les réductionnistes
a démarré, mais quelque chose de tout à fait différent.

Qu'est-ce que la matière? Pas les pièces d'une simple
substance fragmentée, isolées et mortes, dont le comportement est gouverné par les lois immuables de la nature,
mais quelque chose qui, dans son sens moderne, a été
entièrement transformé. *C'est ce dans quoi est inclus le
tout* (Bohm). *C'est ce dont le mouvement secoue tout
l'univers* (Eddington). *C'est ce qui contient même les
rudiments de l'esprit* (Delbruck, Walker). *C'est ce dont la
nature même dépend de la conscience de l'humain qui
l'observe* (Heisenberg, Wheeler). *C'est ce à quoi la mort
ne peut être attribuée* (Bohm). *C'est ce qui défie la
désorganisation et la pourriture entropiques* (Prigogine).
*Et c'est ce qui partage avec les valeurs spirituelles une
sorte de réalité similaire* (Wigner).

*Qu'est-ce qu'il y a donc de si tragique à se voir réduit
à la matière?* Un tel destin n'est-il pas plus une élévation
qu'une réduction ou un abaissement? Comment peut-on
continuer à employer des mots comme «rien que» et
«seulement» en parlant de la matière?

Cela m'amuse vraiment, même au moment d'écrire ces lignes, de considérer la possibilité que, tout compte fait, le réductionnisme pourrait s'avérer fondé, mais pour toutes les mauvaises raisons, pour des raisons que la science classique et réductionniste n'a jamais prévues. Ou peut-être pouvons-nous dire que les réductionnistes ont laissé la victoire aux humanistes en montrant que nous ne sommes «rien que» de la matière? Si tel est le cas, la lutte aura été bien étrange: ironiquement, les deux opposants l'auront remportée.

S'il s'avère que la nature de la matière ressemble précisément à ce que les scientifiques cités plus haut ont pressenti, alors *c'est justement matière que nous devrions vouloir être, pour la simple raison que la matière c'est nous-même.* Encore une fois, les termes de Prigogine sont adéquats: «La nature est en nous, tout comme nous sommes en elle. Nous pouvons nous reconnaître dans la description que nous en faisons[12].»

Si le débat sur la question du réductionnisme s'avère propre à être traité en fonction de ces principes, ou de principes similaires, sa résolution même suggérerait une étrange boucle récursive: on verrait le réductionnisme devenir son opposé, pour des raisons articulées sur l'unité.

On ne peut évidemment pas savoir quelle tournure prendra le débat: on ne possède pas encore toutes les connaissances sur les qualités de l'esprit *ou* de la matière. À mesure qu'on en acquerra de nouvelles, il se pourrait que la lutte s'échauffe encore plus. Mais pour ma part, je crois que c'est assez peu probable – car dans la nature, les panneaux indicateurs pointant dans la direction de l'unité entre l'homme et le monde, et entre l'esprit et la matière, sont tout simplement trop nombreux pour qu'on les ignore. J'ai donc l'impression que le futur nous réserve un rapprochement de la médecine humaniste et du réductionnisme scientifique.

Conclusion

Aucun essai de raffinement du système médical actuel ne réussira s'il ne s'attaque aux déficiences des hypothèses les plus élémentaires sur lesquelles il se base. Nous avons examiné ces hypothèses tout au long des chapitres précédents, nous tournant vers la science pour y chercher des façons nouvelles d'approcher le sens fondamental du temps, de l'espace, de la naissance, de la mort, de la santé et de la maladie. Le modèle qui en résulte met en valeur l'unité entre l'homme et la nature.

Comme l'a remarqué le physicien Paul Dirac, «Il est plus important que nos équations soient belles qu'elles soient conformes à l'expérience[13].» Je crois que les mêmes exigences s'appliquent tant aux modèles médicaux qu'aux équations. Et quand un modèle est beau – de l'élégance propre à l'unité – *et,* par surcroît, conforme à l'expérience, il y a lieu d'en être ravi. Mais les nouveaux modèles proposés dans ce livre, bien qu'ils soient effectivement plus ravissants pour certains que les anciens modèles, ne sont pas encore tout à fait justes; aucune théorie scientifique n'a encore échappé aux révisions éventuelles, et les modèles proposés ici ne feront pas exception. Des modèles plus nouveaux devraient encore surgir. Reste à voir la forme qu'ils prendront. On peut comprendre, cependant, que dans la mesure où ils seront doués de beauté et de simplicité, et dans la mesure où ils contribueront à nous réjouir, ils seront justes; alors que s'ils sont inutilement complexes et laids, et ajoutent à notre crainte de la dissolution et de la mort, comme les anciens modèles, ils seront voués à être abandonnés.

Assieds-toi devant les faits comme un petit enfant, et prépare-toi à abandonner toute idée préconçue, suis humblement la Nature, peu importe où ni à quel abysse elle te conduira, sinon tu n'apprendras rien.

T.H. Huxley

NOTES:

1. David Bohm, «A Conversation with David Bohm», p. 26.
2. Carl Sagan, cité dans *Brain-Mind Bulletin,* vol. 6, n° 5, 16 février 1981, p. 1.
3. Willis Harman, Allocution présentée au congrès annuel de l'American Association for the Advancement of Science, Houston, Texas, 1979.
4. M. Ullman, S. Krippner et A. Vaughan, *Dream Telepathy,* New York: MacMillan, 1972.
5. Brown, *Supermind,* p. 122-123.
6. D'Espagnat, «The Quantum Theory and Reality».
7. Brown, *Supermind,* p. 121-122.
8. *Ibid.,* p. 124.
9. L. LeShan, *The Medium, the Mystic, and the Physicist,* New York: Viking, 1974, p. 85.
10. A. Koestler, *The Roots of Coincidence,* New York: Random-House, 1977, p. 77.
11. Bronowski, *A Sense of the Future,* p. 39.
12. Ilya Prigogine, cité par Lukas, «The World According to Ilya Prigogine», p. 88.
13. Timothy Ferris, «The Spectral Messenger», *Science 81,* octobre 1981, p. 72.

POST-SCRIPTUM

Un infarctus du myocarde en l'an 2000

Cela faisait des années que Sam Platte, maintenant dans la cinquantaine, avait hâte de revenir pêcher encore une fois sur ces lacs de haute montagne. Il les avait découverts pour la première fois il y a une trentaine d'années, et ces lacs grouillaient encore de truites. Pour Sam, ces prés alpins et ces superbes lacs étaient un paradis terrestre.

Pourtant, il était inexplicablement fatigué. D'un naturel robuste, il ressentait une fatigue qui ne pouvait simplement pas s'expliquer par un avant-midi décontracté à la pêche. Sa fatigue se faisait graduellement oppressante. Son souffle devenait nettement plus court, et il avait légèrement mal au cœur. Étrangement, bien que l'air fût vif, il commençait à transpirer. Quand la sensation de lourdeur dans sa poitrine fut remplacée par une douleur sourde qui le tenaillait, il sut que quelque chose n'allait pas. Comme la douleur gagnait son cou et son bras gauche, il mit en marche le moniteur intégré à sa montre-bracelet, qui recueillait des informations sur ses fonctions cardio-vasculaires en sondant la dynamique des pulsations de l'artère radiale du poignet. En moins de trente secondes, l'affichage numérique avait donné plusieurs lectures de son pouls et de sa pression sanguine. Ces informations étaient alarmantes: sa tension était sous la normale et à la baisse, et son pouls, lent et erratique. Sam Platte sut qu'il était en train de faire une crise cardiaque.

Il soupesa les options dont il disposait. Il savait que la première heure suivant l'apparition des symptômes d'un infarctus du myocarde était critique. Les ressources classiques – l'urgence d'un hôpital et l'unité de soins coronariens – n'étaient simplement pas disponibles. Tant mieux, pensa-t-il, parce qu'en matière de santé, il préférait les nouvelles méthodes, les siennes propres.

Posant sa canne à pêche à côté de lui, tout à fait maître de ses sens, il s'étendit sur le dos, s'enfonçant dans la mousse verte qui poussait autour du lac. Une autre lecture de son moniteur confirma les précédentes. Il se dit que le problème était probablement dû à l'obstruction d'une artère coronaire, ce qui entravait l'apport de sang et d'oxygène à une partie du cœur. Le ventricule gauche, ainsi privé de nutriments, défaillait. L'éjection du sang hors du cœur diminuait; c'est ce qui expliquait la chute de tension et l'essoufflement. Le muscle cardiaque réagissait en adoptant un rythme lent, inefficace et chaotique. Sam Platte savait que ces événement le mèneraient sans doute à la mort, à moins d'agir sans délai.

Il amorça d'abord la constriction des vaisseaux sanguins périphériques, exerçant des stratégies mentales pour détourner le sang de certaines parties du corps – la peau, les bras, les jambes – au profit du centre du corps, ce qui fit monter sa pression sanguine[2, 3, 4]. Durant ce processus, et en fait depuis qu'il s'était rendu compte de sa situation, il était resté tout à fait conscient de son état psychologique. Il connaissait les effets potentiellement dévastateurs de la peur, dans le cadre d'un infarctus du myocarde[5, 6]. C'était un fait bien connu que ce genre d'émotion augmente de beaucoup le risque que des irrégularités dangereuses sinon fatales se développent dans les battements du cœur. Sam Platte gardait le contrôle de ses émotions.

Ironiquement, ce n'était cependant pas une forme de *contrôle* qu'il essayait d'obtenir. Pendant les années qu'il avait consacrées à l'apprentissage des techniques d'auto-régulation, il avait appris que ce n'est que d'une volonté ineffable et passive, d'un abandon, que pouvait venir le contrôle[7]. Dans sa stratégie mentale personnelle, Sam s'abandonnait à une sagesse supérieure – la sagesse de son corps, la sagesse de l'univers. Pour lui, il ne s'agissait pas d'une expression religieuse, mais de la reconnaissance des corrélations et de l'unité qu'il savait être des aspects acceptés dans la vision scientifique du monde[8].

Étendu sur la rive molle et luxuriante, Sam intériorisait sa vision du monde: il permettait à la sagesse en laquelle il croyait de couler librement à travers lui et de faire partie de lui, en même temps qu'il s'y mêlait et en devenait partie. Ses années de pratique disciplinée lui avaient appris que ce mélange, cette intériorisation, avait des conséquences réelles – que ses propres attitudes par rapport à sa relation avec l'univers avaient des répercussions physiologiques et suscitaient des changements physiques concrets et mesurables. Il savait qu'une vision du monde qui reflétait l'isolement, la fragmentation et la solitude se traduisait en crainte et en anxiété, et provoquait, en pareille situation, une cascade d'événements physiologiquement destructeurs. Il avait appris que les sentiments de corrélation et d'unité avec le monde annulaient, dans une large mesure, l'effet de ces événements et qu'il en résultait un équilibre du corps et de l'esprit dont il avait grandement besoin. Il ne s'agissait pas d'une stratégie égoïste, comme s'il essayait d'échapper à quelque sort atroce; il s'était simplement mis sur la voie qui lui semblait la plus vraie. En fait, il considérait l'expérience qu'il était en train de vivre non pas comme une crise, ou une mauvaise posture, mais comme un simple événement dans l'espace et dans le temps, qu'on pouvait reconnaître comme tel et choisir de traiter, si on voulait. Et il avait choisi d'y voir définitivement et à sa manière.

Il ne savait pas précisément pourquoi il était capable

de conserver sa sérénité, mais il savait que sa vision du monde jouait un rôle, en quelque sorte fondamental, dans le processus. Il avait écarté la possibilité de son extinction personnelle pour la simple raison qu'il ne pouvait pas l'envisager raisonnablement, puisqu'elle ne cadrait ni avec ce qu'il sentait, ni avec les descriptions scientifiques les plus précises qui étaient à sa portée[9]. Il savait que la corrélation était un facteur fondamental dans la version de la réalité alors acceptée[10]; que la science avait abandonné l'idée que le temps était divisé en passé, présent et futur; et que la biologie moléculaire moderne avait échoué dans sa tentative de tracer une ligne de démarcation entre les vivants et les non-vivants[11]. Ainsi, pour Sam Platte, les questions de mortalité et d'immortalité ne se posaient tout simplement pas.

Il se mit ensuite à répartir sa douleur jusqu'à ce qu'elle soit imperceptible[12, 13, 14]. Là, il *sut* quel événement physiologique était en cause: des hormones d'un pouvoir analgésique incroyable avaient été libérées. Il s'agissait d'hormones endogènes aux cellules du cerveau et qu'on connaissait depuis un quart de siècle. De toutes les prouesses que Sam avait appris à accomplir par sa seule volonté, celle-ci était la plus facile. De plus, il s'y livrait *avec plaisir* – non seulement parce que cela soulageait sa douleur, mais en raison de l'euphorie manifeste suscitée par ces hormones.

La douleur s'était évanouie. Sam consulta à nouveau son moniteur. Il était content du résultat. Sa pression était plus haute, presque normale; et son pouls n'avait plus rien d'inquiétant[15].

Maintenant qu'il avait vu aux choses les plus urgentes, il était temps de passer aux techniques plus subtiles. Sam avait appris qu'une intention pouvait porter sur des fonctions hématologiques sophistiquées[16]. Dans la situation présente, c'étaient les facteurs qui avaient rapport à la coagulation du sang qui étaient les plus pertinents: l'«adhérence» des particules du sang qu'on appelle les plaquettes, la stabilité des caillots à l'intérieur des veines et des artères et les spasmes des vaisseaux sanguins[17]. Bien qu'il n'eût aucune idée du mécanisme auquel il aurait recours, il s'attaquait maintenant à la tâche de renverser le processus de coagulation pathologique qui était en cours dans son artère coronaire, et qui était justement responsable de la situation dans laquelle il se trouvait. Il savait que la partie affectée du muscle cardiaque était probablement encore viable – le processus d'obstruction n'était pas encore assez avancé pour qu'il s'ensuive des dommages significatifs. Sam Platte avait bien vu au contrôle volontaire de ce phénomène. Bien qu'il eût déjà pratiqué les techniques courantes pour modifier, de l'extérieur, la coagulabilité du sang – par exemple, pour arrêter le saignement d'une coupure[18] – il n'avait jamais essayé de les appliquer à la coagulation du sang à l'intérieur de son corps.

Pour cette tâche, il eut recours à des images mentales qui lui semblaient appropriées, avec une intensité qui n'avait d'égale que la gravité de la situation. Sa stratégie semble avoir bien fonctionné: en quelques minutes, une autre lecture de son moniteur confirma que tout était revenu à la normale. Épuisé, il s'endormit.

Sam s'éveilla quelques heures plus tard. Il se sentait bien, aussi calme que la surface lisse du lac, qui commençait à être brisée par endroits par les truites qui prenaient leur repas du soir. Le soleil se couchait, tout doré, et c'était l'heure des corvées du soir, au campement. Il resta étendu encore un peu, à réfléchir aux événements de l'après-midi. Il avait conjuré une crise cardiaque. En serait-il encore capable la prochaine fois? Il laissa les mots «encore», «prochaine» et «fois» passer à travers le filet de son esprit – des mots qui n'avaient pas de sens, pensait-il maintenant, des mots qui appartenaient à une vision dépassée de la réalité, selon laquelle le temps avait déjà été linéaire et découpé en passé, présent et futur. Sam aussi avait déjà eu une telle vision du monde. Songeant aux transitions qu'avait vécues son mode de pensée, il sourit.

Ramassant doucement sa canne à pêche, il se leva, remarquant la trace que son corps laissait dans la mousse luxuriante. Lentement, calmement, il retourna au campement.

NOTES:

1. M.M. Wintrobe et al., *Harrison's Principles of Internal Medicine*, New York: McGraw-Hill, 1974, p. 1199-2000.
2. William A. Check, «Angiotensin in the Brain?», *Journal of the American Medical Association*, 8 février 1980, p. 499-500.
3. Neal E. Miller et al., «Learned Modifications of Autonomic Functions: A Review and Some New Data», *Circulation Research* 27: Supplément 1: 3-11, 1970.
4. D. Shapiro, B Tursky et G.E. Schwartz, «Control of Blood Pressure in Man by Operant Conditioning», *Circulation Research* 27: Supplément 1: 27-32, 1970.
5. Q.R. Regestein, «Relationships Between Psychological Factors and Cardiac Rhythm and Electrical Disturbances», *Comprehensive Psychiatry* 16:137, 1975.
6. Peter Reich et al., «Acute Psychological Disturbances Preceding Life-Threatening Ventricular Arrhythmias», *Journal of the American Medical Association*, 17 juillet 1981, p. 233-235.
7. Herbert Benson et al., «Historical and Clinical Considerations of the Relaxation response», *American Scientist*, juillet-août 1977, p. 441-445.
8. David Bohm, *Wholeness and the Implicate Order*, p. 174.
9. David Bohm, «A Conversation with David Bohm», p. 26.
10. David Bohm, *Wholeness and the Implicate Order*, p. 174.
11. Max Delbruck, «Mind from Matter?», p. 339-353.
12. C.H. Hartman, «Response of Anginal Pain to Handwarming», *Biofeedback and Self-Regulation*, décembre 1979, p. 355-357.
13. J.E. Adam, «Naloxone Reversal of Analgesia Produced by Brain Stimulation in the Human», *Pain* 2: 161-166, 1976.
14. A.V. Vogel, J.S. Goodwin et J.M. Goodwin, «The Therapeutics of Placebo», *American Family Physician* 22: 105-109, 1980.
15. Theodore Weiss, «Biofeedback Training for Cardiovascular Dysfunction», *Medical Clinics of North America*, juillet 1977, p. 913-928.
16. Richard A. Kirkpatrick, «Witchcraft and Lupus Erythematosus», *Journal of the American Medical Association*, 15 mai 1981, p. 1937.
17. E.R. Gonzalez, «Constricting Arteries Expand Views of Ischemic Heart Disease», *Journal of the American Medical Association*, 25 janvier 1980, p. 309-316.
18. Elmer et Alyce Green, *Beyond Biofeedback*, New York: Delacorte, 1977, p. 225-241.

ANNEXE

De la physique classique
à la physique moderne

Dès l'aube de l'ère scientifique, la physique avait établi sa
prééminence à titre de dépôt de la précision et de la prévisibilité. Depuis, la médecine l'a toujours considérée
comme le modèle à imiter. La vision du monde proposée
par la physique classique de Newton donnait aux médecins un point de vue admissible sur la santé, la maladie, la
naissance et la mort. C'est de l'univers mécanique de la
physique traditionnelle que vient le modèle du corps
mécanique – dont le cœur bat la mesure sur un mode parfaitement déterministe à moins d'être perturbé, bien sûr,
par les ennuis mécaniques qu'on appelle maladies.

La recherche de nouveaux modèles exige qu'on examine tous ceux qui ont présentement cours – ce qui implique donc qu'on considère la physique classique et sa
relation au point de vue adopté par la physique moderne[*].

---

[*] Pour un exposé plus complet sur la physique classique et la physique moderne, nous recommandons aux profanes les ouvrages suivants: Fritjof
Capra, *Le tao de la physique*, Paris: Tchou, 1979; Fred Alan Wolf, *Taking
the Quantum Leap*, San Francisco: Harper and Row, 1981; et Gary Zukav,
The Dancing Wu Li Masters, New York: William Morrow, 1979.

Ce sont peut-être les transitions révolutionnaires survenues en physique au cours de notre siècle qui ont constitué le virage le plus raide de l'histoire du progrès scientifique. Les notions fondamentales pour la compréhension du comportement du monde selon Newton ont toutes été abandonnées au profit d'un modèle radicalement nouveau. Une des affirmations les plus importantes du présent ouvrage est que, si elle veut garder sa crédibilité de discipline scientifique moderne, la médecine doit maintenant faire face aux répercussions de ces changements. On commence à se rendre compte que la médecine est tombée dans une situation étrange: le modèle qu'elle s'était toujours efforcée d'imiter a changé, et elle ne l'a pas suivi. *L'Espace, le Temps et la Santé* propose donc d'explorer ces changements radicaux et inévitables auxquels doit maintenant faire face la médecine.

Les physiciens ont tenté de répondre à une question fondamentale: comment le monde marche-t-il? Pendant qu'on cherchait des réponses, certains traits ont commencé à se démarquer comme des caractéristiques irréductibles du monde. Au XVIIe siècle, ces caractéristiques se sont mises à ressortir principalement des travaux du célèbre physicien Sir Isaac Newton.

On peut dire que l'univers de Newton se comportait généralement en fonction du bon sens. Les choses se passaient comme il semblait qu'elles *devaient* le faire. Cette vision du monde a persisté pendant presque 300 ans, pratiquement sans qu'on la remette en question: c'est sûrement lié au fait qu'elle était *tellement* compatible avec l'expérience humaine qu'elle laissait bien peu de place pour le doute.

L'univers de Newton était construit de parties constituantes: les atomes. Ces unités fondamentales correspondaient aux matériaux de construction dont l'existence avait déjà été supposée par Démocrite, entre autres. On considérait la nature comme un assemblage de parties qui se comportaient dynamiquement un peu comme de minuscules boules de billard. Ces unités de matière se distinguaient fondamentalement de l'espace vide qui les entourait, et elles existaient dans un temps axiomatiquement linéaire, composé du passé, du présent et du futur. Le temps s'écoulait, comme un ruisseau, et les événements survenaient dans le moment présent, qui liait le passé au futur. De plus, tous les événements avaient une cause distincte, bien qu'on pût ignorer celle d'un événement donné, à un moment donné. Et la preuve qu'une cause existait était tout simplement l'observation qu'un événement s'était effectivement produit.

Avec ces caractéristiques élémentaires du monde, Newton a conçu des lois pour décrire le cours des événements dans la nature. Ces lois étaient magnifiques, en raison non seulement de leur simplicité élégante, mais aussi de leur impressionnant pouvoir de prévision. Cette dernière qualité a donné lieu à l'idée selon laquelle moyennant certaines informations sur l'univers – comme la position, la vitesse et la masse des particules qui le composent – et l'application de quelques lois simples, on pourrait toujours prévoir ce qui allait se passer. On pouvait en outre calculer ce qui avait déjà eu lieu dans le passé infini. C'est pour cette raison qu'on dit de l'univers de Newton qu'il pourrait tout aussi bien faire marche arrière. C'est également de là que vient le concept des lois immuables de la nature, qui mènent l'univers avec une poigne d'acier. La mécanique de Newton a eu pour conséquence que tout semblait absolument prévisible et déterminé.

C'est sur cette toile de fond toute teintée de certitude qu'une cascade d'événements transformateurs s'est mise à défiler au tournant du siècle dernier. En 1887, l'expérience de Michelson et Morley sonna le glas du concept classique de l'éther comme véhicule des phénomènes énergétiques dans la nature. En 1896, la découverte de l'électron par Sir J.J. Thompson a détruit la notion selon laquelle l'atome était l'unité de matière irréductible. Et en 1900, Max Planck annonça son «heureuse supposition», la constante de Planck, qui permettait de démontrer que dans la nature, l'énergie n'était pas lisse et continue, mais houleuse et granuleuse. Planck nomma «quanta» les paquets d'énergie. Sa propre attitude envers sa découverte monumentale reflète bien le pouvoir du dogme scientifique de l'époque: il était extrêmement peu disposé à en publier les résultats, tellement ils ne cadraient avec rien de ce qui était venu avant.

Pourtant, en 1900, les physiciens débordaient d'assurance: au cours d'une allocution présentée à la Société royale de Londres, Lord Kelvin, un des plus grands physiciens de l'époque, avait affirmé que la mission de la physique et des physiciens était presque accomplie. Il ne restait que quelques petits «nuages» à éclaircir. Personne n'aurait pu prévoir ce qui allait venir.

En 1905, Einstein publiait sa théorie de la relativité restreinte: c'était le ciel qui tombait sur le monde déterministe, prévisible et rassurant de la physique classique. Aussi renversantes qu'elles fussent, ses nouvelles idées étaient présentées de façon tellement claire et convaincante qu'en quelques mois, elles avaient fait le tour du monde. Après Einstein, la physique n'allait plus jamais être la même.

De nos jours, on reconnaît que la théorie des quanta et celle de la relativité restreinte sont les deux éléments les plus importants de la physique moderne. (La théorie de la relativité restreinte n'a jamais été remise en question par quelque donnée expérimentale que ce soit; ses bases conceptuelles et expérimentales sont beaucoup plus solides que celles de la relativité généralisée.) Ces théories fournissent une vision du monde qui contraste vivement avec l'héritage que Newton nous a laissé. Leur émergence est un exemple superbe de ce que Thomas Huxley décrivait comme l'événement le plus tragique en science: l'assassinat d'une théorie magnifique par un fait affreux.

On ne se rend plus tellement compte du fait que le passage de la vision classique d'un monde rassurant et confortable aux nouvelles idées a été terriblement déroutant pour les principaux intéressés. Qu'on s'imagine seulement les dilemmes existentiels pénibles suscités chez certains par les résultats de ces «folles expériences atomiques», comme les appelait Heisenberg. On ne doit pas ignorer ces sentiments: ils sont une caractéristique essentielle de cette révolution scientifique. Ce n'est pas volontairement ni arbitrairement que les nouvelles idées ont été conçues: c'est par pure nécessité. Les physiciens devaient sans cesse faire face à des données inéluctables, effectivement issues de leurs expériences, et qu'ils ne pouvaient expliquer autrement. En tant que scientifiques, ils n'avaient pas le choix.

Quelle sorte de vision ressort-il de la théorie des quanta? Nous en avons déjà mentionné un aspect: la nature discontinue de l'énergie. De plus, le concept des matériaux de construction a été abandonné. Comme Bohr disait toujours: «Attention: les électrons ne sont pas des choses!» On a montré que dans la nature, les «particules» se comportaient tantôt comme telles, tantôt comme des ondes, selon la façon dont l'expérience était conçue. Les électrons faisaient montre d'un comportement curieux: apparaissant partout à la fois sur leur orbite, encore que plus en un point qu'en un autre, mais présents partout dans une certaine mesure, ce qui cadrait plutôt mal avec l'ancien concept selon lequel il s'agissait d'unités discrètes. En vertu de ces caractéristiques, il fallut donc abandonner la distinction absolue qu'on faisait, d'après Newton, entre les masses et l'espace vide. C'est pour tenir compte des caractéristiques étranges des «particules» qu'on a proposé le concept de champ. On a montré que les champs étaient non pas indépendants, de la façon dont on avait cru que les particules l'étaient, mais fondamentalement interreliés. Le grand physicien et astronome anglais, Sir Arthur Eddington, a bien résumé cette corrélation dans sa remarque célèbre: «Quand l'électron vibre, l'univers est secoué.»

En physique quantique, la causalité stricte a été jetée par-dessus bord quand on s'est rendu compte qu'au niveau subatomique, il était impossible de prévoir des événements isolés, même en principe. Il y a un hasard inhérent au cœur même de la nature. Heisenberg montra en outre que notre capacité d'extraire des informations à ce niveau a des limites dont on ne peut faire abstraction. Avec son célèbre principe d'incertitude, il a démontré qu'on ne pouvait pas déterminer simultanément la position et la vitesse d'une particule. Il faut choisir laquelle de ces deux informations on veut connaître, car il est impossible de connaître les deux en même temps.

D'après la théorie quantique, il n'y aurait donc pas de physique, dans le sens moderne, qui s'applique aux événements subatomiques individuels. Avant de pouvoir parler avec précision, il faut se contenter de la connaissance globale d'un grand nombre d'événements. Le vieux point de vue, immuable et déterministe, a donc dû céder la place à une conception probabiliste. Quand on considère toute une collection d'événements, la capacité de prévision refait surface, et avec grande précision – ce qui ne présenterait, d'après certains, qu'un autre aspect du vieux déterminisme; mais on n'a plus l'assurance de la prévisibilité absolue à tous les niveaux de la nature.

Aucune des caractéristiques de la physique quantique n'est plus révolutionnaire que le fait qu'elle reconnaisse les aspects subjectifs du monde. Du point de vue classique, le monde était tout à fait objectif. Il était «là, dehors», ne dépendant d'aucune façon, pour exister, de l'activité de la conscience humaine. Le monde avait un statut absolument indépendant de la façon dont les êtres humains pensaient à lui. Cependant, du point de vue moderne (d'après l'interprétation de la mécanique quantique la plus communément admise: celle de Copenhague), la conscience humaine participe à la création de la réalité qui frappe notre œil. En fait, sans observateur, le concept de «réalité» n'a tout simplement pas de sens. En effet, sur le plan des événements subatomiques individuels, à cause de leur nature aléatoire intrinsèque, plusieurs dénouements sont toujours possibles. C'est l'acte même d'observer qui fait que ces possibilités donnent ce qu'on perçoit dans le monde comme un seul événement. Sans la participation d'un observateur, ce qu'on appelle la réalité ne se déploie pas. Dans le cadre des nouveaux concepts, le statut strictement objectif du monde matériel a donc été transcendé et remplacé par une version de la réalité qui attribue une importance prépondérante à la conscience humaine.

Pour sa part, la théorie de la relativité restreinte de Einstein a suscité des idées aussi révolutionnaires que celles qui sont venues de la théorie des quanta. Einstein affirmait que c'est la vitesse de la lumière – et non pas l'espace et le temps, comme le prétendait Newton – qui est absolue pour tous les observateurs dans l'univers, peu importe la vitesse à laquelle ils se déplacent. Il montra ensuite comment les notions de passé, présent et futur absolus étaient impossibles à défendre; que la «réalité» pouvait être ordonnée différemment selon les observateurs; comment l'énergie et la masse pouvaient se convertir réciproquement; et comment l'espace et le temps fusionnaient nécessairement. La théorie de la relativité restreinte s'est montrée aussi forte que la théorie des quanta: les expériences les plus rigoureuses ont toujours confirmé ses prévisions. Même ses aspects les plus audacieux, comme le ralentissement du temps à mesure que la vitesse d'une particule augmente, le ralentissement des horloges quand elles approchent la vitesse de la lumière, la contraction des règles quand leur vitesse augmente et l'augmentation de la masse d'un objet quand il accélère, ont été démontrés expérimentalement à tout coup.

Comment le portrait de la nature illustré dans la physique moderne peut-il bien être juste, alors qu'il est si dissonant par rapport à ce que notre bon sens nous laisse croire du fonctionnement du monde? Hélas, la physique moderne ne nous est d'aucun secours pour répondre à de telles questions, car les physiciens ne s'intéressent qu'à la qualité des prédictions que permet une théorie, pas à sa compatibilité avec nos attentes et préjugés. Et pour ce qui est de leur puissance de prévision, la théorie des quanta et celle de la relativité restreinte n'ont pas vraiment de concurrents. Il n'existe tout simplement pas d'autres théories convaincantes qu'on pourrait employer pour restructurer le modèle newtonien du monde.

Les profanes dont le bon sens est maltraité par le point de vue moderne se consoleront peut-être en sachant que ces notions bizarres irritent les physiciens eux-mêmes. La capacité qu'ont les physiciens d'intégrer habilement les idées nouvelles est, en fait, limitée; c'est pourquoi on dit d'eux qu'ils ne comprennent jamais vraiment une nouvelle théorie: ils ne font que s'y habituer.

Achevé   Imprimerie
d'imprimer Gagné Ltée
au Canada Louiseville